新 潮 文 庫

レディ・ジョーカー

上　巻

髙 村　薫 著

目次

レディ・ジョーカー

上巻

《主な登場人物》

岡村清二　　元日之出麦酒社員。

物井清三　　薬局店主。岡村清二の弟。
半田修平　　品川署のち蒲田署刑事課強行係。巡査部長。
　　　　　　物井の競馬仲間。
高　克己　　信用金庫職員。物井の競馬仲間。
布川淳一　　トラック運転手。物井の競馬仲間。
松戸陽吉　　通称ヨウちゃん。旋盤工。物井の競馬仲間。
レディ　　　布川淳一の娘。

城山恭介　　日之出麦酒代表取締役社長。
倉田誠吾　　　同　　ビール事業本部長兼取締役副社長。
白井誠一　　　同　　事業開発本部長兼取締役副社長。
杉原武郎　　　同　　ビール事業本部副本部長兼取締役。
　　　　　　城山恭介の義弟。
野崎孝子　　日之出麦酒社長秘書。

秦野浩之　　歯科医。
秦野美津子　その妻。物井清三の娘。
秦野孝之　　その息子。
杉原佳子　　秦野孝之の交際相手。杉原武郎の娘。

西村真一　　広域暴力団誠和会系企業舎弟。総会屋。
田丸善三　　総会屋グループ岡田経友会顧問。
菊池武史　　投資顧問会社(株)ジーエスシー代表。
　　　　　　元東邦新聞大阪社会部記者。

久保晴久　　東邦新聞東京社会部警視庁捜査一課担当記者。
根来史彰　　　同　　　　　　遊軍長。
菅野哲夫　　　同　　　　　　警視庁キャップ。

神崎秀嗣　　警視庁捜査一課長。
平瀬　悟　　　同　　　第一特殊犯捜査二係。警部補。
合田雄一郎　　同　　　第三強行犯捜査七係
　　　　　　のち大森署刑事課強行係。警部補。
安西憲明　　大森署刑事課知能係。警部補。
加納祐介　　東京地検特捜部検事。合田雄一郎の元義兄。

一九四七年──怪文書

『議事錄（補）

一、去ル六月十日、當社《とうしゃ》神奈川工場宛ニ郵送サレタ手紙一通ヲ總務《そうむ》擔當《たんとう》者ガ開封シ一讀《いちどく》シタ處《ところ》、論旨不可解ニシテ意圖《いと》不明ナルモ、當社ノ名譽ニ關《かか》ハル事實《じじつ》無根ノ記述ガ有ルト判明シタ件、當取締役會議《かいぎ》ニテ當該ノ手紙ノ取扱ヒヲ檢討シタ結果、特ニ對應《たいおう》ノ必要ナシトノ結論ニ達シタ。

一、手紙ニ言及サレタ「共産黨員《とういん》」ハ、念ノ爲品川署ニ問合セタ處、該當スル人物ナシトノ回答《かいとう》ヲ得タ旨、桑田總務部長ノ報告有リ。

一、手紙ノ廢棄ハ、桑田ガ是ヲ行フ事トスル。

以上

昭和二十二年八月一日

於東京本社品川假《かり》社屋會議室

（記錄　濱田）』

＊

『日之出麥酒株式會社神奈川工場　各位

小生、不肖岡村清二は、去る二月末日を以て日之出神奈川工場を退職した四十名の一人であります。今日なほ思ふことい ろ〳〵あり、現在病床にて起居もまゝならぬ身につき、一筆したゝめる次第です。

初めに、既に會社を去つた者がかうして一筆啓上するに及んだ經緯と眞意を明らかにしておかなければなりません。

過日小生は、或る人物から、日之出勞組神奈川支部が病氣療養を理由に小生に退職を促したのは表向きのことであり、實は警察の指導があつたのだと云ふやうな話を聞きました。曰く「岡村は昨年十二月十五日、元同僚一名と共に東京は芝の某所に居たから、かう云ふ分子は早く辭《や》めさせた方がいゝ」と云ふ話であつたさうです。これを小生に話したのは、盲腸を患ひ外科病室に入院して來た男で、名を河野英治と云ひ、共産黨員を自稱《じしょう》して居りましたが、小生には眞僞は分りません。

思ふに小生はいま確かに病氣なのですから、假にさういふことがなかつたとしても、早晩退職する日は來てゐたでせう。從つて「昨年十二月十五日云々」の一件が小生の人生に及ぼす影響はもはやないのですが、その一方で、かうして言及された「元同僚一名」が誰であつたかと思ふとき、小生は深い戸惑ひと戰慄《せんりつ》を覺えます。「元同僚一名」卽ち野口勝一は、昭和十七年に神奈川工場を退職しましたが、同じ退職でも、野口の場合は云ひ表すことも困難な失意や憤怒を伴ふものであつたこと、その前後に幾許《いくばく》かの事情があつたことを小生は知つてゐます。

かうしていさゝか抽象的な言葉を竝《なら》べてゐるのは、小生が野口の胸中を充分に理解してゐるとは云へないからですが、今日ふと、彼と小生が或る意味で多くのものを共有してゐると云ふことに思ひ至りました。一つは人間であること、一つは政治的動物ではないこと、一つは絶對的に貧しいことです。實にそのことを云ひたいために是を書くのです。野口がさうしろと云つた譯《わけ》ではありません。たゞ此の世に生れた意味を今以て理解しかねてゐる一人の人間が、この先成佛《じょうぶつ》せんがために書くのです。此處《ここ》で、斯《か》く云ふ小生が、何處に生れ、どのやうに育ち、現在に至つたかを簡單に記しておきます。故郷の記憶は最近、小生の身體《しんたい》を搖さぶるやうに立ち上がつて來るのですが、出て來る言葉は思ひとは裏腹に乏しく、澹々《たんたん》となります。狂亂《きょうらん》を來《きた》さぬやう、理性が未然に塞ぎ止めるのかも知れません。

小生は大正四年、青森縣戸來《へらい》村に生れました。生家は同村田茂代《たもだい》地區で畑五反を小作してゐた他、立分けで地主から牝馬一頭を借り受けて飼育し、生計を立てゝ居りました。それだけでは一家八人が食ひつなぐのは難しいため、父母は炭燒きを手傳《てつだ》ふ燒き子もしてゐましたが、地區の北川目木炭實行組合には入つて居りませんでした。小生の家には、炭用の雜木を買ひ取る金がなかつたことや、伐採の人手を雇ふ餘裕《よゆう》もなかつたことに因ります。

周知の通り、東北はほゞ三年周期で凶作に見舞はれて居りますが、特に昭和六年、九年、十年と大凶作が續《つづ》き、小生の生家も子供四人のうち、兄は就學せず、次男の小生は就學前に八戸市の海產問屋岡村商會へ養子に出、妹は川代尋常小學校へ半分も通はぬまゝ、十四で川崎の富士紡績に就職しました。又、弟は左目が少し不自由だつたのですが、十二で八戸市の金本鑄造所《ちゅうぞう》へ奉公に出ました。尤も、小生の生家にはもと〳〵水田はなかつたのですから、凶作であつてもなくても、狀況に格別の變化《へんか》があつたとは思はれません。

尙、兄は昭和十二年に應召。第一〇八師團《しだん》に編成されて、十四年五月に山西省で戰死しました。赤紙が來たとき、生家は二年續きの子馬の死產で窮乏して居りましたが、兄は自分が歸るまで馬を手放さないでくれと家族に云ひ殘して、發《た》つて行つたと云ふことです。かうして傳聞で語るしかないのは勿論、小生が既に餘所《よそ》の人間であつたからです。

小生は幼少の頃から體軀《たいく》貧相にして、餘り活發な子供ではありませんでしたが、岡村家では跡繼《つ》ぎとして大層大事にされました。しかし、人生はさう旨く行かないもので、岡村養母岡村郁子が昭和四年に急逝した後、養父彌一郎《やいちろう》は再婚し、直ぐに長男が生れて小生の居場所は無くなつたのです。とは云へ、お蔭で小生は迷ふことなく好きだつた學業に專念することを許され、八戸中學から二高、東北帝大理學部に進學し、仙臺《せんだい》で暮す間にさらに生家の貧窮は遠いものになつたのでした。

此のやうに書くと、小生の半生はむしろ惠まれてゐたことになりますが、それは二つの意味で違ひます。一つは小生の身體が貧窮を覺えてをり、商家の生活圈はつひに自分の身體に沁《し》み込むことはなかつたこと。一つは、戸來村であれ八戸市であれ、小生の眼にはやませの吹きつける冷涼とした土地の一景でしかないと云ふことです。八戸は、小生が應召の爲に一時歸省した昭和十七年には、高舘《たかだて》の飛行場建設工事に行く人々が蟻の行進のやうに馬淵《まべち》川の架橋に連なつて居り、河岸では日東化學や日本砂鐵《さてつ》の工場が晝夜《ちゅうや》黑煙を擧げ、鮫港や湊川の造船所は突貫工事の槌音《つちおと》を立てて、至る處騷然として居りましたけれども、さう云ふ八戸も昔の長閑《のどか》に潮臭い八戸も、初めから小生のものではなかつたのです。かと云つて村の記憶も一旦は小生の身體から奪はれましたが、いまかうして戻つて來るのは、生家の臭ひや物音しかなく、其等がいま、小生の腸《はらわた》を絞り上げて來ます。さう云ふ今も、少し前から、小生の喉には牝馬の尻の臭ひが詰つてゐます。土間の藁《わら》に混つた糞や、尿の臭ひです。

補足しておきますと、小生の故郷の邊《あた》りでは人間と馬は同じ屋根の下に居るもので、疊はなく、大抵土間に藁か莚《むしろ》を敷いてゐるのです。かうした家をくず屋と云ひます。

ところで戸來村と云ふ所は、十和田の山々から發する無數《むすう》の澤が消えたり集つたりして川筋を作り、水田もなくはありません。晴れた日には八甲田の稜線《りょうせん》が見えるなだらかな山地は牧草豊かで、大黑森一帶には明治の頃から陸軍の軍馬補充部の牧草地が廣がつてゐました。小生の生家も、祖父の代に數回《すうかい》、五戸の馬競りで軍馬に調達された馬を出したことがあるさうです。馬產地であつただけでなく、酪農組合もあり、小生の記憶では昭和の早い時期に組合直營の牛乳處理所があつたと思ひます。さらに、村は青森縣一の木炭産地であり、本八戸驛《えき》には專用貨物ホームがあつて、傍には延々と木炭倉庫が連なつてゐました。小生はいまも時々炭俵を運ぶ貨車の音を夢に聞き、惡寒を覺えて目が覺めます。

小生は物音や臭ひに敏感です。醫者《いしゃ》はそれを神經衰弱だと云ひますが、生家にあつた物音や臭ひから何處へ逃げられると云ふのでせう。息をすると、土間にこもつた諸々の臭ひは、ざら〳〵する菰《こも》にやませの冷氣がまとはりつくやうに鼻毛にまとはりつき、息を殺すと、身體の毛穴と云ふ毛穴から沁み込んできました。どの臭ひもそれ〴〵、ひう〳〵、ぴし〳〵、がう〳〵音を立てゝ身體中で渦を卷き、やがてからつぽの胃袋に落ち込んで、やつと默るのです。

さうして何千夜と云ふもの、風に叩かれる板壁の外は雹《ひょう》か霙《みぞれ》かと、人も馬も息を止めるやうにして耳をすまし、父母は默りこくつて炭俵を編み續け、子供は明日も明後日も、穗の實らない青立ちの稻の青臭さでむせかへる畦道《あぜみち》に出て兵隊さんごつこをし、老いた牝馬は土間のすみでじつと頭を垂れ、祖父母は煤けた顏を伏せ、圍爐《いろ》裏の燠火《おきび》が細りゆくのを見てゐるのです。これは、未來と云ふ觀念を持たない牛馬の生活です。

小生はかうしてたゞ、此の身體を震はしてゐる物音や臭ひを正確に云ひ表さうと思ふだけですが、言葉を重ねても重ねても何時も、何も産まず何も變らない生家の時間の前で敗退してしまひます。小生は、南部地方の山塊ほどに搖るがない、絶對的な靜寂と不毛の時間を相手にしてゐるのです。

現在へ飛びませう。「元同僚一名」野口勝一と小生が、共に人間であると云ふことが本題でした。野口と小生がどのやうに似てゐるかは、實證《じっしょう》的に説明するやうなものではありませんが、共に日之出の社員であつたことを踏まへれば、まづ小生にとつて神奈川工場が何であつたかを書くのがいゝかも知れません。さうすれば、自づと「昨年十二月十五日云々」へと話は繫《つな》がつて行くからです。

さて、現在の小生は今風に云へば、頭のてつぺんから足の爪先まで《勞働者》と云ふことになるでせう。それを認めるに吝《やぶさ》かではありませんが、小生は生來世事に疏《うと》く、何時も學業一邊倒、研究一邊倒の狹量な人間でありました。戰中は報國盡忠《じんちゅう》の意欲に乏しい非國民と云はれ、應召すると、「二乙は彈除けになつて來い」と云はれ、南洋では多くの同胞と變らぬ艱難《かんなん》辛苦を味はひ、辛うじて生き延び祖國に歸つて來たと云ふのに、民主々義に於ける基本的人權確立とは何のことやら大して興味もなく、日々生活に困窮してゐるからと云つて、マア、食ふだけの賃金さへあればと思ふ程度の輩でありました。其のやうな次第ですから、小生は昨年來の各所の勞働爭議も傍觀し、去る二・一ゼネストに於ても、つひに全國六百萬勞働者の一人にすらなることもなかつたのです。ここで云ひたいのはまづ、小生が如何なる政治的信條も社會的意見も持たぬ凡庸な一市民であつたことと、それ故に、もしかしたら鬪ふべき抑壓《よくあつ》の現狀に無知であつただけで、知らぬ間に反動主義の片棒を擔《かつ》いでゐた一人であつたのかも知れないと云ふことであります。但し後者の類の悔恨は、かの野口勝一には無緣です。

尤も、日之出麥酒が他所と違つて戰前からおほむね從業員を大切にし、研究室はもとより製造現場から社員食堂まで明るく自由な氣風であつたことは、小生も重々知つて居ります。東北帝大の恩師米澤憲二郎先生から、海軍燃料廠《しょう》、內務省衞生局、陸軍軍醫學校、日本窒素肥料、合同酒精、日之出麥酒などの就職先を紹介して戴いたとき、餘り迷ふこともなく日之出に決めたのは、本社人事部や製造部の第一印象が良く、酵母研究所の設備も立派で、勤務時間にも餘裕があり、これならば生涯勤めるに不足なしと思つたからです。勿論、小生が入社した昭和十二年當時は旣に麥酒釀造業は重要產業に指定されてゐましたから、それなりの重責は自覺して居りました。

小生が入社してから應召で出征する迄の五年間は、小生などが申す迄もなく、日本の全ての產業が戰時下の特別な忍耐と努力を强ひられた時代でありました。麥酒に於ては、たしか入社二年目に生產量が最高に達した後は、統制で減產に轉《てん》じて行きましたが、徵用や出征で従業員が減つて行くなか、銃後の勤勞秩序維持だけでなく、あくまで美味い麥酒を作らうぢやないかと云ふ會社の姿勢が貫かれてゐたのは、社員にとつて大變仕合せなことでした。原料統制でしたから、現實にはもはや充分な品質を望むことは出來ませんでしたが、街のビヤホールや食堂で配給品の日之出ビールを美味さうに飲む人を見るたびに、日之出麥酒に勤めてゐてよかつたと思ひました。日之出は、社員にさう思はせる會社であつたと云ふことです。

小生が出征したのは昭和十七年ですから、それ以降のさらなる國内の窮迫は知りません。統制品になつて製品から日之出の商標が消えたことも、神奈川工場の空襲も知ることなく、南洋の島でしば〳〵神奈川工場の煮沸釜《しやふつがま》や醱酵《はつこう》貯酒タンクの夢を見ながら、一日も早い歸國だけを願ひつゝ現實を紛らすことが出來た小生は、むしろ仕合せ者であつたのかも知れません。

二十年十一月に横濱港に復員して來たとき、小生は燒け野原の市内に我が眼を疑ひながら眞つ先に工場へ向ひました。獨身《どくしん》の上、關東に親戚もない身では、實際ほかに訪ねて行くところもなかつたのです。保土ヶ谷の高臺《たかだい》に、懷《なつ》かしい工場の全景が見えてきたときの氣持は、此處に旨く書くことは出來ません。戰地での三年が地獄であつたことを、其のときやつと己の骸軀《がいく》が認めたと云ふか、生きてゐる實感に頭が追ひつかないと云ふか、安堵と云ふよりは或る種の虚脱感であつたと思ひますが、身體中がこな〳〵になるやうな感じで、倒れさうになりました。

この様に書くと、たか〴〵日之出には五年ばかり居たゞけぢやないかと思はれるでせうが、あの戰爭から生きて歸つて來たばかりの若輩者が、この國で己の據《よ》り所とする場は日之出しかないと感じたとしても不思議はありません。據り所は家族であつても故郷であつても良いやうなものですが、養子の小生には何もなかつたのです。否、小生だけでなく日之出から出征したすべての社員にとつて當時、古巣の工場が唯一の據り所であつたことを小生は斷言《だんげん》出來ます。會社とはさうしたものです。野口勝一とて、もし工場を辭めてゐなければ然《しか》り。たとへ彼が、實際にはたつた二年しか工場に居なかつた元社員だつたとしてもです。

保土ヶ谷の高臺を仰いで、小生は泣きました。近づいてみると、立つてゐると思つた工場の建屋は屋根が焼け落ちて居り、設備はほとんど壊れ、倉庫と研究棟は瓦礫の山、從業員アパートは跡形もなく、辛うじて食堂の一部が殘つてゐると云ふ有り様でした。それでも、小生には失意は餘りなく、思はず工場に向つて手を合せたものでした。それぐらい嬉しかつたのだと思つて下さい。殘つた食堂の入口の机にノートが置いてあり、復員者は日付と氏名と聯絡先を書いて待機するやうにと云ふ貼り紙がありました。もう百名ぐらゐの名前が書いてあり、其處には小生の知つてゐる同僚の名前もいくつかありました。復員者への一時金支給、靴下や綿布や電球などの社員への配付、無料診療や生活相談、尋ね人と云つたお知らせもあつたと思ひます。あのとき、あの机の前で、家族に迎へられたやうだ、俺は歸つて來たのだと足が震へたのは、小生だけではなかつた筈です。

あれから暫く、工場の敷地の三分の一は畑地に化け、焼け出された社員等がバラックを建てゝ生活してゐると云ふ狀況の中で、會社側は速やかに工場の再建計畫《けいかく》を提示し、未だ何も作つてゐないのに、遲配を重ねつゝも基本給も支給してくれたのですから、餘所と比べるまでもなく日之出の社員が惠まれてゐたのは間違ひありません。勿論、昨今のばか〳〵しいインフレでは二百圓《えん》や三百圓で食へるかと云ふ思ひがなかつたと云へば嘘になりますが、ひとまづ冷靜になつて、麥酒產業は全國の特約店や一般小賣店の生活をも背負つてゐる事を思へば、それは贅澤と云ふものでせう。

そして、會社側の努力に應へようと、社員もまた努力を惜しみませんでした。一日も早い操業再開に向けて、保全の技術者は壊れた設備を何とか應急修理し、營業社員は特約店へ日參し、微力ながら小生も、仙臺工場の保存酵母を分けて貰ひ培養に盡力しました。振りかへるに、二十一年春には早くも假工場で製造ラインの一部が動き出したと云ふのは、驚異的なことであつたと思ひます。たつた一年前のことなのに、あの再建のための半年間に小生が何を食ひ、何を纏《まと》ひ、何を考へてゐたのか細かく思ひ出せないのは、それだけ夢魔に憑かれるやうに働いたと云ふことではないでせうか。尤も、さうでもしてゐなければ、この身體にあいてゐるらしい空洞を埋めるものもなく、歩くのも億劫なほどの脱力感や無力感に襲はれるばかりで、狂ふか死ぬかであつたらうと思ひます。

そして、奇しくも生産再開直後の五月に、神奈川・京都・仙臺・岡山の四工場を併せて日之出勞働組合が結成されましたが、初會合での勞使懇談は、工場長のほか本社役員まで出席しての、終始和やかなものでした。國鐵の人員整理等は法外であるにしても、一方的な馘首《かくしゅ》を通告する經營者に對して、ストライキを勞働者の社會的武器だと云ふしかない餘所から見れば、所詮麥酒は相變はらず酒税徴收のための國策産業で、寡占專賣に近いのだから氣樂なものだと云ふことも出來ませう。しかし、こゝで小生はさうした議論をするつもりはありません。

強ひて云へば、同業他社に於てもほゞ同時期に組合が結成されたものゝ、日之出も含めて、かの二月一日に至るまでも實質的な闘爭を何もしてゐなかつたのは何故かと云ふことです。恐らく闘爭の必要がなかつたと云ふよりは、むしろさうした組合が、GHQの指導に基いて民主的企業經營の體裁を整へるべく、會社側からの働きかけに因つて、形ばかりの結成に至つたものであつたからでせう。そして社員のはうにも、「日之出あつての社員」と云ふ考へが沁みついてゐたのです。これはもう、新型の産業報國會と云へませうか。

さて、少しづゝ本題に近づいて來ます。巷に溢れる争議を尻目に、神奈川工場は昨年春以來、操業一部再開で活況を呈して居りました。しかしそれは、小生を含めた現場の人間の眼にさう見えただけのことであつたやうです。實際、統制が續いてゐる上に早急な需要回復の見込みもない麥酒をどれほど生産出來ると云ふのか、子供でも分ることです。毎月發表される當月生産量の數字を見て居れば、いづれ設備と人員の過剰が生ずることは明白でした。しかし又、現場は、非需要期の十月から翌年三月迄を乗り切れば、何とかなるだらうと考へてゐましたし、昨年九月には會社と組合の間で其のやうな話があつたとも聞いて居りました。ところが、御承知の通り、十一月になると突如、退職者の臨時募集が始つたのです。首キリとは云はず、合理化とも云はず、《退職ノ薦メ》とは笑つてしまひます。

此處で、過剰な人件費で會社を潰して神奈川工場二百七十名全員が路頭に迷ふか、人員整理で殘りの社員を救ふか、二つに一つだと云ふ論法の正否を問ふても仕方ありません。社員としては、會社側と組合が經營の現状を鑑み、眞劍に話し合ひを重ねて合意したと云ふ辯《べん》を信ずるだけです。さらに云へば、これが創業五十年の日之出の傳統だらうと云ふことです。日之出に爭議はあり得ないのです。

《退職ノ薦メ》は組合主導で行はれ、隨時個人面接が續きました。各々家庭の事情があつたり、何となく居づらくなつたり、病氣であつたりと云ふ具合で、最終的には今年二月末迄に、合計四十名が金一封を手に粛々と工場を去つたのは周知の如くです。一部には憤懣の聲《こえ》もありましたが、近々第二次、第三次の人員整理があると云ふ噂があつたので、どうせ行詰るなら、少しでも條件の良いうちに見切りをつけようと云ふのが大半であつたと思ひます。小生も、外地でマラリヤを患ひ體力がなくなつてゐたことに加へて、醫者から神經衰弱と診斷されてゐた事情もあり、餘り迷惑はかけられないと決心しました。しかし、さうした穩當《おんとう》な人員整理の一方で、同じ日之出社員でありながら、對等の待遇を受くることなく解雇された數名がゐたことを、小生は今日迄知らなかつたのです。

かの自称共產黨員に聞いた處では、昨年十月、京都工場に於て三名の社員が、勞組の方針に反して、產別主導の統一鬪爭參加、三・一物價《ぶっか》體系打破などを要求する集會を煽動したさうで、社員約款《やっかん》違反を理由に年末に解雇されたと云ふことです。然るに小生が當時、京都でなにがしかの爭議があつたと聞いた覺えがないのは、三名の行爲がさゝやかなものであつたか、未遂であつたかと云ふことだと思ふのですが、それにしても何故、其のやうな解雇があり、社員は何も知らず、労組もまた小波《さざなみ》一つ立たなかつたのでせうか。

かうして振りかへると、日之出社員の矜持《きょうじ》や團結とは、いつたい何であつたのだらうと改めて我が手を見たことでした。「日之出あつての社員」と云ふ思ひは、詰る處、會社の歯車となつて廻り續けることを悦《よろこ》び、小異を排して會社と云ふ傘の下で繁榮の夢を見、己の貧しさを忘れることなのでせうか。何故と云つて、一人〳〵の日本人が依然貧しいことに、變りはないからです。さう思ふとき、小生は否應なくあの野口勝一のことを思ひ出します。

此處で少し説明しておきますと、小生と野口は、工場でそれほど親しかつた譯ではありません。覺えてゐるのは、野口が昭和十五年春に神奈川工場車輛部へ整備工として入つて來たとき、懐《ふところ》に匕首《あいくち》でも入れてゐるやうな、チョット素敵な眼をしてゐたことです。しかし、小生が車輛部の知り合ひに「大變な奴が來たね」と云ふと、知り合ひは「滅多なことを云はぬ方がいゝよ。徹底糾彈されるから」と聲を潜めました。東北出身の小生は、部落の人間に逢ふのは初めてでした。

車輛部の車庫は小生の居た研究棟の裏にあるため、野口とはよく會ひました。野口が何時も研究棟の裏の焼却爐の灰で芋を焼いて食ふので、此處には薬品も混つてゐるから危ないよと小生が云ふと、彼は「腹の消毒になつていゝ」とひつそり笑ふのです。何を云つても聞かないし、強情で扱ひにくいが、氣は優しい男でした。

　野口は餘り自分のことを話しませんでしたが、餘所で聞いた處では、埼玉縣の田舍で生れて村でたゞ一人尋常高等小學校を出た後に上京、東京は荒川の鐵工所で奉公してゐた時に、神奈川工場の故笹原幸夫前工場長と出會ひ、日之出に來ないかと云はれたさうです。これについてはしかし、野口の出身村近郊に日之出新工場建設用地を取得する件で、田畑を奪はれることになる地元小作民との融和を圖《はか》るための雇用であつたと云ふ話も聞いてゐます。日之出は、當地に工場が完成した曉には同村から數名を雇用する約束をし、當時野口の他三名が其に先驅けて日之出の各工場へ入つたと云ふことです。

　序《ついで》に申せば、其の用地買收計畫が昭和十六年頃に延期されたのは小生も知つて居りますが、先の自稱共產黨員が云ふには、日之出は十八年に計畫を白紙撤囘し、現在は別の土地の購入を既に決めてゐるとのことでした。尙、十五年に野口と同期に入社したと云ふ三名は、先に爭議煽動を理由に京都工場を解雇された三名です。

　さて昭和十七年春、突然、故笹原工場長が工場を去られたのは一身上の都合と云ふことでしたが、發表のあつた日の午後、普段無口な野口が一言二言、「俺を雇つたことが會社で問題になつてゐるのだ」と云ふ話をしてゐました。五日後、彼はふらりと小生の研究棟へやつて來て、故郷へ歸るので退職願を出してきた、荷物も既にチッキにした、と云ひます。相變らず頑迷一徹な顔つきでしたが、何處か思ひつめたやうな眼だと思つてゐたら、彼は「日之出のビールを飲みたいなあ。もう何時飲めるか分らないから」などと云ひ、またひつそり笑ひました。

そこで小生は彼を工場へ連れて行き、貯藏タンクからコップ一杯注いで渡してやると、彼は美味さうにそれを飲み干し、禮《れい》を云つて出て行つたのです。前日、彼に赤紙が來てゐたのだと云ふことを聞いたのは、其から何日も經つてからでした。

出征前に何故退職屆を出していつたのか、これにも小生の知らない事情があるのでせうが、小生はたゞ、野口がさん〴〵思ひ惱んだ末に、何か思ふ處あつて決めたのだらうと云ふこと、それでも最後に日之出のビールが飲みたいと云ふほど日之出に執着があつたのだらうと云ふことを考へるだけです。彼もまた、小生等と同樣、日之出といふ會社でほんの短い間、繁榮の夢を見ようとした一人に過ぎません。あゝ此處で、小生も壯行會で振る舞はれたビールの味を思ひ出しました。

さて、問題の「昨年十二月十五日」の話をしませう。その日、小生は東京の病院へ行つて居りました。濱松町驛で電車を降りたとき、何處かで見た顔がゐると思つたら、向うから「岡村さん」と聲《こえ》がかゝりました。それが野口勝一でした。聞けば、今日から東京で大事な集會があるから、急ぎ上京して來たのだと云ひます。

四年半ぶりに出會つた野口は、五體滿足でしたが、かなり青白く見えました。かうして時代がすつかり變ると、世間では人間の振る舞ひも表情も變はつて、何だか日本人の聲が大きくなつたやうに思へる今日ですが、野口は以前と餘り變はらない、石かと思ふ靜けさでベンチに坐つてゐました。否、たゞほんの少し時代に遲れて來たと云ふか、戸惑つてゐると云ふか、まるで復員したばかりの兵隊のやうにほんのり頰を赤らめ、半ば興奮し、半ば放心してゐたと云ふのが正しいでせうか。

彼は二月に復員し、いまは縣の募集で北海道の三菱美唄《びばい》鑛業《こうぎょう》へ行つてゐるのだと云ふことでした。「東京も冷えるね。近頃の炭鑛は飯だけはまあ〳〵出るから體力はついてゐる筈だが、どうも頭の方がすつきりしなくていけない。全國大會があるんで仲間が金を出し合つて、旅費やら何やら工面してくれて、かうして俺が支部代表で來てゐるんだが」と、彼は小さく笑ひました。云ふ迄もなく、全國大會とは部落解放全國委員會第二回大會のことですが、小生が此處で傳へたいと思ふのは、大會の話ではなく野口の話です。基本的人權だの民主々義だのゝ話ではなく、生きる意味とは何かと云ふ話です。

プラットホームのベンチで、彼は外套《がいとう》の襟を立てゝ子供のやうに首をすくめ、薄ぼんやりとした微笑みを湛《たた》へて、ゆつくり小さな聲で話しました。

「俺は卑しい歴史の中にゐる。さう云ふことをつく〴〵考へたのは、赤紙が來て、いつそ逃げようかと迷つたときだ。親兄弟にしてみれば、人並みに戰爭へ行つてくれなければ世間體が立たないと云ふ處だつたらうが、それだけは俺は出來ない、他のことなら何でもするが皇軍の兵隊にだけは絶對にならないと俺が云つたら、お袋はたうとう憲兵を呼ぶと云ひ出すし、親父は死んで村の人間に詫びると云ふし、親戚の連中ときたら竹槍持つて怒鳴り込んで來やがつた。それを見て、いつたい俺たちと云ふのは何處まで卑しいのだらうと思つたのだ。此のご時世に、お上のために鐵砲を擔《かつ》ぐぐらゐのことをしないと人間ぢやないと云ふのは、たゞ村八分でこれ以上ひどい目に遭ふのが怖いからだらうに、誰もかれも怯えた犬みたいに吠え狂つて、共食ひだ。日々働いて食つて寢るだけの營みの中に、飢ゑる記憶が沁みついてゐるのが卑しい。冷靜になれないのが卑しい。その意味では日本中が卑しいのだと俺は思ふ。とは云つても、俺が逃げたら村八分で飢ゑ死ぬのは親兄弟だから、結局戰爭には行つたが、何が惨《みじ》めと云つて、貧しい者が貧しい國へ攻めてゆくほど惨めなものはないよ。それを一番よく分つてゐるはずの自分が、殺さなければ殺されると云ふんで、必死に殺したのだから、人間と云ふのはやはり切れない。かう云ふと岡村さんは異議があるかも知れないが、戰爭が終つて生き殘つた俺たちは皆、卑しい罪業を負つて生き續けるやう天から指名された者だと思ふ。

しかし、俺は卑しい歴史の中にゐるが、初めて微《かす》かに光が差して來た時代も、いま見てゐるやうな氣がする。俺は實を云ふと、何かしら希望が湧いてきて仕方がないのだ。ほんの靄《もや》のやうな明るさだが、こんな氣持は初めてだ。新しい時代は待つものではなくて、自分たちが創るものだと思へば、吉田茂も屁の河童だ。解放委の幹部はあれこれ云ふが、俺は民主々義革命とか云ふものより、いま此處でたゞ生きてゐることが、むず〳〵するほど嬉しいと云ふか、怖いと云ふか――。かうして岡村さんとこんな話してゐるのが嬉しい。この身體に沁みついた泥が、たとへ幻想でも、洗ひ流されていくやうな清々《すがすが》しさだ。思ふんだが、幾百年も寒さでねじくれてきた稻が、或るときすく〳〵伸び始める日と云ふのがあるのなら、いまがきつとさうだらう。個人的には、俺は實つて頭を垂れる稻より、實つても直立してゐる麥《むぎ》になりたいと思ふがね」

野口は終始訥々《とつとつ》とそんな話をし、待ち合せてゐた知り合ひと立ち去りましたが、最後に「あゝさう云へば、日之出のビールは美味かつたな」と云ひ殘して行きました。「あの琥珀《こはく》色は見てゐるだけでうつとりするし、パチ〳〵彈ける炭酸ガスはまるで音樂だ。思ふに、美しいもの、美味いもの、心地よいものと云ふのは人間を卑しさから救ふものらしい。さう云ふことを、俺はあのビールから學んだ。惡いが、日之出と云ふ會社から學んだのではないよ」と。

しかし、野口はさうは云ひましたが、小生は彼が日之出で短い夢を見た社員の一人であつたことを疑ひません。

さて、野口の云つた《微かに光が差して來た時代》は、本當に來てゐるのでせうか。小生の眼に何も見えないだけなのか、或いは此處で立盡《つ》してゐる小生だけが取り殘されたのか。頰を染め、身を震はして新しい時代を語つた野口は、いつたい何處からあのやうな生命の力を得たのでせう。小生がかうして漠とした空洞を抱へて放心し續けてゐるときに、彼は何處から曰く卑しい歷史を己の身に引き受ける力を得、如何にしてあのやうに生きる悅びをふつ〳〵と滾《たぎ》らせて步み出すことが出來たのでせう。

或いは《微かに光が差して來た時代》は彼の一時の妄想で、いまは旣に醒めてゐるのか。或いは、彼はたゞ己のために希望を語つただけなのか、いづれとも小生には分りません。

しかし思ふに、野口勝一と云ふ男は一人の日本人であり、いま小生の病室を掃除してゐる小母さんも、廊下で何やら大聲でわめいてゐる子供も、今窓の下を步いて行く女給風情の女も、病室の小生も、皆均《ひと》しく日本人であり、默々と營みを續ける蟻の一匹であり、かうした各々の步みが國の姿となるのです。或る處には「光が差して來た」と云ふ男が居り、或る處には會社を去つてなほ繰り言を垂れてゐる男が居り、民主々義者に衣替へした元翼賛政治家の亡靈が居り、民主革命を唱へつつ何やら内部闘争に忙しい民主々義者が居り、足元を見れば惡鬼に憑かれた闇屋や泥棒が居り、眼光鋭い失業者や浮浪兒が居り、聲高な勞働者が居り、膨大な物資を隱匿《いんとく》してゐる企業家が居り、或いは田舍には米や芋をため込む農民が居り、沒落の足音を聞いてゐる地主が居り、初めから失ふものもない貧農が居り、さうしたすべての蟻の營みを合せた日本の姿は、活き〳〵してゐる一方で何處か悄然として、なほ混沌としてゐます。

さう遠くない日に、日本人が昔のやうに麥酒を樂しむ時は戻つて來るでせうが、その時小生は何處で何を見てゐるのか、野口勝一のひゞ割れた黑い爪はどうなつてゐるのか、戸來の村はどんな姿をしてゐるのか、いまの小生には何一つ思ひ浮べることは出來ません。その時、日之出ラガービールの商標を眺めて、小生が何を思ふか、この二月に退職した四十名が何を思ふか、野口勝一や京都工場を解雇された部落出身者三名が何を思ふかは、神のみぞ知るです。

昭和二十二年六月

岡村清二拜』

第一章　一九九〇年——男たち

I

二十日ぶりの府中競馬場は雨だった。午後から雨脚が強くなり、9レースの始まるころには、それまでゴール付近に出ていた傘の群れも、次々に散り始めた。こういう日には、スタンドに押し込められた十数万の人いきれは、絞ればしずくが垂れるような湿り方になる。

二階スタンドにこもったその低いざわめきの下から、ときどき破れた送風管から空気が漏れるような喘《あえ》ぎ声が一つ、挙がっていた。一人の女児がベンチの上で上体をよじらせ、ねじり上げるように首を突き出し、振りながら、喉《のど》を振り絞っているのだった。やがて、女児の喉からは空気混じりの激しい濁音が漏れ、それは間もなく「あぁ、おぉ」という不鮮明な母音しかない言葉に変わった。女児は、「スタート」と言ったのだ。

女児の右隣で、保護者の男が顔を上げた。男はうつろに重たげな目をしばたたき、

「静かにしろ」と一言応《こた》えたが、女児のほうは口許《くちもと》を歪《ゆが》ませ、頭を上下に大きく振って気持ちが通じた悦《よろこ》びを表し、嗄《しゃが》れた嬌声《きょうせい》を立てた。

女児の腰には紐《ひも》が一本ついており、ベンチに括《くく》りつけてあった。女児はすでに十二歳を越えているが、首や上体の据わりが悪く、紐で括っておかなければベンチから転がり落ちるので、そうしてあるのだ。女児は、その日はさらにすえた血の臭《にお》いも立てており、身動きするたびに異臭が周囲に漏れ出していた。しかし、それには気づいていないのか、首をぐらつかせて唸《うな》り続ける女児の傍らで、保護者の男はもう一眠りするためにまた頭を垂れた。

そういえば傘をどこへ置いたのか。物井清三《ものいせいぞう》は、ふと思い出して新聞から外した目をベンチの足元へ移した。老眼鏡をずらし損ね、ぼやけたコンクリートの上から、隣の女児のズックに踏みつけられていた自分のこうもり傘を拾い上げた。傘の布には、濡れそぼった新聞紙が一枚、張りついていた。紙面に見えた『芳醇《ほうじゅん》百年。日之出《ひので》のラガー』という広告をちょっと見つめ、手で払い落とす。

隣で女児が足を踏みならし、「スタート、スタート」と喉を絞り出していた。三歳馬混合の9レースのスタートだ。気のせいだと思いつつ、女児が漂わせている血の臭いを嗅《か》ぎながら、物井は買わずに見送ったレースの立ち上がりを仰ぎ見た。無意識に首を回し、顔の右半分をコースの方へ向ける。子どものころ事故に遭った左目は、成人したころにはほぼ視力を失い、六十半ばを過ぎたいまは完全な暗黒だった。

天候のせいでコースはすでに薄暗く、向こう正面から発走した馬たちの姿は、騎手もろとも時化《しけ》た沖合の海へ泳ぎ出していくかのように見えた。十一月の芝はまだ青みを留めているが、雨の色なのか、空の色なのか、馬場ともに墨色にくすみ、馬たちが駆ける芝コースの手前のダートコースは、泥で泡立つ黒い帯だった。スタンド正面の大型スクリーンに映し出される実況画面に、そのダートの地肌が映っていた。

物井がダートを見たのは、何枚か買うつもりにしている次の10レースが、そのダートを走るからだった。いつものことだが、馬たちの蹄《ひづめ》の重さを想像すると、わけもなくむず痒《がゆ》さに襲われ、臓腑《ぞうふ》のどこかがぴくんと跳ねた。いまさらながら、尻《しり》に鞭《むち》を入れられ、頸《くび》に静脈を浮き立たせて泥を蹴《け》る馬を、物井は不思議に思うのだ。大地の危うさや粘りを感じながら己の四肢の重量を知る一歩一歩は、結局のところ、隠微な興奮を馬に催させるものなのだろうと物井は考えてみる。そういうふうに生まれついているのでなければ、ただ殴られて走る生きものなどいるはずがない。

そんなことを考えている間に、芝一四〇〇のレースは、逃げ馬と先行馬が団子になってゴール前直線に入ってきたかと思うと、一番人気のインターミラージュが後方から追い込んできて、スタンドは一瞬轟然《ごうぜん》と沸いた。しかし、先行馬がゴールへ逃げ込むと同時に怒号の山はため息に変わり、それもすぐにスタンドの屋根を叩《たた》く雨音に呑《の》み込まれて退《ひ》いてしまった。

物井は、膝《ひざ》に置いていた新聞の10レースの紙面を畳み、二階席の正面に見える電光掲示板で、慰みに9レースの着順を確かめた。先月十四日に新馬で勝ったのを見たエバースマイルの成績は二・五馬身差の四着で、こんなものかと思いつつ、まだ三歳馬だからと独《ひと》り言《ごと》が出た。とくに気に入った馬だというのではなく、その十四日の次の日に、二十二になる外孫が首都高で事故を起こして亡《な》くなったので、ちらりと思い出しただけだった。そのときまた、大粒の雨がばらばらと馬場を叩き始め、物井はそちらのほうに気を取られた。彼方《かなた》に見えるダートコースの地肌に、さらに水溜まりが広がっていた。次のレースは泥田を走るようなものだ。

パドックで出走馬の調子をじかに見なければ、10レースの馬は決められなかった。ダートに慣れた馬が集まっているが、不良馬場での実績がある馬はいない。目立って体重に増減のある馬もいない。似たり寄ったりの馬力の勝負なら、なおさら直前の馬の雰囲気を見なければ、決め手がない。考えるまでもなくそう結論を出したが、それも実際のところは分からなかった。答えは、馬しか知らない。

しかし、パドックへ出ようと思ううちに、ゴール前のスクリーンには11レースの出走馬の計量結果が並んでしまった。11レースを買うかどうかは決めていなかったが、一応、新聞の欄外に馬体重を書き留めるために、物井はその場でさらに一分ほどの時間を費やした。それから、しばらく忘れていた右隣のベンチに首を振り向けると、そこでぐらぐら揺れていた女児の頭が、いきなりぐるりと回りながら傾いてきた。女児は、斜視ぎみの目で物井を捉《とら》えるやいなや、「あぇ、あぇ」と唸った。

女児は「風」と言ったのか。馬場へ目をやると、芝を覆《おお》う雨の幕がいつの間にか激しく斜めに吹き流れていた。まるで墨色のカーテンを引いたようだった。

「ああ、ほんとうだ、風だなあ」

物井は女児の言葉に適当に応え、六年ごしの馴染《なじ》みになっているその小さい頭を手で押しやった。また血の臭いが立った。牝馬《ひんば》の尿の臭い、と無意識に思う。さしたる理由もない苛立《いらだ》ちに押しやられながら、物井は女児の頭ごしに保護者の男のほうに「布川《ぬのかわ》さん。次、買うかい？」と声をかけた。

名を呼ばれた男はずっと垂れ続けていた頭を上げ、朝から居るのにほとんど見ていない自分の新聞に目を落とし、首を横に振って応えた。「道悪の一六〇〇か。要らない」

「インターエリモが出る。格上げ初戦だ」

「エリモは固すぎら。物井さん好みだな。俺は要らない」

布川は、日に一度は律儀《りちぎ》に投げてよこす薄い笑みを見せ、固辞した。この男はほとんどメインレースしか買わず、それもひどく無難に一、二番人気を軸に流しで買う程度だから、儲《もう》かりもしない代わりに大きく金を失うこともない。特定の馬に入れ込む気配もないし、だいいちろくに新聞の馬柱《うまばしら》も見ていない。毎日曜日、ゴール前二階席の決まった場所に娘を連れてくるのは、自分の楽しみというよりは馬が好きな娘のためで、お守りがてら娘をベンチに座らせたあとは、ほとんど居眠りをしているか、ぼんやりしているかだった。

布川はまだ若い。せいぜい三十過ぎだというのは、周囲と比較するまでもなくその肌の艶《つや》が物語っていた。六年前、六尺を優に越える上背を屈《かが》めてベンチに座り込んでいる男の姿を初めて見たとき、物井はとっさに、乏しい知識のなかからロダンの彫刻を思い出したものだ。以前は自衛隊習志野《ならしの》駐屯地の第一空挺《くうてい》団にいたと本人の口から聞いたときも、この体格ならとすんなり納得した。ちょっと陰気な目はしているが、この若さで障害児の親だというのも大変なことだと物井は月並みな想像をし、男のいかにも生硬で不器用な物言いや、ときどき不機嫌そうに歪む表情の正直さに、一種の好感や親近感も持ってきた。ただし親近感と言っても、自分も片目が不自由で、口下手で、不器用なほうだという以外に、具体的な共通項もない話だった。障害児の娘に金が要るため、ここ何年かは、布川は大手運輸会社の路線便のトラックを運転している。週六日、ひたすら東京と関西を十トントラックで往復する生活だ。

「エリモはダートで走るから」

自分のためにそう言い訳をして、物井はパドックへ出るためにベンチを空けた。階段を下り、一階馬券売場の並ぶ通路まで出たところで、さっき確かめたばかりの傘を忘れてきたのに気づいたが、足が止まるほどのことではなかった。日常生活の物忘れは日々、痛みのない歯周病のように進行しているが、ある日ぽろりと歯が抜けるまでには、まだ腐るほどの時間がある。

パドックを目の前にして、また一人、ゴミの吹き溜《だ》まりになった通路の柱の根元に座り込んでいる男が目に入り、今度は急いでいた足がちょっと止まった。男は、二十代半ばのぎこちなく若い体軀《たいく》を前屈みにして胡座《あぐら》をかき、両手に広げた新聞を顔にくっつくほど近づけていた。出くわすときはいつも同じ場所で出くわし、大抵そういう恰好《かっこう》で新聞を睨《にら》んでいるのだった。

「ヨウちゃん」物井が呼ぶと、男は、新聞から顔を上げて目だけで応え、また新聞に顔を落とした。

男は名を松戸陽吉《まつどようきち》といい、物井の家の近所にある町工場で働いている。孫の葬式があった日には、どこで聞いたのか、三千円の香典を事務封筒に入れて持ってきた。競馬のほうは、布川と同じく毎日曜日の常連だが、こちらは前日の土曜に発売される競馬専門紙や夕刊紙を三紙も四紙も買い込んで、六畳一間のアパートでひと晩じゅう馬柱と格闘して朝を迎える手合いだった。そうして、さらにレース直前まで顔面から十センチのところで新聞を睨み続けてレース展開の予想をし、結局何がなんだか分からなくなって、こめかみに青筋が立ってくる。毎度その繰り返しだった。

物井は、垂れたままのその頭にちょっと話しかけた。

「次、買うの？」

「今日は11レース一本。金ないから」

「どれ、買うんだ」

「ダイアナ——かな。分からない」

松戸は黒く汚した爪《つめ》で神経質に新聞を折り直し、紙面のどこかに先の丸くなった赤えんぴつを入れて「ダイアナだな」と独り言を吐き、その先は「③が来るか、④が来るか——」という呟《つぶや》きになった。

その傍らから、いままで肩を並べて座り込んでいた男が一人、ふいと腰を上げてどこかへ歩き出していった。三十そこその、どうということはない風貌《ふうぼう》の男だったが、首から下の派手な縦縞《たてじま》のジャケットや、紫色のワイシャツ、踵《かかと》を踏みつぶした白のローファーなどに思わず目が行った。すると松戸の目も一緒に動いて、「知り合い」という一言が返ってきた。

「誰？」

「うちの工場に来ている信金の奴《やつ》」

「へえ」

「在日朝鮮人。日曜はいつも、キレてる」

いきなりそんな言葉を吐いて松戸は軽く歯をむき、声を立てずに笑い、肩を揺すった。

物井はそのとき、松戸のぶつ切れの言葉をしっかり聞き取り損ねたが、自分の耳が遠かったことにして、聞き返す手間は省いた。所詮《しょせん》相手は孫ほどの歳《とし》で、物の考え方から箸《はし》の上げ下ろしまで、物井にはすべてが何とはなしに違和感を催させるものでしかなかった。十五日に亡くなった孫もそうだった。ともかく物井の目には、立ち去っていった男がちょっとその筋のように見えたのだが、そんな印象がどこから来たのかも分からなかった。

「ダイアナは穴かも知れないな」物井は話を元に戻した。松戸は「中穴だ。大穴じゃない」と生真面目《きまじめ》に訂正を入れたが、もうその顔は新聞に埋まっていた。その横顔に、「明日でもうちへおいで。寿司《すし》、食いに行こう」物井はそう声をかけ、その場を離れた。

道草で遅くなったために、パドックの周りはすでに傘の放列だった。雨中へ踏み出し、人垣の隙間《すきま》からパドックを覗《のぞ》いたが、見えないと分かって諦《あきら》め、馬券売場の周辺にいくつかあるモニター画面で馬を見ることにした。短い時間にかなり濡《ぬ》れそぼってスタンドの建物へ戻り、ごったがえす通路で画面の下に立つ。一頭ずつしか映らない画面は、いまは騎手を乗せた④番の馬が歩いていた。ずっと九〇〇万クラスを走っている六歳の差し馬だが、近ごろ目に見えて末脚《すえあし》の切れがなくなってきているのを、馬自身が知っているような重たげな足取りだった。続いて⑤番の馬。四歳にして老成してしまったような聡明《そうめい》な表情で、引かれた手綱に抗《あらが》って何か言いたげにいっと歯を剝《む》く。続いて⑥番。

雨脚は退《ひ》かず、馬たちの上に降り注ぐ雨粒が一つ一つ目に見えるほどだった。全身毛で覆われているため、濡れたら自重だけでも負担になる馬たちの鈍い気分が伝染して、物井は少しレースへの集中力を失い始めた。

そろそろ景気づけが要るな、と思った。こういうときは、開き直って初めに決めていた馬に五千円ばかり単勝でつぎ込み、勝てばよし。負けたら次レースに性根を入れるだけだ。物井は昔から馬券そのものへの執着は少ないほうで、だからこそ三十年以上もだらだらと興味や金が続いているのだとも言えた。「次はエリモだ」と独りごちて、物井は見るつもりのなかった本馬場の返し馬を見るために、混雑する通路を移動した。雨天で馬場前の広場に出られない男たちがすでにスタンドの出口に人垣を作っており、首を伸ばしてかろうじて視界を確保する。そこでパドックから移動してきた馬が出揃《でそろ》うのを待ち、遠目にしか見えない馬たちの、どこか生きものでないような四肢の動きを眺めて十分以上過ごした後、結局底力の勝負だと思ったところで時計を見た。

出走まで十五分しかなかった。知り合いに何枚か頼まれていた馬券もあったので、物井は馬券売場へ急いだ。さっきの柱の下には、どこへ行ったのか、もう松戸のヨウちゃんの姿はない。売場の窓口前も、人の頭しか見えない押し合いへし合いの行列だった。そこで押されたり押し返したりして十分ほど並んでいる間に、習慣のなせる業で〈よし、エリモだ〉と少しずつ気合が入ってきて、窓口に手が届くと、千円札五枚を勢いよくつっこんで「単勝、②番!」と声が出た。出てきた馬券をひっつかみ、すかさず新たな千円札三枚をつっこんで、「1、2。1、5。2、5!」と怒鳴る。こちらは知り合いの分だった。買った馬券を手に通路へ出ると、頭の上で出走二分前の締切りのベルが鳴り出し、数十の窓口がいっせいに閉まる音が響いた。

ゲートインのファンファーレを耳に二階スタンドへ急ぐ途中、あの布川が片手に娘の脇腹《わきばら》を抱え、片手に折り畳みの車椅子《くるまいす》を抱えて階段を駆け降りてくるのにぶつかった。布川は一言「ズボン、汚してやがる」と呟き、小わきの女児を自分の顎《あご》で指し示した。物井は目だけ落とし、女児の青いズボンの股座《またぐら》のあたりにシミが広がっているのを見た。ああと思い、またどこかで牝馬の尻を思い出して困惑した。

「初めて?」

「そう思う。――いや、分からん」

「今日は、嫁さんは」

「買物。もう帰っていると思うが」

男二人が不器用に声を低くする傍らで、女児は「あ、あ、あぁ」と何事か唸《うな》り続け、手足を振り、首をぐらぐらさせていた。機嫌が悪い。布川は、しばしどこかへ意識が飛んだかのようにぼんやりそれを見下ろし、続いて一瞬、激しく苛立った表情を走らせてこめかみの青筋を震わした。しかし、見る間にそれらの表情も流れ落ちると、「レディだ」というぶっきらぼうな一言がぽつんと噴き出してきた。

月のものがあったのなら、女児はたしかに今日からレディだ。物は言いようだと呆《あき》れつつ、物井は同意の相槌《あいづち》を返したが、適当な言葉も見つからなかった。

「11レース、買っておくが」そう声をかけると、布川は間髪を入れず「何とかレディに、単勝で一万」と応《こた》えた。物井はまた少し返事に戸惑った。

「レディと付くやつは二頭いるよ」

「じゃあ、五千円ずつ」

「複勝にしとけ」

「余計なお世話だ」

布川は、娘を抱えた不自由な手で財布から一万円札を抜いてよこした。そうして、この六年で初めて辞去の挨拶《あいさつ》もせず、娘と車椅子を小わきに、そのまま通路の人ごみに紛れて見えなくなった。

物井のほうは急いで階段を上がり、通路までぎっしり詰まった人垣に割り込んで首を伸ばした。顔の右半分を馬場へ向ける。向こう正面から発走した10レースの八頭が、雨の海へ躍り出してゆく。

ダートの黒い帯が伸びていた。横一線の馬群は、砂山を崩すようにじりじりと前後にずれつつ、ほとんど頸《くび》一つの差で競《せ》り合いながら、見る間に3コーナーへ差しかかった。水煙の彼方で騎手の色とりどりの帽子が重なり、揺れる。2枠エリモの黒は、少し出遅れたか。ゴール前のスクリーンを、三つほどに分かれ始めた馬群が駆け抜ける。蹄《ひづめ》の地響きが近づいてくる。エリモはまだ最後尾だ。

二頭が先行したまま、鼻一つ頸一つ遅れて残り六頭が4コーナーを回り、ゴール前直線五百メートルに入ってきた。スタンドのどこからか湧《わ》き出した歓声が、大波を打って膨らむ。八頭はいまやぐしゃぐしゃに前後し、大外からインターエリモがまくってくる。エリモがぐんぐん伸びてくる。抜け出るか、抜け出るかと物井の首も伸びる。そうして見る間に先頭のキタサンラインが逃げきり、半馬身差でセントスクイズが続き、さらに半馬身差でエリモが突っ込んだ。十数万人の歓声と怒号が沸騰《ふっとう》し、はずれ馬券がいっせいに散って、10レースは終わった。

連複は1―5で決まった。物井が知り合いのために買った一枚が当たったが、オッズからみて、儲けはコーヒー一杯分というところだった。エリモは、先頭は切れなかったが、いま見せた末脚にはこれからも賭《か》ける価値は十分にあると思った。普段なら、エリモが伸びてきたあたりで喉《のど》から噴き出したはずの「よーし！」という一声が出てこなかったのは、孫の死がやはり気分に水を差しているということだ、とも思った。二十日ぶりの人ごみに呑《の》まれた身体《からだ》も頭も、まだ本調子を取り戻していなかった。

物井は、11レースに備えてパドックへ駆けつけるのをやめ、速やかに人が散り始めたスタンドで一服つけた。布川の父娘《おやこ》が座っていた最前列のベンチは、いまは空いていた。そこに自分の忘れた傘が一本置いてあり、誰かが捨てた新聞が散って、吹き込む雨に叩《たた》かれていた。その傘を取ると、今度ははずれ馬券が一枚、布に張りついてきた。それを手で払い落としながら、ふと『芳醇《ほうじゅん》百年。日之出のラガー』という文言一つが額に浮かんだ。

はてどこで見たのだろうと思ったが、思い出せなかった。芳醇百年。日之出のラガー。テレビのコマーシャルでは、明治か大正の古びたビヤホールの写真をバックにウィンナーワルツが流れ、そこに金文字で『芳醇百年』と出る。夏の盛りには、隅田川の花火を映して『日本の夏。日之出のラガー』だった。

孫の葬式以来、物忘れの激しい頭の血管に小さい異物が入って、何かの拍子にごろごろするような感じだったのは、これだなと物井は思った。孫の孝之《たかゆき》は、事故を起こす直前に日之出の二次面接を終えて、来年春の採用通知を待つばかりだったのだ。そう娘夫婦から聞いたのは、葬式の席だった。

一人娘を嫁がせた、というより娘が勝手に飛んでいった先は世田谷《せたがや》の若い歯科医で、息子が生まれたときに赤ん坊を見せに来たほかは、娘夫婦は実家には一度も足を向けなかった。物井が孫に会ったのは、小さいころに何度か上野動物園と豊島園《としまえん》へ連れていったときだけで、あとは、やれ慶應幼稚舎へ入った、麻布中学へ入った、東大へ入ったと娘が電話をかけてくるたびに祝いを送ってきただけだった。そろそろ卒業だとは思っていたが、その先のことまでは物井の関心の外だった。日之出ビールと聞いても、昔から〈大きな会社〉というぐらいのイメージしかなかったし、物井自身ビールはほとんど飲まなかった。

そうか、日之出か。孝之が生きていたら、来年春には日之出に入っていたのかとあらためて思ってみたが、何年も声すら聞いていなかった孫の顔と同じく、想像することは何もなかった。物井の身内にも、戦前に日之出に入ったのがいたのだが、物井が生まれる前に他家へ養子に行ってしまった人間の話だった。

しかし、自分より若い者が死ぬというのは、ともかく寂しいことではあった。孫が死んでからというもの、何かしら神経がざわついて落ちつかず、しきりに昔のことを思い出したり、いまさら思いわずらうほどの中身も残っていない余生のことを考えたりで、気がつくと放心していることも多くなったと物井は考えてみる。五年前に女房が亡《な》くなったときは、自分も今より五年若かったせいか、こんな感じではなかったのだが――、と。

一服した後、物井は人に頼まれた11レースの馬券を買いにゆき、またしばらく馬券売場の人波に呑まれて我を忘れた。今日は本調子でないと諦めて自分は賭けなかったが、他人の馬券を手にした後にはそそくさとスタンドへ戻って、11レースを走る牝馬《ひんば》十四頭の返し馬を見た。この三十数年、メインレースを見届けずに帰ったことは一度もない。その習慣が、臓腑《ぞうふ》のリズムを作っているだけだった。馬柱の表を睨《にら》みながら、それぞれのペースで本馬場を行き来する馬たちの四肢に目をやる。休養明けのアヤノロマンは、どうだろう。ヨウちゃんが賭けたスイートダイアナは、二百メートルほど疾走してぶるんと全身を振るった姿がいい。こいつは走るかも知れない。布川が初めてやけで買ったレディたちのほうは、一頭は顎を上げて走るのを見たが、一頭は見失った。

そろそろゲートインだと思いつつ、コースの向こう正面を仰いだとき、また一人知り合いが現れ、「こんちは」と短く声をかけてきた。男は缶入りウーロン茶一本を手に、すでに満杯のベンチ脇の通路にしゃがみ込んだ。何のことはない、頼まれて馬券を買ってやった本人だった。

男は半田《はんだ》といい、品川署かどこかの刑事をやっていた。休みが不規則な上に仕事は昼も夜もないらしく、最近はほとんど競馬場に姿を見せることはない。その代わりに、物井が経営している薬局に夜遅くドリンク剤を買いに来て、ついでに馬券を頼んでゆくのだが、物井は男の住まいは知らなかった。布川と同じく、もう六、七年の付き合いになる。

「仕事は」と物井が尋ねると、半田は最後の返し馬のほうへ首を伸ばしながら、「ちょっと近くまで来たから」とまた短く応えた。上背と肩幅のある大柄な身体にダスターコートとビジネスシューズという風体は、日曜日のスタンドでは見るからに場違いだったが、本人は気にしている様子もなかった。仕事で何かヒットでもあったのか、その広い肩がちょっと躍っていた。半田もまだ若い。

物井は、さっき当たった10レースの1―5の一枚と、もうすぐ始まる11レースの連複馬券三枚を渡した。半田は雨に霞《かす》む馬場に休みなく目を走らせながら、「どうも」と手だけ出し、それを受け取った。そういえば、半田が賭けているのもスイートダイアナだ。

「いつもの、あの親子は――」何を思い出したのか、半田は布川の父娘が半時間ほど前まで座っていた最前列のベンチを顎でしゃくった。

「元自衛隊と娘？　娘が今日、レディになった。さっき帰った」

「レディって何」

「月のものがあったらしい」

「へえ」

刑事の頭にはピンと来なかったらしく、半田は間の抜けた相槌を返して、手にしていたウーロン茶を一口啜《すす》った。日之出の、金色の鳳凰《ほうおう》の商標がついた缶だった。そして、その缶を投げ捨てるともう、半田の目は馬場へ一直線だった。

向こう正面のゲートに馬たちが集まり始めた。物井も、ジャンパーの襟をかき寄せて首を伸ばした。雨は止《や》まず、強くなったり弱くなったりする風に吹き流れて、広大な馬場の上に薄墨色の渦を描き続けていた。

ゲートが開くのを待つ数秒の間に、スタンドにたまった馬券が風雨に吹き飛ばされて空を覆《おお》う白い斑点《はんてん》になった。物井はさらに首を伸ばして彼方《かなた》を仰ぐ。

物井の目のなかで、薄緑の芝コースは一瞬、ぼたん雪にかすむ草地に変わったかと思うと、そこを生まれ故郷の八戸《はちのへ》線の鉄路が走り、木炭や木材を積んだ貨物列車が地響きを残して通り過ぎていった。線路脇は見渡す限りの草地と、砂鉄の色をした真っ黒な海岸線で、列車が消えたあとにはぼたん雪のほかには何もない。その鉄路の先にかすむ港には、煤塵《ばいじん》を上げる鋳造所のトタン屋根がある。造船所や鉄工所がある。魚市場の大屋根がある。イカ釣り漁船がいる。彼方の沖がかりには大連航路の貨物船がいる。そうして目を凝らす端から、およそ半世紀も昔の雪景色はまた芝コースと入れ替わり、しぶきの中を十四頭の馬が疾走してゆくのだった。

「来るぞ、来る！」

物井の膝《ひざ》を叩《たた》いて、半田が飛び上がった。4コーナーを回った馬群の最後尾から追い込んでくるのがいる。あれはアヤノロマンか。物井の腰も浮いた。スイートダイアナが逃げる。アヤノロマンが追う。「行け――っ！」と半田が叫び出す。物井も何か声が出る。その瞬間、物井も半田も、スタンドいっぱいの十数万の有象無象のなかだった。

2

秦野《はたの》浩之《ひろゆき》は耳をそばだてた。電話が鳴っていた。以前なら治療中には気づきもしなかった物音が、最近は頻繁に耳に入ってくる。待合室の子どもがスリッパをぱたぱた鳴らしている。続いて、男の咳払《せきばら》い。

根管形成のためにリーマーを通そうとしている下顎大臼歯《かがくだいきゅうし》は、二根に分かれたそれぞれの根尖部《こんせん》の湾曲がひどかった。リーマーの刃が根管壁にひっかかる感触が、指先をじりじりさせる。ひっかかっているのはここ、か。器具を、刃の形状の異なるK―ファイルに取り替えて根管に通し、出っ張っている部分を探りながら、極細のドリルを上下させる。出っ張りを削るにつれて、微《かす》かにファイルの通りは緩くなる。

また電話が鳴り出す。受付の女が受話器を取って呼出し音はすぐに消え、代わりに電話に応対する女の低い呟《つぶや》きになった。先月、二十二になる息子が急死して一週間休診し、その後診療を再開してもう二週間になるが、五百人を超える患者の診察スケジュールはまだ元に戻らず、一日じゅう予約の電話は鳴りっ放しだった。

親指と人さし指の腹でつまんだ小さなファイルを上下させながら、ドリルの刃を押し進めてゆく。根尖部先端の歯髄《しずい》切断位置まで、あと〇・一ミリか〇・二ミリ、と指先が感じたそのとき、その指先に続くファイルの先で、パチンと乾いた音が弾《はじ》けた。口を開けている患者が小さくギャッと叫んだ。

ドリルの先端が根尖部のセメント質を破折したか、根管壁を突き破ったか。秦野には分かっていた。そのとき、機械的にレントゲン写真を手に取り、頭上のハロゲン灯に翳《かざ》してみたのはただのポーズで、そうして一瞬の戸惑いを紛らしただけだった。何ミリ、どこへ穴を開けるかは、初めにちゃんと検討したし、切削器具のストッパーも調整したし、根管の位置も分かっている。

「痛ぁい――」と患者の女は顔をしかめ、甘え声を出した。

「もう少し辛抱して」

秦野は硬くも柔らかくもない調子で短く応じ、患者の口を開け直させた。秦野は四十七になるが、二十年来テニスで鍛えた体型が変わらないのと同じように、患者への対応も開業当時と寸分も違わなかった。その印象は、いわば穏やかな無機質さというもので、顔半分を覆ったマスクの上から覗《のぞ》いている目は、患者の顔すらほとんど見ることはなく、カルテと口腔《こうくう》の現物の間を機敏に行き来するだけだった。ついこの間一人息子を亡くしたことも、マスクから覗く顔には何も出ていなかった。

秦野は患者の口腔に目を凝らした。抜髄しなければならない大臼歯には、エアタービンできれいに削った髄室の穴が開いていた。歯科医業二十年の切削の技術には自信があり、実際、開拡の大きさに問題はなかった。それでは、リーマーを通すための根管口の開け方が足らずに穿孔《せんこう》の角度がずれたのか、それともただの作業長の計算ミスか。そう思いながら、ちらりと手元の器具台に目がゆくと、たったいま使っていたNo.40のファイルがそこにあった。初めに作業長を調整したときに、垂直に固定したはずのストッパーが、斜めにずれて歪《ゆが》んでいるのが見えた。

その一瞬、ぞっとしたのかしなかったのか、それもあいまいなまま、秦野はすぐに目を逸《そ》らせた。誰かに見られたかと思ったが、向かいにいる助手の女は、患者の口にバキュームの管を入れたままよそ見をしていた。もう一人の助手は、器具の消毒の手を休めて自分の爪《つめ》の手入れだった。秦野はストッパーの歪んだファイルをくずかごに投げ捨て、新たな一本を手に取り直す。

根管の穴は、新たに通し直すだけだった。セメント質が砕けたのなら、しばらく痛むだろうが、炎症を起こさない限り放っておくしかない。根管壁に穴を開けたのなら、充《じゅう》塡《てん》のときに気を付けるだけのことだ。以前なら直ちに湧いてきただろう自責の念はどこへ行ったのかと自分の腹を訝《いぶか》りながら、秦野はファイリングを再開し、また少し指先の感触に集中した。

待合室で幼児が泣いていた。また男の咳払い。電話。

やっとNo.40を通し、次にサイズを上げてNo.30のファイルで根管を広げにかかったところで、受付の女の顔が衝立《ついたて》の向こうから覗いた。何か不満があるときの顔つきで、「お電話」と女は言った。

「誰？」

「西村さんという方」

「番号、聞いておいて」

「待ちますって」

「いいから、番号を聞いておきなさい」

受付の女は顔を引っ込めた。秦野は器具をリーマーに取り替え、歯髄の切断にかかった。リーマーを引き抜いては赤黒い根管内容物がこびりついてくる刃をガーゼで拭《ぬぐ》い、またねじ込み、引き抜く。

正確に、機械的に動き続ける手指とは別に、秦野はいままた、息子の死からこのかた、額の奥に充満したまま動かない靄《もや》にちょっと気を取られている自分に気づいた。もはや何が失意で何が疑念なのか、一つ一つの境目もないひと塊の靄だったが、いまやほんの小さな振動でも爆発しそうな感じだった。そういえば、西村というのは誰だろう。

脱脂綿を薄く巻き付けたリーマーにFCを浸して、根管の掃除と殺菌を終えた。助手に「練って」と声をかけておき、仮封用のガッタパーチャを根管口から入れ、続いて「セメント」と助手に言ったが、セメントはすぐには出てこなかった。練ってと言っておいたのに。秦野は手を突き出して三秒待ち、ガラス板に載って出てきたZOEセメントを髄室に詰めて押さえ、その手でハロゲン灯を消した。

「ちょっと様子を見ます。仮封だから、嚙《か》むとき気をつけて。痛むようだったら電話して下さい」患者にそう声をかけながら、秦野はもう水道で手を洗っていた。考えたのは、根管形成をやり直したために二分ほどロスをしたことだけだった。手を拭《ふ》き、すぐにカルテの記入をしながら、また衝立の向こうから顔を出した受付の女と目が合った。

「先生、お電話」

「切り換えて」

カルテだけ二十秒で書き終えて席を立ったときには、もう次の患者が診察台に着いていた。衝立の向こうの待合室が満員になっているのを見ながら、秦野は更衣室兼休憩室になっている小部屋に入り、ドアを閉めた。

《秦野先生？　西村と言います》受話器から聞こえてきた男の声は言った。

「どちらの西村さん？」

《カイドウの関係のもんです》

そのとき秦野の耳にひっかかったのは、〈カイドウ〉の一語より、〈もんです〉という物言いの、ちょっとしたけだるい響きだった。少々年季の入ったやくざの声色。しかしすぐに、そうともいえないと思い直した。四歳まで住んでいた神戸の下町では、生家の近くにあった交番の巡査が、似たような重く間延びした抑揚で喋《しゃべ》っていた。

「それで用件は」

《先般、日之出ビールの人事部宛《あ》てに手紙が一通届きましてねえ。差出人は解同の東京都連となっていたが、当の都連の方は心当たりがないそうで》

これは誰だ、どこからそんな話を摑《つか》んだのだ、何の脅しだとぼんやり頭を巡らせながら、秦野は聞いていた。電話の主の言っている意味は分かっていたが、息子の急死からこのかた、身の周りの物事すべてが現実味を失っているせいで、どこかラジオの声でも聞いているような感じだった。たしかに先日、部落解放同盟の名を騙《かた》って日之出ビールに手紙を出したのは自分だが、そういう手紙をほんとうに書いたという実感すら、すでになかった。

「用件は」

《先生。信用毀損《きそん》業務妨害罪というのがあるんですよ》

「用件を言って下さい」

《日之出については、私ども都連も以前に何度か改善要求を出したことがありますんで、あそこがどういう会社かは知っているつもりですがね。私どもにしても、見ず知らずの先生に名前を騙られる義理はないわけで。どうです、ちょっとお目にかかれませんか》

「そういうことなら、文書で謝罪させていただきます」

《誤解してもらっては困る。こちらは先生のお役に立ちたいだけですよ。同じ苦しみを背負っている者同士の連帯というやつです》

「大きな声を出さない。ビラを貼《は》らない。その二点を約束するなら、お会いしてもいい。診察があるので、今夜九時に自宅のほうへ来て下さい」

《では後ほど》

受話器を置いてから、「解同がどうした」と秦野は独《ひと》りごち、自分の喉《のど》からそんな一言が漏れたことも意識しないまま、全身に刺さる鈍痛に身震いした。しかし秦野は、自分の身体《からだ》がそうして反応したこともやはり意識の外へ追い出した。ただの習慣で、鏡に映した自分の白衣に血痕《けっこん》や薬剤のシミが付着していないか確かめ、襟をつまんで直す。あれは有形偽造と言ったかな。関係のない団体を名乗って日之出ビールに質問状を送ったのはこの俺だし、自分の蒔《ま》いた種は自分で刈り取るしかない。そのためにいくらか金を出すのもやむを得ない。鏡の前でそうした事務的な判断を下したとき、秦野の意識はこの三週間そうであったのと同じ、色の抜け落ちた世界を漂っていて、確実なものは、額の奥に居すわっている靄の、ちりちりするような異物感だけだった。

実際、秦野がそうして私用の電話のために診療を中断したのは、ほんの二分ほどだった。診療室へ戻り、自動的に手を洗い、患者の顔を見ることもなく「お待たせしてすみません」と声をかけて、素早くカルテに目を走らせた。『fistel』と書きなぐってあった。感染根管の瘻孔《ろうこう》の洗浄。二回目、か。

「痛み、どうです？」そう尋ねながら、秦野は開かせた口腔を覗き込み、仮封材のストッピングを外しにかかった。電話のことはもう頭になく、代わりに病院の遺体安置所に横たわっていた息子の頭が、額の裏に張りついて動かなくなった。頭といっても、ぐしゃぐしゃの肉塊が一つ。

最後の患者が帰った午後八時過ぎ、秦野は自分の手で医院の鍵《かぎ》をかけ、同じマンションの五階にある自宅に戻った。葬式の日以降、妻は大磯《おおいそ》の別荘に行ってしまっていた。着替えを取りに戻ってくることはあるが、自分のものだけ泥棒のように持ち出してゆき、片付けもしてゆかない。男の一人所帯で手の付けようのないほど散らかってしまった真っ暗な部屋で、秦野はまず新聞の山を踏んづけ、クッションか何かを踏んづけ、手さぐりでやっとスタンド一つを点《つ》けた。それから習慣で手を洗ったが、洗面所の鏡を見ることもなかった。そして居間に戻ってウィスキー一本とグラス一つを手にソファに座り込むと、あとはもう長い夜があるばかりだった。

この三週間そうだったように、額の裏に張りついている息子の顔だけが、膿瘍《のうよう》のように膨らんだり縮んだりしながら血管を圧迫し続けていた。何か言いたげというより、日に日に見知らぬ表情をするようになって、こちらをただ見ている顔。ときどき、これは誰だと思うほど遠い感じになるその顔を秦野もまた見つめ、その顔が自分にとって親しいものだった日々へ、記憶を戻そうとしては失敗する。事故の日からずっと、その繰り返しだった。

三週間前の十月十五日、深夜十一時過ぎに警察からかかってきた電話は、ざわざわとした気配の向こうから、息子が交通事故を起こしたと早口に告げ、こちらが息を呑《の》む間もなく、心肺停止だという一言がそれに続いた。妻と一緒に三田の済生会《さいせいかい》中央病院へ駆けつけると、即死だったと救急隊員に告げられ、併せて「ご遺体は、奥さんにはご覧に入れないほうがいいでしょう」と耳打ちされた。息子は、首都高速一号羽田線の浜崎橋インターの合流地点付近で、時速百キロで側壁にぶつかったということだった。大破した車のフロントガラスに突っ込んで潰《つぶ》れていたという息子の頭は、赤黒い色をした肉塊にしか見えず、黒い毛髪がなければ人間の頭部だということも分からない変わりようだった。そんな状況で、それが息子の孝之だと理解して受け入れることなど、親に出来るわけがなかった。

そして、親としてはまず、息子が当夜百キロものスピードを出して夜遅くに羽田線を走っていたのはなぜかと訝ったのだ。スピード違反をしたら取り上げるという約束で三年前に買ってやった小さなゴルフに、息子は機嫌よく乗っていたが、週末毎《ごと》に車で遠出するような車好きでもなかった。当時、息子は卒論の準備のためにずっと薬学部の研究室に泊まり込んでいて、夏前からゴルフはマンションの駐車場に入ったままだったし、日之出ビールの入社試験のために数回家に戻ってきたときも、ゴルフにはエンジンを掛けた程度だった。

秦野が最後に息子に会ったのは、事故の一週間以上も前の十月四日木曜日、日之出の一次面接のために息子が家に戻っていた日だった。そのときの息子の様子はまったく普段どおりで、夜に家族で食卓を囲んだときに面接の結果を尋ねると、息子は「企業は大学より活気がある」などといっぱしのことを言い、日之出に入ったら、最近成長著しい医薬事業部の研究所で免疫《めんえき》の研究を続けるつもりだと、快活に話した。親の目で見る限り、学業や健康や容姿といったあらゆる面で平均以上だった息子は、苦労知らずの分、一般企業に就職するより大学院に残るほうが合っているのではないかというのが秦野の考えだったが、成人した息子の意思をあえて否定するだけの理由もなかった。また、日之出ビール一社だけ受けたことについても、それなりに理由があるのだろうと考えて、それ以上詳しく尋ねる機会は逸したのだった。

そして、秦野自身は八日から十日まで口腔外科学会で京都へ出張し、妻によれば、息子はその十日に日之出ビールの二次面接を終えていったん帰宅した後、実験があるから研究室へ戻ると母親に告げて家を出ていったということだった。

そのときも、とくに変わった様子はなかったと妻は後日言ったが、十六日の通夜《つや》の席で、製薬化学科ゼミの学友の口から思ってもみなかった話が出た。十日夕方に研究室に戻ったはずの息子は、同日風邪を引いたと研究室に電話を入れており、十一日からゼミを休んでいたというのだ。首都高での事故に加えてもう一つ、息子の知らない顔を見た思いがし、秦野は狼狽《ろうばい》した。そして十七日の葬儀のあと、事故の日以来開封していなかった郵便物のなかから日之出ビールの封筒一通を見つけたのだった。

十三日の消印で十五日月曜日に配達されたそれは、奇妙に薄っぺらかった。開封すると、紙一枚に『不採用と決定させていただきました』云々《うんぬん》とあった。現役の東大生でゼミ担当教授の懇《ねんご》ろな推薦状付き、成績優秀、思想偏向ゼロの理科系とあれば、採用不可など普通はあり得ない。翌日、推薦状を書いた担当教授に会いに行くと、教授も困惑した様子で、十二日金曜日にその件で、日之出から丁重な断りの電話があったことを話した。曰《いわ》く筆記試験は満点に近く、一次面接も問題はなかったが、息子は二次面接の途中で、気分が悪いと言って退席したまま戻って来なかったようだ、と。

はて、息子はほんとうに気分が悪くなったのか。退席して戻って来なかったというのは事実か。仮に息子が嘘《うそ》をついたのであれば、嘘をついてまで途中退席した理由があったはずだが、それはいったいどんな理由か。息子に原因があるのか、日之出側に原因があるのか。親としてさまざまな可能性を考えてみたが、常識的には息子のほうに原因があったと結論づけるほかはなかった。すなわち、十月四日の一次面接の日から十月十日の二次面接の間に、息子には何か重大な異変があったのだ、と。

秦野は息子のゼミの仲間に片っ端から電話をかけ、自宅の電話の記録を調べ、小遣いの出し入れをしていた預金通帳を調べ、息子の机や押入れを探し回って、私信やノート、持物などを徹底的にひっくり返した。金銭の支出といえば、六月に海釣りに使うリールを一つ買い、七月に研究室のコンパで五千円支出し、八月と九月はコピー代に約八千円使った領収書、二万六千円分の書籍代の領収書などが残っていた。十月十日までは、実験やゼミの欠席はなし。私信は、筆まめな高校時代の同級生からの年賀状がほんの数枚のみ。ノートはすべて講義録で、落書き一つなかった。念のため、息子が使っていたパソコン通信の記録も調べてみたが、息子は研究室のコンピューターにアクセスしていただけで、それ以外のアドレスはなかった。

では、あと何が残っているか。秦野は一応ガールフレンドの問題も考えてみた。息子は親には何も言わなかったが、駒場の教養学部にいたころに数人の女学生と交際していたらしく、そのうちの一人とは、今年の夏ごろまで続いていたという話を、ゼミの友人から聞いたからだ。しかし男女交際といっても、研究室に泊まり込む理科系の学生生活では限界があるはずで、息子の性格を考えても、大事な企業面接に響くほどの付き合いがあったとは考えにくかった。だいいち、夏まで交際していたという女子学生にしても、ほんとうにガールフレンドと言えるような仲だったのか否《いな》か。葬式の会葬者の記帳簿をひっくり返しても、それらしい女性の名前はなかった。

かくして息子の身辺に何かが起こっていたという疑念を深めながら、家族、大学、友人、釣り仲間など、一つ一つ可能性を除外してゆくと、二十二歳の大学生が持っていた小さな社会のなかで、最後に残ったのが日之出ビールだった。息子自身がなにがしかの積極的な理由で入社を希望しておきながら、二次面接を途中で退席したという企業。推薦状を書いてもらった教授の手前、研究室にも顔を出しにくくなって十一日から欠席しなければならなくなった、その原点にある企業の名前が、脳裏に張りついて動かなくなった。とはいえ、日本で上位二十位に入る一兆円企業に、いったいどんな問題があるというのだろうか。新卒採用にあたって、受験者に面接を途中放棄させるような不手際《ふてぎわ》が、会社側にあったというようなことがあるだろうか。

そして、ふいに腹の底から噴き出してきた声が言ったのだ。──そうだ。企業の側の都合というやつなら、一つだけある、と。

秦野の本籍地は、四歳まで神戸市内の被差別部落が多い地区にあり、父親はそこの出身者だった。そんなことがいまどき取《と》り沙汰《ざた》される世の中ではなく、新入社員の選考で親の素性まで問われることなどあり得ないのは百も承知の上で、いったん思い至ったが最後、秦野の頭はその一点の周りを回り始めた。すでに四十年以上縁のなかった世界は、向こうからこっちへやって来たのではなく、自分が呼び戻したものではあったが、実感を欠いたまま、記憶の臭《にお》いを嗅《か》ぎ、具体的な痛みのないまま、それでも〈差別だ〉と考える。実体のない言葉だけの観念も、抱き続けると次第に温まって臭い始め、その臭いがさらに観念を膨張させ、そこからまた一層強い腐臭が立ってゆく。

秦野が日之出ビールに宛てて最初の手紙をしたためたのは、そういうときだった。突然、万年筆を手に取るやいなや、ほとんど自動書記のようにして、『御社における私の息子秦野孝之の新入社員選考経緯について、納得の行かない点があり、息子を亡《な》くした父として苦悩しております』と書いた。

十日後、日之出の人事部から、選考は厳正に行われたという旨《むね》の事務的な返信があり、秦野はそのときも、一枚のワープロ打ちの文書の薄っぺらさ自体に強く反応した。差別の臭気が臭気を呼び、ますます増殖してゆくなか、すぐに二通目の手紙を書いた。今度は、自分の名を名乗るのを止《や》めて部落解放同盟の東京都連を騙り、前回とは違う便箋《びんせん》と封筒を使って、ワープロで打った。文面など、適当なものだった。そして、それを品川局管内のポストに入れたのが十一月二日——。

いや、待て。手紙を投函《とうかん》したのが二日。それが日之出に着くのは三日。しかし三日は祭日で、企業は休み。四日は日曜。すると、人事部の担当者が手紙を開封したのは、五日月曜日の今日だったことになる。朝に手紙を開封し、すぐに内容を判断して解同に問い合わせた末の、今日夕方の西村某からの電話だったとしたら、企業の側の反応のなんという素早さか。これこそ日之出ビールの立てている腐臭でなくて何だというのか。きれいに被《かぶ》せられた真っ白なレジンの下でひそかに腐っている歯のような。嫌気性《けんきせい》細菌に分解され、悪臭を放ちながら赤黒く溶け出してゆく歯髄のような、これこそ一兆円企業の奥深くに隠れている腐敗でなくて何だというのか。

秦野は不随意筋の痙攣《けいれん》に任せて嗤《わら》い、さらにしばらく呑み続けたところで、時計は午後九時を回った。インターホンが鳴り、ソファから腰を上げてのろのろと玄関へ足を運び、ドアを開けた。男の顔が二つ見えた。

「夕方お電話した西村です」

ドアロでそう名乗った男は、色の浅黒い五十前後の風貌《ふうぼう》で、目鼻だちのはっきりしないのっぺりした顔の中心線より少しずれた右顎《あご》に、直径十ミリほどのホクロがあった。身なりよりも何よりも、秦野の目に最初に入ったのはそのホクロで、それが強い印象になった。もう一人は、風采《ふうさい》の上がらない陰鬱《いんうつ》な目をした四十男だった。どちらも、一目で吊《つ》るしと分かる質素なスーツ姿で、強い整髪料の臭いを立て、短すぎるスラックスの裾《すそ》から無造作にアルマーニとグッチの高級紳士靴を覗《のぞ》かせていた。そのちぐはぐが何を意味しているのかはしかし、秦野には判断する頭はなかった。

「なに、お手間は取らせませんよ」

自称西村がそう言うのを聞きながら、秦野は喋《しゃべ》るときに眼球がほとんど動かない、その特異な無表情に見入り、これはどういう人種だろうとぼんやり考えたが、やはり分からなかった。男二人は、散らかった部屋に目をやるでもなくソファに腰を下ろすと、それぞれ名刺をテーブルに置き、指一本で秦野のほうへ滑らせた。どちらも『部落解放同盟東京都連合会執行委員』の肩書だった。

「ご生業のほうは」秦野がそう尋ねると、西村は口許《くちもと》だけ緩めて「さすがに先生はよくご存じだ」と言い、もう一枚名刺を出してきた。『(株)ルック代表取締役社長』とあった。

「何の会社ですか」

「婦人靴の製造と卸です。先生も、お生まれが神戸ならご存じでしょう。あちらが本場ですから」

秦野は、西村が膝《ひざ》に置いている手の華奢《きゃしゃ》な指先を見た。幼いころ神戸の町工場で見た人びとの手を思い浮かべ、西村が三和土《たたき》に脱いだアルマーニを思い浮かべ、〈違う〉と思った。しかし、靴製造の人間ではないが、自分の皮膚にいまごろ鈍く甦《よみがえ》ってくる、ある種の肌触りはあったし、被差別部落という出自に固執するうちに、それ自体が目的と化してしまって久しい自称活動家たちの、ある種の平板さもあった。そう見て取るやいなや、西村の正体への秦野の興味はすみやかに失《う》せていった。

「ご用件は」

「まず、先日息子さんが亡くなられた件では、さぞお気を落としておられることでしょう。そのへんは、こちらも十分お察ししているつもりです」

「ご用件を手短にお願いしたい。そちらに迷惑をかけたということなら、払うべきものは払う」

少し間を置いて、西村は「ライオンの毛皮を被っても、キツネはキツネですよ」と言い、そこから「ところで先生のご母堂様は、お元気のご様子で」と話は飛んだ。

「用件があるなら手短にしてくれ」

「近ごろはベッド数が百以下の病院はどこも経営が苦しいようだが、逆に個人医院は地元の信望さえ厚ければ堅調のようですな。鎌倉のご母堂様の医院も繁盛《はんじょう》していらっしゃる」

「お袋は関係ない。用件を言ってください」

「ひとまず、ライオンの皮は取って話をしましょうや。先生は、ご自分とご母堂様が昭和二十二年に、神戸を離れられた経緯をお忘れになっちゃあいけない。だから階級闘争をしろとは言いませんが」

相手が言わんとしているのは、名もない男と女の話だった。戦時中、鎌倉の裕福な医者一家の次女だった母が、遠い神戸の市立中央病院に女医として赴任した後、そこで出会った患者の男と恋仲になった遠い過去が、ふいに見知らぬ男の口から吐き出される。その違和感が、秦野の驚きをむしろ鈍いものにした。

母が惚《ほ》れ込んだ男は、神戸製鋼に徴用で来ていた臨時工で、和製ヴァレンティノもどきの男前だったが、被差別部落の集中する地区の出身者だったことや、戦時中だったこともあって、籍を入れないまま、秦野が生まれた。終戦後、やっと籍を入れたが、男のほうは当時の民主主義運動の高揚のなかで熱心な部落解放運動家になり、一方、お嬢さん育ちの母はといえば、無知ほど罪深いものはない見本で、連日解放委の集会に誘われたり、ビラを貼《は》られたりして早々に音を上げた。結局、結婚は五年も続かず、母は片手にトランク一つ、片手に小さい息子を抱えてぎゅうぎゅう詰めの東海道線の夜行に乗り、鎌倉に逃げ帰ったのだが、その鈍行列車の混雑は、かすかに秦野の記憶にあった。

「神戸の話など覚えていない」秦野は一言応《こた》えた。

「先生がお忘れになっても、世間はいろいろな古傷を探し出すもんですよ。今回の日之出の件も、詰まるところそういうことでしょう。先生にはお気の毒だが、世間にはこういうものがあるんですよ」

西村は、懐《ふところ》から取り出した何かの紙の束を軽く振ってみせた。B5判で二、三十枚はありそうな厚みだったが、それはひとまず男の手に留まり、秦野のほうへはやって来なかった。

「先生の奥さんのほうのご実家の姓は、岡村《おかむら》さんでしたね。お付き合いは？」

「ほとんどない」

「岡村清二《せいじ》という名前、ご記憶にありますか」

「ない」

「奥さんの伯父に当たる人物ですが」

「妻の実家の姓は物井だ」

「物井清二が、養子に出て岡村になったんです。岡村の名前ぐらい、お聞きになったことはあるでしょう」

「ない。物井のほうとはほとんど付き合ってないから」

「奇遇とはこういうことを言うんでしょうが、岡村清二も昔、日之出の研究所にいたらしい。東北帝大を出た優秀な人だったようですな。昭和十二年に日之出に入って、昭和二十二年に退職したんですが、退職の直後に日之出に宛《あ》てた手紙が残っていまして。それが、これ」

「日之出に宛てられた手紙をなぜ、お宅が持っているんだ」

「出どころについては、まあ、四十三年前に日之出が紛失したとでも言っておきましょう。ところで、肝心の中身ですが——」西村は、手にした紙の束をゆっくり振って見せた。「何と言いますか、岡村本人に他意はなかったんでしょうが、会社側から見れば、捨て置けない内容でして。読みようによっては、中傷とも脅迫とも取れる」

聞いたこともない妻の親族の何者か。半世紀前も昔に日之出にいて、日之出に脅迫文を送った何者か。ウィスキーで緩んだ秦野の額の裏で、新たな異物がぷかぷか浮いていた。

「岡村さんは手紙のなかで、会社の同僚四名について触れている。その四名は全員、被差別部落出身者です。うち一名は依願退職で、三名は不当解雇だったんですが、その三名については当時の解放委が調査をして、日之出に抗議をした記録があるんで、岡村さんはでたらめは書いていません。ともかく、日之出は痛い腹を探られたそのときの経験を教訓にして、以来この手の問題にはとくに敏感になったというわけです」

秦野は、目の前で動き続ける男の口にぼんやり見入った。そこから出てくる言葉は刻々と意味を失ってばらけてゆき、この五日間ひとりで醸造し続けてきた部落の記憶も次第に白々としてゆくのを感じた。この国の歴史をつくってきた差別という長いトンネルの出口で、いまだ一部に残されている柵《さく》を楯《たて》にして物を言う人びとが、ほんとうに望んでいるのは何だ？　仮に柵が取り払われたなら、彼らの多くは、今度はトンネルの外に広がる無知と無関心を糾弾して新たな柵を築き、己《おの》が存在理由を死守するだけではないのか？　平等も差別も、互いに補完し合いながら、こうして一部の人間に存在理由を保証するだけのものではないのか？　ひるがえって、そんな平等にも差別にも関係なかった二十二歳の息子は、彼らの語る世界のどこにもひっかからない──。

秦野はウィスキーを注ぎ足し、ひとり呷《あお》り続けた。西村のいかにも気のない間延びした口調は、実際のところ、よくある糾弾や恐喝のそれとは違うようにも感じられたが、それならそれで、自分にも息子にもますます関係のない雑音だという気がし、アルコールの力を借りてやっと聞いていただけだった。

その傍で、西村の口はなおも回り続けた。

「ところで、日之出はいま、社外に一つ微妙な懸案を抱えておりましてね。今日の日経は読まれましたか」

西村の連れの男が、スーツの懐からコピー用紙を二枚取り出し、テーブルに置いた。どちらも経済面のベタ記事で、一つは『中日相銀、決済承認銀行へ』とあり、一つは『小倉運輸、経営陣交代へ』と見出しにあった。

「小倉運輸の名前ぐらいご存じでしょう、陸運の大手です。中日相銀は小倉グループの主力銀行。風が吹けば桶屋《おけ》が儲《もう》かる式で、この二つの記事はつながっていて、さらに日之出もつながっているんですが——」

秦野は、退屈しのぎにざっと記事に目を通した。中日相銀は、日銀考査で経営内容に不明瞭《ふめいりょう》な点がいくつも見つかっているということで、融資残高八五〇〇億のうち、二八〇〇億円分が担保不足。その上、迂回《うかい》融資や不動産融資総量規制を避ける分散融資の疑いもあって、大蔵検査が続いている、とあった。一方、小倉運輸のほうは、株の運用で五〇〇〇億の損失を出して当期赤字決算になる可能性が強くなったため、責任を取って経営陣の交代が行われる云々《うんぬん》。それだけ読んで、秦野はコピーを放り出した。

「まず相銀のほうですが。ここは預金総額が一兆円ほどの図体《ずうたい》です。私らの情報では融資総額の半分、すなわち五〇〇〇億は焦《こ》げつくのが分かっているが、相銀にとっての大問題は、大株主の都銀数行が中日の百店舗を狙《ねら》って手ぐすね引いているという点です。年が明けたら、すぐに吸収合併の発表があるでしょう。そうなるよう、都銀大手と大蔵省が仕組んだんですから」

「それが私に何の関係がある」

「まあ、お聞きなさい。小倉運輸のほうは、記事に書かれている株の失敗は表向きの話でして、ほんとうはある仕手グループが市場に出回っている小倉株の大半を買い占めて、小倉と主力銀行の中日相銀に対して、買い占めた株の買取りを要求しているんですよ。要は、小倉も相銀も、要求を拒めない弱みを握られているということですが、たとえば、相銀が小倉開発という小倉運輸の子会社に、土地購入の名目で融資した一二〇億という金がありましてね。うち三〇億ばかり、永田町へ消えたという話です。ともかく、小倉を追い込んでいる仕手グループに資金を融資したノンバンクは、中日相銀に触手を伸ばしている当の某都銀大手の系列、という構図でして」

「本題を言ってほしい」

「これが本題です。年明けには相銀を吸収した某都銀が、小倉の救済に乗り出してきます。そのときは、現在は小倉の特定株主である日之出流通からも、小倉へ役員が入ってくる。そういうふうにシナリオが出来ているんです。日之出流通は、もちろん日之出の子会社です。そして某都銀は、日之出のメインバンク。どうです、これが企業社会というやつですよ」

「私はただの歯医者だ」

「簡単に言いますと、小倉の件は、誰かが一言チクッたら捜査当局の内偵が入る。そういう話です。大阪在住のジャーナリストが一人、すでに探り回っているという話もある。

経済事件の立件は難しいし、政治家が絡《から》んでいるから、その先は知りませんが。そうそう、そのジャーナリストもこの手紙に登場していますよ。さっき言ったでしょう。昔、日之出を不当解雇された三名の一人が、それ。手紙に、名前は挙がっていませんが」

「そんなことは私にも息子にも関係ない」

「そんなことは、と仰《おっしゃ》いますか。日之出のいまの経営陣は、指定校制度を外したぐらいだし、外国人や身障者の採用も積極的にやっているから、表向きはたしかに開けた企業になってますあな。しかし、それと息子さんの問題は別。小倉問題で神経質になっているこの時期に、加えてこの手紙では――」

西村は、分厚い紙の束をさらに秦野の目の前で揺すって見せた。しかし、秦野にとってそれは依然、名前を聞いたこともなかった赤の他人の手紙だったし、どこかの運輸会社や銀行の話に至ってはさらに遠い話だった。

「岡村なんて男は知らないと言っただろう」

「それは岡村清二に言うんですな。この手紙を見て、頭を抱えない人事担当者はいませんよ」

「その手紙について、日之出の担当者が息子に何か言ったんですか」

「その答えはこうです。日之出が息子さんにどういう応対をしたにしろ、この手紙は間違いなく日之出に宛てられたものなんですから、四十三年前のものだろうが何だろうが、日之出がそんなものは知らない、と言っても通用しない。私の言う意味、お分かりですか？」

「分からない」

秦野が首を横に振ると、西村は初めて口許をわずかに歪《ゆが》ませ、薄笑いを浮かべたが、目はやはり動かなかった。「先生みたいなお育ちのいい人は、逆立ちしても企業には太刀打ち出来ませんや。日之出宛てに二通も中途半端な手紙をお送りになる前に、弁護士でも雇ったほうがいい」ときた。

「お宅は、一通目の手紙をどこで見た――」

「それは言えません」

「二通目の件では、日之出の担当者がお宅に電話を入れたんですか」

「まあ、その辺は適当にお察し下さい。ともかく企業というのは、自らを防衛する権利がありますから。こういう岡村清二のような人物の親族とあれば、傍系だろうが何だろうが、こんな時期に、まず採りませんな。万に一つの可能性であっても、先生の息子さんは岡村清二の跡継ぎになるかも知れない。企業はそんなリスクは背負いません。この手紙をお読みになれば分かるが、岡村さんはこのなかで、明らかに日之出という会社を批判しているんですから。しかも、渦中《かちゅう》の小倉運輸を探っているジャーナリストに、偶然にせよ触れている。これはもう、アウトだ」

「お宅、日之出の回し者か」

「何を仰る。先生のお怒りが見当違いの方向へ向かわないよう、教えて差し上げているだけですよ。これ以上、解同を騙《かた》られては迷惑でもありますし」

「正しい方向というのがあるんなら、それを教えてほしい」

「さっきも申し上げた通り、息子さんが日之出の二次面接を途中退席なすった理由の如何《いかん》にかかわらず、日之出にはいろいろ探られたくない話があるということです。そこで、この手紙」

西村は初めて紙の束をテーブルに置き、秦野のほうへ押しやった。

「コピーですが、差し上げますよ。この類《たぐい》の手紙には、日之出はいま間違いなく敏感に反応します。ま、お好きになすって下さい。ただし、出どころは口外無用でお願いしますよ」そう言うが早いか、西村とその連れのだんまり男はソファから腰を上げていた。

「いくらだ」

秦野がそう尋ねると、西村の目にここぞとばかりに昏《くら》い刃《やいば》がひるがえった。

「なんならこの場で一〇〇万でも一〇〇〇万でも、小切手を切ってもらいましょうか？　生憎《あいにく》私らは、素人《しろうと》さんから金を頂戴するような商売はしていませんや。それより、先生はお金持ちだから、株ぐらいおやりでしょう。もし日之出の株をお持ちなら、近いうちに売り抜けることです。お約束しますよ。日之出株は近々間違いなく下がります」

西村は最後に年季の入ったやくざの顔を覗《のぞ》かせて言い、仲間の男とともに消えた。

秦野は長い時間、テーブルに残された厚い紙の束に見入った。コピー用紙そのものは新しいが、元の原稿は青焼きの複写を繰り返したもののようで、しかも元の手紙は鉛筆書きだったのか、かすんだり滲《にじ》んだりした字は目を近づけなければ読み取れないほどだった。冒頭には、『日之出麥酒株式會社神奈川工場　各位』。

意を決して、ぱらぱらと紙をめくってみた。線の細い几帳面《きちょうめん》な文字で埋まった便箋《びんせん》が一枚、二枚、十枚、二十枚、三十一枚。最後の三十一枚目に、昭和二十二年六月の日付と、岡村清二拝の署名があった。

岡村清二。これまで小耳にはさんだこともなかった男の名前一つを、しばし反芻《はんすう》し続けた後、秦野はいったん手紙を置いて、電話の受話器をひっ摑《つか》んだ。大磯《おおいそ》の別荘の電話番号にかけると、十数回も呼出し音が続いてやっとつながり、どうせかかってくる相手は決まっているといわんばかりの、ぶっきらぼうな妻の声が《はい》と応えた。

「君、岡村清二という人を知っているか」
《誰ですって？》
「岡村清二。君のお父さんの兄弟に当たる人だ」
《父の姓は物井です。ばか言わないで》
早々に切れてしまった電話には、こころも動かなかった。受話器を置いた後、秦野は書斎から漢和辞典を持ち出し、あらためてカルテの束を繰るように手紙を一枚ずつ繰り始めた。旧字の読みが不確かなものは辞書を引き、漢字の横に几帳面にルビをふった。
手紙の主は『小生、不肖岡村清二は――』と筆を起こし、まずは会社を退職した者が当の会社に一筆書き送るに至った経緯を述べていた。戦前に何かの事情でやはり日之出を退職した野口某という人物がおり、その野口との関係で警察と会社に睨《にら》まれたというのは、解放委の活動家を父に持った秦野には、それだけでぴんと来る話だった。
次いで岡村は、自分の出自について語り、青森県八戸市の近郊にあるらしい村の地勢や、昭和の初めの生活様態、家族構成や兄弟の消息を明らかにしていた。文面によると、岡村は四人兄弟の次男で、上に兄一人、下に妹と弟がいたらしい。長男は戦死したとあるから、十二歳で八戸の鋳造所に奉公に出た左目の不自由な弟というのが、妻の父親の物井清三だった。読みながら秦野は、三週間前に息子の葬式の席で顔を合わせた当人の顔を思い浮かべたが、これまでほとんど付き合いのなかったことに加えて、葬式では秦野のほうがうわのそらだったために、目鼻だちもはっきりしないぼやけた顔一つになった。

手紙によると、岡村とやらは裕福な商家の養子となった後、順調に東北帝大を卒業し、日之出神奈川工場の研究所に入り、人並みに応召して戦地へ行き、復員してきた。終戦直後の生活のなかで、岡村はたよりなげに控えめに、自分を〈労働者〉と呼んでいる。労働者という実感がどのようなものかは秦野には分からない話だったが、手紙の時代に〈労働者〉が資本家と対峙《たいじ》する者として位置づけられていたことぐらいは理解できた。ひるがえって岡村は、むしろ手紙の時代より十数年経《た》った昭和三十年代半ば以降の、労使協調の時代に迎えられるべき会社人間のはしりだったようで、秦野自身の記憶にある〈労働者〉とはずいぶん違っていた。昭和二十二年の二・一ゼネストは秦野もかすかに覚えていたが、そこに登場する父は白鉢巻きをして、連日、解放委の集会や戸別訪問に出かけてゆき、別人のような鋭い大声を張り上げていたのだ。

一方、岡村は戦前、神奈川工場で野口という名の一人の被差別部落出身者に出会い、驚くべき無邪気さでその男との交流を綴《つづ》っているのだった。岡村は、そこでようやく差別の存在を知ったようだが、それもあくまで戸惑いの域を脱しておらず、戦後になって、日之出の京都工場で三名の被差別部落出身者が解雇された件について疑問を提示しているくだりも、会社への批判というにはほど遠い書きっぷりだった。それどころか、岡村は最後まで、野口たちを自分と同じ〈日之出の社員〉として捉《とら》えていたようで、昭和二十一年暮れに東京で再会した野口についても、岡村はその生命の輝きに打たれた云々と書く。人間が生きる姿そのものに感じ入るところがあったかのようなその目線は、秦野の知る限り、どこまでも活動家のそれではないと言うほかはなかった。

そう、断じて違うのだ——。秦野は自分につぶやく。昭和二十一年暮れ、岡村が野口と再会したという東京の浜松町駅には、芝のどこかで開催された解放委の全国大会のために、秦野の父も同じ日に行っていたはずで、秦野はいま初めて、そんな遠い日のことを執拗に思い浮かべてみた。若いころの母が惚《ほ》れ込んだ美男の面影はもうどこにもなく、社会主義の教科書を塗り込めたのっぺらぼうを紅潮させ、小鼻を膨らませて、意気揚々と浜松町駅のホームを歩く男の目には、岡村のように頭《こうべ》を垂れて自己省察する人間の姿など、入っていなかっただろう、と。野口某とて、岡村と別れて全国大会の場に現れたときにはもう、岡村の知らない活動家の顔になっていたはずだ。そうだ、岡村清二はそんな同時代の誰とも違うのだ——。

この岡村某は、要するに、ある日退職勧奨を受けて日之出を去ったものの、日之出への未練が断ち切れなかった元社員の一人に過ぎない。さらに言えば、生家の貧窮も、会社も、戦争も、病気も、すべて個人の体験に還元されるばかりで、けっして社会や歴史のなかへ自身を置き直してみることもない。そのため、手紙を読む者には見える悲惨の仕組みが、書いた本人にはぼんやりとしか見えていない。またさらに、その日を生き延びるのに血眼になっていた同時代の一億の日本人と比べても、時代の変化に取り残された青白い教養人でしかない。そうして秦野は手紙の主の薄ぼんやりした肖像を描いてみた後、その自分の目線が、どちらかといえば父や野口某のような活動家の側のものだと気づいて驚いた。考えてもみなかったことだった。この自分に、当たり前のように被差別部落出身者や社会主義者たちの血が流れ、妻のほうにこの茫洋《ぼうよう》とした岡村某の血が流れているとは。なんという冗談！

いや待て。それでは、死んだ息子にもいくらかこの岡村の血が流れていたということだろうか。日之出ビールの面接で初めて差別の片鱗《へんりん》にでも出会い、ただ戸惑うばかりで、一切の社会的意見をもたず、他者からやってきた力に押し流されて、ただどうしようもなく一人で混乱し、思い悩み、時速百キロで車を飛ばしたあげくに事故死したというのだろうか。

いや待て。この腺病質《せんびょうしつ》の情けない岡村清二に似ているのは、自分のほうだろうか。かって神戸のそういう地区に生まれたにもかかわらず、一切の歴史的社会的意見を持たず、息子を亡《な》くして初めて〈差別だ〉と気づいたものの、自分でそれには距離を取り続け、自分にも意図の分からない中傷の手紙を企業に送ったりしたこの無様は、岡村の所業とそっくりではないか——。

秦野はいったん手紙の束を置き、それを裏返した。あらためて頭を白紙にし、この数時間の間に新たに入ってきた情報を一つ一つ反芻してみた。

まず、四十三年前に日之出に宛《あ》てられた手紙が、青焼きの複写を繰り返されて何者かの手に残っているという事実。会社が外に流出させるはずのない手紙の、この存在は、なにがしかの不正な目的や犯罪行為を意味していないはずがなかった。

次に、手紙に触れられている野口某や不当解雇者三名の件は、いま現在、実質的な意味を持っているのか否《いな》か。解同の関係者を名乗る西村の弁の通り、もし三名のうちの一名が、現在日之出にとって好ましからざる人物だというのなら、手紙の内容は生きていることになる。

さらに、日之出はほんとうにこの手紙を理由に、息子の採用をためらったのか否か。西村は、四十三年前の手紙一つをもって日之出に強請《ゆすり》をかけろと暗に助言していったが、正確に日之出が息子に何をしたのかは、依然不明というほかはない。

そしてさらに、西村は、秦野が日之出に宛てた二通の手紙や、息子が二次面接を途中退席したという話を、どこで誰に聞いたのか。都連幹部の名刺はもっていたが、解同本来の主張は一つも出なかった。あんな解同の関係者はいない。世間には同和団体を騙って物を言う連中は少なくないが、それでもない。では、いったいあれは何者か。どこの誰が、何をしに来たのか。

秦野は五分ほど考え続けたが、結局どんな結論にも辿《たど》り着かなかった。所詮《しょせん》、大学と学会と歯科医師会とテニスしか知らない秦野には、あれこれ検討するのに五分もあれば十分で、行き詰まった先にはもう何もなかった。所在なさに引き戻されるように、秦野はもう一度手紙の束を眺め、岡村清二のその後はどうなったのかと、新たに考えてみた。死んだ孝之にその血が流れていたかもしれない一人の男のその後は――。

秦野は弾《はじ》かれたように腰を上げ、電話帳を探し出していた。この二十数年、自分のほうからは一度もかけたことのない電話番号一つを調べ、受話器を取り上げて電話をかけ始めてからやっと、ちらりと時計を見た。午前零時三分前だった。こんな時間かとためらったときには、すでに呼出し音は鳴り出していて、それはすぐに途切れた。

《はい、物井です》というかすれた声が聞こえた。その声の背後には、テレビの音があった。「遅くにすみません。秦野です」ひとまずそう言うと、受話器の向こうの声は

《はあ——》と応えた。
身内と言っても葬式があるまではほとんど付き合いのなかった電話の相手の顔を、急いで思い浮かべているような間があき、次いで、《少しは落ちつかれましたか》と物井清三は尋ねてきた。
「はあ、おかげさまで。こんな時間に起きていらしたんですか」
《はあ。まあ、歳《とし》を取ると、テレビを見ながら寝ていたりで》
「夜分、ぶしつけなことをお尋ねしますが、岡村清二という人は、お義父《とう》さんのお兄さんですか」
《八戸の岡村商会にいた岡村清二なら、そうですが》
今度は秦野が言葉に詰まった。「実は歯科医師会の懇親会で、戦中の軍隊の話をする年配の先生たちがおられまして。そこで戦友に岡村清二という者がいたという話が出て、どうも物井さんの係累《けいるい》ではないかと——」
《はあ。その岡村が何か》
「家内に聞いたら、そんな人は知らないと言うんですが」
《ああ、娘には話したことはありません。ぼくが生まれる前に余所《よそ》へ養子に行った人だし、ぼく自身、ほとんど知らないもんですから。八戸で数回会ったことはありますが、

もう五十年以上前の話です》
「そうでしたか。年配の先生が、いまごろ岡村はどうしているかなあ、ということだったので」
《あれは昭和二十七、八年だったと思うが、戸来《へらい》の実家を預かっているぼくの姉夫婦が、亡くなったと言っていました》
「そうですか──。まあ、息子を亡くしてみますと、会ったこともない遠縁の話でも、何となく気になりまして。ところでお義父さん、競馬はやっておられるんでしょう？」
《はあ。馬を見ていたら、いやなことも忘れるので。お恥ずかしいことです》
「機会があったら、馬券の買い方でも教えて下さい。どうも、夜分失礼しました。風邪をお引きにならないように」
《はあ。そちらこそ》
おざなりの会話を交わした電話を切ったとき、秦野は一瞬、奇妙な感覚にとらわれた。岡村清二と同じ腹から生まれた物井清三の、夜に相応《ふさわ》しいひっそりした声は、まるで岡村本人の声だったような、そんな気がしたのだった。
それから秦野は、三十一枚の手紙の束を手に、居間を離れて息子が使っていた部屋に入った。夏前まで息子がいた八畳間は、殺風景なほど片づいていた。本棚には彩《いろど》りに乏しい専門書とわずかな釣り雑誌しかなく、アイドルのポスター一枚貼《は》るでなく、何日か前に秦野が押入れをひっくり返したときも、エロ本一冊出てこなかった。真面目《まじめ》過ぎ、呑気《のんき》過ぎ、世間知らずに過ぎ、それでも親にも言えない何かを隠していた二十二歳の優等生の部屋だった。

秦野は、パソコンの置かれた息子のデスクに座り、引出しから、ウォークマンと、封を切っていない新しいカセットテープ一本を取り出した。近年は学会で使うこともなくなったそれを前に、電源が入ることを確かめ、テープ送りが正常なことを確かめた。それから、手紙の束をデスクに置き、めくりやすいように一枚ずつ紙の端を折り、ずらせて並べた。カーテンの外の物音に耳をすませると、三百メートル南を走っている小田急線はすでに終電の時刻を過ぎ、駅前繁華街の喧騒《けんそう》もとうの昔に絶えていた。ときおり成城通りのほうから車の排気音が響いてくるが、ウォークマンの小さなマイクが拾うような音量ではないと、勝手に推量した。

そうして秦野は、まず手紙の一枚目を見た。『日之出麥酒株式會社神奈川工場 各位』。この冒頭の前に一言入れるべきか、否か。少し迷ったが、誰に何を説明してやる必要があるものかと思い直した。秦野はウォークマンの録音スイッチを入れ、二秒空けて、「日之出麦酒株式会社神奈川工場、各位」と手紙を読み始めた。いや、読んだのではなく、岡村清二に代わって語り出したつもりだった。

「小生、不肖岡村清二は、去る二月末日を以《もっ》て日之出神奈川工場を退職した四十名の一人であります。今日なお思うことといろいろあり——」

岡村は、口下手で訥々《とつとつ》としか話せない男だったはずだ。その男が四十三年後の世界に甦《よみがえ》ろうとしているのだから、いくらか戸惑い気味の声色でゆっくり、ゆっくり語った。

「——『元同僚一名』即《すなわ》ち野口勝一は、昭和十七年に神奈川工場を退職しましたが、同じ退職でも、野口の場合は云い表すことも困難な失意や憤怒《ふんぬ》を伴うものであったこと——、其《そ》の前後に幾許《いくばく》かの事情があったことを小生は知っています——」

秦野は一切の抑揚をつけず、休みなく読経《どきょう》のように読み上げ、ほとんど六十分テープの両面を使い切って、最後の日付と名前を読み終えた。テープを二重にした茶封筒に入れて封をし、切手を貼った。品川区北品川四丁目の日之出本社人事部の住所は、ワープロでタックシールに印字したものを貼り、自分の氏名住所は書かずにおいた。

それだけの作業をすませた後、コピー用紙三十一枚はそっくりゴミ袋に捨てた。それからソファに戻り、息子の遺したユーミンのCDをかけて、午前三時まで呑《の》み続けた。

翌六日の早朝、三時間ほど寝て起き出すと、秦野は封筒を手に自分のベンツを飛ばして東大井の品川局まで走り、前回と同じポストに投函《とうかん》した。その後、午前八時半には医院を開けて、九時には普段どおり診療を始めたが、昼ごろにはもう、テープの件は自分ではない何者かの所業だと感じ始め、気がつくと、昨日と同じ血まみれの息子の頭が一つ、額の裏に居すわっていただけだった。

3

山王《さんのう》の自宅から北品川の日之出本社までは、真《ま》っ直《す》ぐ向かえば二十分とかからない距離だが、城山恭介《しろやまきょうすけ》は常務の時代から、運転手にはその倍の時間をかけて、毎朝違う道をぐるぐる回っていくよう指示していた。一つは、家で読みきれなかった新聞の残りに目を通す時間を確保するためであり、一つは、普段通ることのない路地や店舗の佇《たたず》まい、看板、通勤の往来などを眺めるためだった。

日之出ビールに入って三十一年。その三分の二を営業の第一線で過ごした性根は、六月に新社長に就任したいまも、基本的には変わっていなかった。いや、能力的に性格的に、変えようがないことを城山は知っていた。

ビールは、ほかの酒類と違って、時代の感性や市民の生活感覚を敏感に反映する。そこで、新商品を出すための山のようなマーケティングが重ねられるのだが、それが当を得ているのか否かについて自分なりの直感を、トップになったいまも持っていたいと思う営業マンの性根と、もはや一つの商品の出来に対する自分の直感など、口に出す立場ではないという自覚の間で、城山は自分が身動きできないと感じることもあった。当期の数字だけでなく、企業全体への目配りが仕事となったいま、営業現場の目線を捨てきれない器の小ささは、城山をして、結果的に人の意見によく耳を傾ける慎重な人物にせしめ、ある意味無難な経営者にしているのは確かだった。

朝一番の徘徊《はいかい》は、ほかの役員はもちろん、一般社員に知られると妙なプレッシャーをかけることになりはしないかという気遣いから、誰にも言ったことはなかった。十一月十二日月曜日のその朝、城山は普段どおり、十分ほどかけて日経の会社人事の欄に目を通した後は、八潮パークタウンのなかをうろうろしている社用車の窓から団地の朝の風景を眺め、ちょっと窓を開けて潮風を嗅《か》いだ。まだ十五分あるから、今日はゼームス坂を通ってゆきましょうかと尋ねる運転手に、そうだねと応え、海岸通りへ入った車に運ばれながら車窓の外へ目を流し続けた。変化の早い東京では、半月も見ないと、もうどこかに新しい看板、新しい店舗が出現している。

しかしそういう間も、城山の頭はかたときも空っぽになってはいなかった。その日一日の用件をざっと頭に並べ、急ぎの案件を確認し、冬商戦の半ばで迎える期末決算の数字を案じ、すでに出ている来期の指標を反芻《はんすう》し、近々に動き出さなければならない中長期を睨《にら》んだ課題のいくつかを思い出し、次いで取締役会の総意をまとめるための根回しの順番や、切り口を思案する。その日は、とりあえず来月の決算を控えた十一月の数字と十月次の中間財務諸表の数字が頭の大半を占領しており、そこに諸々《もろもろ》の懸案が次々にさし込み続けた。

春に発売を開始した新商品『日之出スープレム』が、十月ですでに初年度三千万ケースの目標をクリアした大ヒットになっていたので、少し気は楽だったが、それにしても懸案は多かった。ビールの国内総需要はここ数年好調な伸びだが、四半世紀もの間、市場の半分を占有し続けてきた日之出ラガービールの緩やかな低落傾向は、もはや時代の流れになった。昨年度、日之出はついにシェア五〇パーセントを割る歴史的敗北を経験し、経営陣も一新された。そうして、同業他社の相次ぐ新商品開発の攻勢に呑まれるかたちで、二年前から日之出もラガーに偏《かたよ》り過ぎた商品構成を見直し、多様化戦略へ転換したのだが、日之出が最後の忍耐をかなぐり捨てたことで結局、各社、シェア確保のための新商品乱発と宣伝費の増大という、悪循環の消耗戦の泥沼に陥ることになった。この状況に、当分変化は望めない。

そもそも、巨大な装置産業であるビール事業の利幅は極端に薄い上に、高率の酒税のせいで海外との競争も難しい。多角化はどこもやっているが、医薬事業が順調な日之出でも、ビール事業が総売上に占める割合は未《いま》だに九六パーセントを超えており、容易ではない。加えて、日米構造協議で系列批判の外圧が強まってゆくのは確実ななか、いつまでも現在のような海外ブランドの輸入やライセンス生産でお茶を濁していられないときが来るのは目に見えていて、攻勢一手の海外メーカーとの新たな業務提携の方法に、一定の目処《めど》を立てておくのは、城山の任期の間の最大の責務だった。

現に、十年前から日之出が総代理店契約を結んでいる世界最大手のビールメーカー、ライムライトが、合弁会社設立の意向を内密に打診してきているのだった。これは微妙な話で、よほど慎重に条件を詰めないと、日之出の膨張と市場の寡占《かせん》化を目の仇《かたき》にする公取委に叩《たた》かれて、自社に不利な条件を呑まされる可能性がある。仮に合弁が成立しても、将来的には高率の酒税にがんじがらめの国内製品が食われる恐れもある。全国六百の特約店ルートの開放も、先々を見越せばどうしても自壊につながる。かといって、少しでも話を後退させて他社に話をもっていかれては、もともも子もない。ライムライトの動きは極秘の話だったが、公取委の動きを見ながら、国税庁への根回しの時期をいつごろにしたものか。

一方、国内の懸案では、どうしても急がなければならないビールの缶化率の向上のために建設を急いでいる名古屋新工場の用地買収が、地価高騰《こうとう》でなかなか進まない件。ほかにも、去年の酒類販売業免許等取扱要領の一部改正にともなう免許緩和で、これから勢いを増していくのは間違いない酒類ディスカウンターの存在。これは、ビール百年の歴史とともに築いてきた各社特約店網の破壊へつながってゆく話であり、販売ルートの再編は火急の課題だった。

また物流のほうでは、日之出流通と小倉グループとの関係をどうするかという一件があった。小倉株の買増しについて、個人的には、銀行の真意をいま一度確かめたいところだが、取締役会の総意はどうなるか。

「そろそろ、よろしいですか」運転手が尋ねてきた。

「はい、どうぞ」城山は応えた。

いつも正確に時間を計っている運転手は、車を定刻に北品川四丁目八ツ山通り南側の本社前に近づけていた。三年前に完成した新社屋は、四十階建ての堅牢な総御影石《みかげいし》張りで、二〇年代ニューヨークの成り金趣味だと、建築雑誌にこき下ろされた代物《しろもの》だった。一、二階は屈指の音響設備を備えた日之出オペラホールになっており、最上階は外食事業部直営の日之出スカイビヤレストラン。残り三十七階分に、本社の各事業部と子会社のうちの十二社が入っている。

午前八時十五分、城山はひとりでその玄関をくぐった。役員の秘書の出迎えは社長就任と同時に取り止《や》めたので、カバンも自分で持ち運ぶ。無駄な時間と経費を削減する合理化はまず上から、ということで、取締役会に諮《はか》った上での了解事項だった。ほかにも、全国十五支社四十支店十二工場を含む八千人の全社員が、社内では「さん」付けで呼び合うことも決めた。別に何を気取ったわけでもなく、ただ合理化と組織の活性のためだったが、役員の一部には城山体制への積極的な布陣の一歩だという見方もあるのを、城山は知っていた。しかし、その程度の話は聞こえないふりをしてとぼけていなければ、何一つ前へ進まない。

玄関ホールからエレベーターホールを経て三十階にある社長室へ辿《たど》り着くまで、城山は社員に出くわすたびに、機械的に十数回「おはよう」を繰り返した。社内のどこにいようと、昔から、社員全部を足して頭数で割った風体だと言われてきたその姿は、髪が灰色と化したいまも変わらず、まったく目立たなかった。常務時代、社内を歩いていて、すれ違った社員に「あの人、誰」と囁《ささや》かれたのは一度や二度ではなかったし、営業をやっていた若いころは、得意先に顔を覚えてもらえずに苦労した。

日之出の〈顔〉になったいま、さすがに「あの人、誰」は聞こえなくなったが、経団連でも商工会議所でも、基本的状況は同じだった。要するに、顔のない営業マシンが営々と働いて、いつの間にか、そのまま経営のトップに上りつめる時代になったのだ。大正ロマンティシズムの洗礼を受けなかった昭和二桁《けた》生まれの経営者が誕生してくる時代の先鋒《せんぽう》を、城山恭介は担《かつ》いでいるのだった。経済誌の巻頭を写真入りで飾る企業人の代表でもなく、経営哲学の手本でもない。ただ、端的に日之出の全株主と全社員の利益を守る責任を負っており、顔はないが周到な実務能力とそこそこの統率力を備えて企業を率いている経営マシンが自分だ、と城山は自認していた。実際、この自分は、それ以上の何者かにはなれないのだということも。

社長室へ入ると、城山はそこでもまた、手前の控室のデスクから腰を上げた秘書の女性に「おはよう」と声をかけ、やっと奥の自分の執務室のドアを開けた。すかさず後を追ってきた秘書が「スケジュールの確認をしてよろしいですか」と言う。城山がデスクにカバンを置き、腰を下ろすのを待って、秘書は手元に一覧表を差し出してくる。秘書は名を野崎孝子《のざきたかこ》といい、秘書室にもう二十年以上勤めているベテランだった。何をどうすれば効率的かを身体《からだ》が知っているような女性で、城山から何かを要求することはほとんどない。美人とは言えないが、低めの落ちついた声が耳に心地好かった。

「九時の朝食会は、お出になりますか？　日米財界人会議へのお車は九時四十分。遅れないで下さい。原稿はいま、ご覧になりますか」

「車のなかで」

「それでは、私が書類一式揃《そろ》えて玄関でお待ちしています。それから、二時半の朝日新聞の取材は写真撮影を含めて二十分。質問事項は──」野崎女史は、箇条書きの別紙を見せたが、いまごろ言われても城山の頭に入らないのを承知の上で、「直前に私が確認いたしますので」と周到に付け加えた。

「今日は三時からの社内巡回はなし。事業開発本部で、名古屋新工場建設準備室のブリーフィングがありますので、そちらに出席して下さい。同席の役員はそこに書いてある通りです。それから四時十五分に、自民党の酒田先生から電話が入りますので、これだけはよろしく」

ワープロ打ちの一覧表には、ただ『S氏。謝礼の電話』とあった。パーティ券の件だった。

「はい、承知しました」と城山は応《こた》えた。

「それから、五時からは日之出文化賞の授賞式」

手元に、新たな薄い冊子が置かれた。十年前に設立された日之出文化財団の一事業で、美術と音楽部門がある。すっかり忘れていたことを内心恥じながら、城山はこれにも「はい」とだけ応えた。

「受賞者の作品と履歴はその冊子のなかにあります」

「車で目を通します」

「四時半には玄関にお車を回しておきます。そして、お帰りが七時――」

そんなふうにして、朝一番のスケジュール確認に三分。次いで、宣伝行事や広告、支社や工場での業務上の重要事項の確認に三分。

最後に、毎週月曜日に届くビール事業本部、医薬事業本部、事業開発本部などの各業務報告書と、経理部から上がってきた十月次の中間財務諸表の束、食品新聞や食品産業新聞などの業界紙の切り抜きファイルをデスクに置くと、野崎女史は続いて水差しとグラスを城山のデスクに運び、八時三十分にはすみやかに姿を消した。

城山は時計を見た。九時の始業まで半時間弱。毎朝のその半時間の積み重ねが、城山のささやかな矜持《きょうじ》だった。各報告書と中間財務諸表の四つを同時に開いてデスクに並べ、一緒に目を走らせ始める。数字は毎日毎日見ていなければ、勘が働かない。会計処理の細かな点をつつくつもりはなく、経営会議でも自分の口からは一切数字に触れることはないが、会社が毎日進んでいる道が順当なものか、歩みに異変はないか、広範囲に数字を見ておれば、諸々の判断を下す際の決断力の一助にはなる。

さて、まずは《日之出スープレム》の先週の実績、五十二万ケース。クリスマス需要に向けて、週七十万ケースの販売ペースへ回復の見込み、と報告書にはあった。期末までの受注ベースで累計三千五百万ケース超。これで、来期七千万ケースの目標は、堅実な数字になる。しかし、商品構成の八割を占めるラガーの方が累計《るいけい》で前期を下回るとなれば、今期売上はやはり、対前年比でマイナスを出すか出さないかの瀬戸際《せとぎわ》か。

次いで各支社の実績、各工場の生産量と在庫の数字をざっと見る。

続いて、他社の競合商品の動き。業界二位の毎日ビールが冬戦略で今月発売を開始した《冬ドライ》の好調を分析した事業本部の弁。『商品開発の面で特記すべきは、発想の転換。販売面では、料飲店向け販促強化、関東圏集中販促、リベートのアップ等々』とあった。《冬ドライ》の低アルコール化についてのコメントがない。城山はそれをチェックし、目は商品開発の報告へ飛ぶ。そういえば、来期の開発コンセプトは健康ブームを先取りした低アルコール化で行く、という話はどうなっている──。

ページを繰り始めたところで、突然デスクの上のインターコムから野崎女史の声が聞こえた。『白井副社長と人事の塚本部長がお見えです』

城山は時計を見た。八時三十五分。「どうぞ」とインターコムに応え、どうせもうすぐ朝食会で会うのに何の用だと思いながら、デスクに広げた書類を閉じて重ねたところで、ドアが開いた。

「朝っぱらから、申し訳ない」と断って入ってきた白井誠一副社長の声色はまず、普段どおり味も素っ気もなかった。その後ろから、粛々と肩をすぼめてついてきた人事部長のほうは、白井とは逆に、「ちょっとご心配をおかけするやも知れない事態となりまして」ともったいをつけ、深々と頭を下げた。

内々の話か。城山はひとまず時間のかかる話か否《いな》かと考え、「まあ、どうぞおかけなさい」と二人に椅子《いす》をすすめた。どのみち二十五分しかなかった。

「さて、何でしょう」そう切り出すと、「怪文書ならぬ怪テープが届きまして」と白井はあっさり言ってのけた。

事情を説明した塚本によれば、十月の入社選考の二次面接を、身体の不調を訴えて途中退席した東大生がおり、そのまま帰宅してしまったために不採用にしたところ、その学生の父親から二回にわたって人事部宛《あ》てに選考経過に疑義を唱える手紙が来たというのだった。父親は世田谷で歯科医院を経営する歯科医で、兵庫県の被差別部落出身者だという。父親は、日之出の選考過程で何らかの差別があったと思い込んでいるようで、一回目は人事部が返事を出し、二回目は相手が解同を騙《かた》ってきたのでそのまま放置したところ、今度は意味不明のカセットテープ一本が送られてきたという話だった。

実をいえば、城山は「カイドウ」という言葉を判じるのに三秒ぐらいかかったのだった。さらに、話の要旨を理解するのに一分ほどかかり、次いで何かの間違いではないのかという疑念が湧《わ》き、仮に事実であったとしても、なぜそんな事案が自分のところまで上がってくるのかという控えめな疑問に、最後は落ちついた。

「これがテープを起こしたものです」そう言って塚本が差し出してきたA４判の紙の束の一枚目には、いきなり『日之出麦酒株式会社神奈川工場　各位』とあった。城山は慰みに数十枚の紙をざっとめくり、最後のページの『昭和二十二年六月』という日付を見てぎょっとし、あわてて一枚目から斜めに目を走らせた。

「そこに登場する岡村清二は、神奈川工場のほうで調べたところ、たしかに昭和二十二年に日之出を退職しているようです」塚本の声は続いた。その端で、城山の目は用紙の文面から、素早くいくつかの単語を拾い出した。〈八戸〉や〈戸来〉という東北の地名。〈部落の人間〉〈組合〉〈争議〉〈二・一ゼネスト〉〈解雇〉といった言葉。そして〈部落解放全国委員会第二回大会〉。なるほど昔はこういう名称だった、などと思い出したものの、それだけだった。テープを起こしたという何枚もの用紙の、最後の数行に目を通し直しても、送り主の意図はまったく摑《つか》みかねた。

「これだけですか」

「そうです。送り主の意図が何であれ、なにぶん入社選考が絡《から》んでおるようですし、会社の体面に関わる問題でもありますので、ここは警察に届けるか無視するかの判断を含めて、人事の一存では対処しきれないと考えまして。一応ご報告した次第です」そう言いつつ、塚本は所在なげに手をもんだ。

「ところで、岡村某が神奈川工場に宛てた手紙の実物はあるのですか」

「昭和二十二年のことなど、神奈川工場ではもう調べようがないということで、そういう手紙がほんとうにあったのかどうかは、ちょっと――」

「問題の学生の父親は、二回目の手紙では解同を騙ったと言いましたか？　で、このテープの差出人は名乗っているのですか」

「いいえ。ただし郵便のタックシールや消印が同じですし、こちらで調べたところ、その岡村清二は問題の学生の遠縁に当たるようです」

「ほう――」

城山はあいまいな相槌《あいづち》を返したが、一方では、こうした事態に見え隠れする社内事情のほうが気になり始めた。そもそも、この手の問題の処理を担当するはずの総務は何をしているのか。しかも、総務にしろ人事にしろ、白井は担当役員ではないではないか。そう思いながら白井へ目をやると、白井のほうは初めから百も承知の上だといった何食わぬ顔をしていた。

「経緯は分かりました」と城山はあらためて塚本に告げた。「追ってこちらの判断を伝えます。テープの件は口外しないよう、部内の手配をよろしく」

「では、そういたします」

塚本は、とんだ厄日だと言わんばかりの表情で先に席を立ち、一礼して部屋を出ていった。塚本は、城山が入社した昭和三十四年にはすでに人事部の机に座っていたのだった。部長になるまでほとんど接点もなかったが、会社に骨を埋めて骨の髄まで事務屋となり、企業の無数の柱の一本を忠実に支え続けてきた男の元気のなさは、そのまま城山のちょっとした不安となった。

一方、白井誠一のほうは名実ともに役員であり、十把一からげで〈阿吽《あうん》の呼吸〉と言われた保守的な日之出経営陣の伝統に終止符を打ち、日之出を変えてきた男だった。風体こそ城山と五十歩百歩で目立たないが、三十五人いる取締役のうち、将来を見抜く慧眼《けいがん》と実行力にかけては右に出る者はいない。日之出がシェア六〇パーセントを保持していた十年前にすでに、白井はビール事業の非効率と将来性のなさ、外国製品との競合の難しさを唱え、以来、将来を見越した多角化の長期計画を立てて日之出の地盤改良の基礎を作ってきた結果、現在は事業開発本部長兼取締役副社長として日之出の経営陣の一翼を担《にな》っているのだった。単純な利潤追求でも散文的理念でもなく、企業活動をシステムの総体としてマクロに評価する白井の考え方は、ある意味では経営マシンの最たるものではあったが、同じ経営マシンであっても白井は、城山が本質的に持ち合わせていないものを持っており、そのことに城山は常々震撼《しんかん》させられる、というのが正直なところだった。アメリカと欧州での生活が長かった白井の真骨頂は、意思とその主張の仕方の強さだ。

そんなことを、またちらりと城山が考えたのは、デスクの両サイドにある大きな窓から望める市街風景へ、ちょっと目が流れたからだった。地上三十階からの眺望は、地上の建物の雑多な凹凸が平板に均《なら》されたようにのたりと広がり、小さくうごめく車や人は、ふと、工場の自動化ラインを流れてゆく製品のように見えたりする。城山はときどき窓から眼下を眺め、企業を統括する経営者の目とはおおむねこんなものかなと思うことがあるのだが、白井の目にはさしずめ、この地上三十階の風景はすみずみまでもっとも効率よく機能すべきラインそのものに映っているに違いなかった。そこにあるものはシステムであって、人間でも物でもない。

翻《ひるがえ》って、城山自身は、日々重かったり軽かったりするこの自分の身体を動かして、二十年以上この手で物を売ってきたという感覚がまだいくらかあるせいか、私情を言えば、白井とは少し感覚的にも合わないのだった。

ところで、日之出には現在、もう一人、城山のあとを継いでビール事業本部長兼副社長に昇格した倉田という男がおり、こちらは多角化を進める白井に対して、ビールが総売上の九六パーセントをいまもなお超えている現実を支えていた。しかし、日々ビールを売って一兆二〇〇〇億の売上をまとめ上げる男がいるから、白井も手腕を揮《ふる》えるというのは、絵に描いた道理であって、白井と倉田がともに副社長となった新体制では、企業戦略の考え方についての両者の温度差が、以前にもまして取締役会を白井派と倉田派に分けているのが現実だった。

要約すれば、長期的展望と当面の思惑の差ということになるが、その差は二年前、ラガーの不調を受けて、商品の多様化戦略を取るか否かの選択を迫られたときに、顕著になった。他社の攻勢に対抗して年に数回も新商品を乱発する競争を始めたら、生産ラインの組み替えに伴う膨大なコスト増、生産管理や販売管理のコスト増、宣伝販促費の膨張など、自分で自分の首を絞める泥沼になる。ビール業界全体の消耗を招くことにもなるから、商品のむやみな多様化には賛成出来ないというのが白井の主張だったが、その正論の基礎には、すでに十二工場を抱える日之出全体のシステムに対する経営効率の評価があった。

一方、城山と倉田のビール事業本部側は、そうなったら最後に残るのは基礎体力のある日之出だからやれると言ったのだが、そこにあったのは、日之出ブランドへの自負と、絶対に落とすことの出来ない目先の数字だ。どちらも一面で正しく、且《か》つ一面でしか正しくない不毛な激突だったが、最後は、現会長の処断で、中を取って是々非々でいこうという線で落ちついたのだった。新商品は出すときには出す、出す必要のないときには出さない、と。

あれから間もなく、ラガーの沈下が予想以上に進み、当面ビール事業の強化を余儀なくされた取締役会の総意で、ビール事業本部長の城山が社長に昇格したが、一方で、多角化がますます急がれている事実に変わりはない。長年日之出ビールの本体を支えてきた城山・倉田のラインは、いわば背水の陣であり、城山の頭にはもちろん、誰よりもビール事業の抜本的な改革についての認識はあった。それを、いまの時点ではまだ表に出していないだけのことだった。種々の感情的行き違いや、多数派工作や根回しが日常の取締役会では、物を言うのにも、タイミングの見極めというものが要る。

実際、白井が朝の忙しい時間にこうして城山の前に姿を現したのは、当然根回しの腹があるからで、それはおおかた倉田のなにがしかの一手を牽制《けんせい》するために違いないのだが、心情的に倉田に近いのは当たり前の城山のところへ、こうして出向いてきた白井の思惑を、ひとまず推し量ることに城山は時間を割いたつもりだった。

その白井は、何やら訳の分からない話をもってきた塚本部長が辞去するとすぐ、これからが本題だというふうに軽く身を乗り出してきた。そら来たと思いながら、城山のほうはちらりと時計を見た。八時四十三分。

そもそも、塚本のさっきの説明には納得のいかない点があったことを城山は思い返し、

「二つばかり伺いたいのですが」と先に切り出した。

「まず、貴方《あなた》は今回、どういう経緯で、担当外の件に関わっておられるのでしょう」

「なに。あの塚本がここ数日青い顔をしていたから、たまたま事情を聞いたらそういうことだった。入社選考のトラブルで怪文書や怪テープが届きましたとは、さすがに言いづらかったということです」と、白井は構えることもなく応《こた》えた。「そうそう、塚本は大事なことを言い忘れています。その秦野という学生だが、先月の十五日に交通事故で死亡したそうで。スピードの出し過ぎだったそうだが、父親もそれで理性を失ったと考えられないこともない」

城山が一瞬、返す言葉を探すうちに、白井はさらに、「何とも気の毒な話ではあるが、交通事故となれば、わが社の関知するところではないと言わざるを得ません」と言い添えた。

「相手方から疑われるような事実は、なかったと信じてよろしいのですか」

「二次面接にはぼくも出席していたのだから、それは保証出来ます」

「しかし、二次面接まで来た東大生を採用しなかったのは、理由が何であれ、ただごとではないと思いますが」

「仰《おっしゃ》るとおりです。その秦野という学生ですが、気分が悪いということで十日の面接を途中退席してしまったものですから、翌日の合否の判定会では扱いをどうするか、少し議論になったのは事実です。結局、推薦状付きの学生を不採用にするには、本人とあらためて会う必要があるということで、十一日の時点で、ぼくのほうから人事部へ連絡を取るよう指示したのですが——」

「それで」

「さっき塚本に聞いたところ、本人の家にも大学にも連絡していない。大学へは、不採用の断りを十二日に入れただけだという。どういうことだと塚本を問い詰めると、人事のほうへ倉田君から、この学生はもういいからという指示があったということなので、倉田本人に事情を聞いたところ——」そこで白井はいったん息をつぎ、おもむろに「発端は、杉原のお嬢さんの問題でした」と続けた。

「杉原武郎《たけお》、ですか」

「そうです」

杉原武郎は、今年六月の人事で、ビール事業本部副本部長兼取締役に昇格した男だった。城山の実妹が二十五年前に杉原と結婚しており、その娘といえば城山の姪《めい》に当たる。城山は即座に事の次第が呑《の》み込めず、驚きがかたちになるのに少し時間がかかった。杉原も当然、城山・倉田ラインの役員ではある。

城山の当惑をよそに、白井の事務的な声は続いた。白井というのはフグだ、と城山はよく思う。本人は、何があっても自家中毒を起こすことはなく、理路整然と言うべきことを言ってくるが、しばしば周りの人間が毒にあたる。

「城山さん。ここでは事実だけを話します。姪ごさんは、東大でその秦野という学生と交際していて、卒業したら結婚したいというような話を父親にしたそうです。娘にそう言われたら、親としてはまあ、相手の家庭を調べるぐらいのことはするでしょう。結果は、相手の父親の戸籍が問題になって、杉原は娘にだめだと言った──。これは先日、倉田君が杉原本人から聞き出した話だそうです」

そこまで聞いて、城山にはやっと軽い動悸《どうき》のようなものがやって来たが、実感というほどのものはやはり持てなかった。この三十一年、会社の仕事も話題も一切個人生活へ持ち込んだことのなかった頭が、初めて経験する鈍い混乱だった。

妹には盆に会ったが、姪の顔を見たのは正月が最後だった。姪は成人式に作ってもらったという振袖を着ており、そこそこの娘になったと感服したのも束《つか》の間《ま》、姪は「伯父さま、お年玉」と両手を差し出してぺこっと頭を下げた。東大生だろうが何だろうが、城山の目にはまだほんの小娘だった。そういえば、秋口に杉原の口から、姪は大学院へ進学するか留学するかどちらかだと聞いたのではなかったか。そんなことを漠然と思い出しながら、城山は冷静に話の一つ一つを胸のうちで検証した。

杉原が娘に交際相手の話をしたのは、いつなのか。そのとき、被差別部落云々《うんぬん》の話はしたのか。そして、娘はそれを交際相手の秦野青年に話したのか否《いな》か。話したとしたら、いつか。そうしたことが判明しなければ、十月十日の二次面接で秦野という学生が途中退席したこととの因果関係は分からない。

白井は、城山のしばしの沈黙をよそに言葉を継いだ。

「城山さん。ぼくは、秦野が二次面接を中座したことについては、それがどんな理由であるにしろ、日之出は関知しないということでいいのではないかと思っている。会社としての失態は、少なくとも選考に関してはなかったのだから、それ以上言及する必要はないでしょう」

「確認しますが、二次面接に杉原はいたのか、いなかったのか」

「彼はいなかった。面接の場で、杉原と当の学生が顔を合わせたのなら話はややこしくなるが、会ってはいないのだから、個人的に何があったにしても、会社には関係ないところで起こったことだとみなすべきです」

「ではなぜ、倉田は人事のほうへ釘《くぎ》を刺したりしたのですか」

「総会屋がらみ」と白井は簡潔に一言応えた。

疑念が一つ晴れ、城山の腹にすとんと落ちた。

「話が漏れたと――」

「そのようですね。秦野が面接会場から消えてしまったので、人事のほうもばたばたしていたから」

「彼らの具体的な動きは」

「二次面接の当日の夜、倉田君の自宅に、名前を名乗らない不審な電話が一本入ったということです。電話の主は、ある人物の名前を挙げて、その人物が秦野の遠縁に当たる岡村清二という男と関係があると告げたそうで」

城山は、怪テープを起こしたという用紙の冒頭にある『岡村清二』の名を見る。

「ある人物というのは」

「戸田義則。テープのなかにその名前は挙がっていないが、人物には触れている。昭和二十一年に争議煽動《せんどう》を理由に、うちの京都工場を解雇されている男です。調べたところ、いまはフリーライターをやっていて、中日相銀の周辺を探っているようですが」

城山の頭のなかで、話の脈絡は一応つながった。秦野という学生の二次面接の話を聞き及んだ何者かが、それなりに異常な事態だと察知し、素早く秦野の素性を探り回って、傍系の岡村清二の名をどこからか摑《つか》み、ついでに岡村と戸田某の古い関係を調べ上げて、これは使えると判断したということだった。

「ともかく、倉田君が人事部に釘を刺した理由は、面倒を避けたい一心だと思うが、これは通すべき筋からいって、いささかよろしくない」と、白井はまず一つ結論を出した。筋を通すために、こうして周囲に一本一本ピンを刺して、道を確保していくのが白井のやり方だった。いまも、人事への采配《さいはい》の一件で倉田の羽根にまずピンを刺し、縁戚関係にある杉原と姪の話を持ち出して、この自分の羽根をピンで留めたつもりかな、と城山は思った。

とはいえ、おそらくそんなつもりはないのだろうフグ本人は、豊かな白髪の頭をちょっと搔《か》き、その手で城山のデスクをぽんと軽く叩《たた》くと、椅子《いす》の背から身を起こした。白井がこうして居住まいを正すたびに、思わず背筋が伸びると言う社員は多い。

「ところで城山さん。仮にテープはいたずらでも、裏で仕掛けた人間がいるなら、これはちょっと対処が必要な問題だとぼくは思っている」

何分か前、塚本の話を聞きながら城山の脳裏に閃《ひらめ》いた雑多な筋道と、白井が言わんとしていることは、おそらく同じだった。城山は、聞き流していい話ではないと察し、その時点で個人的な思いのほうは慎重に自分の腹に収めた。

時計を見る。八時五十分。「話して下さい」と城山は短く促した。

「岡田経友会が動いています」と白井は言った。予想通りだった。

岡田経友会という組織があるのだった。総会屋、仕手筋、街金、金融ブローカーなどを抱える企業グループで、実体は広域暴力団誠和会の企業舎弟だと警視庁の幹部から聞いているが、その表玄関には大物右翼が鎮座しており、その玄関に出入りする多数の政治家がおり、政治家たちの後ろには都銀や証券の金融資本と官庁が連なっている。日之出総務部の総会屋担当と役員の間では、たんに《岡田》と隠語で呼んでいる。

いま現在、日之出の関連会社の小倉運輸と、その主力銀行である中日相銀の双方が、融資絡《がら》みの問題を抱えているという話、その裏に岡田経友会の手が複雑に伸びているという話は、城山も内々に聞いており、城山はまず、その関係だな、と理解した。

小倉や中日の件は、日之出は直接の関係はないが、《岡田》が絡んでいる以上、何らかの間接的なつながりがないとは言えない。しかも、この世界は土台、右手で握手をしながら左手で脅すような芸当がまかり通る世界だから、《岡田》が長年の信義を逆手に取って、日之出に対して新たな攻勢に出ることも、あり得ない話ではない。「岡田経友会が動いている」という白井の一言は、そういう事情の一切を含んでいた。もっとも、長年の《岡田》との関係を仕切ってきたのは倉田であり、白井がこういう形で進言に及ぶ筋合いの話ではないことにも、依然変わりはなかった。

「で、どう動いているのですか」

「中日相銀も小倉グループも、いずれ捜査の手が入るのは避けられません。それを見越した《岡田》が、予防線を張ってきているのでしょうな」

そうは言うが、これはまず、どこまで確実なウラのある話だろうか。城山は慎重に相《あい》槌《づち》を控えた。

「《岡田》も焦《あせ》っているということです。切り崩すにはいい時期です」と白井は畳みかけ、かねてからそれとなく仄《ほの》めかしてきた持論へとその弁は進んだ。

「鈴木会長にも同じことを進言しましたが、小倉運輸への経営参加は、事態の推移をもう少し見極めてからにすべきです。このまま話を進めたら、世間には〈日之出は盗品を買い取った〉と言われる。《岡田》にさらにつけこまれる」

「ええ」

「うちの一番の重要課題はライムライトです。担当役員として言うが、公取委に弱みを握られるのが、ぼくは一番怖い。彼らは、うちに圧力をかけるために、ライムライトとの合弁話をリークする可能性がある。逆に《岡田》もリークするかも知れない。いま、うちは針の山の迷路を歩いているようなものだということに、貴方も異存はないでしょう」

「ええ」

「《岡田》が日之出にとって、悪性腫瘍《しゅよう》だということにも異存はありますまい。物事の清算には時期というものがある。今回は、まったく関係のないところで《岡田》が尻尾《しっぽ》を出してくれた。その岡村某の手紙を読み上げたテープ。それが学生の親の手でうちに送られた経緯辺りまでは、警察の手を入れてもいいのではありませんか」

「え？」

「テープの送り主の、秦野浩之とかいう歯科医の名は出さずに、警察に被害届を出す方向で考えたい。解同を騙《かた》った二通目の手紙も一緒に」

「──そうですね」

城山は時計を見る。針は九時五分前を指していた。時間切れだった。

「貴方の話は分かりました。そういうことなら、倉田の意見を聞いてみます」

「なるべく早くに結論を出して下さい。テープが届いてから、もう五日も経《た》っているので」

「承知しました。しかし私としては、秦野という学生に悪いことをしたという気持ちもあるし、この上、息子を亡《な》くした親まで警察沙汰《ざた》にするのは、気が進みません。現時点で、うちがなんらかの被害を受けたわけでもない」

「被害を受けてからでは遅い。実を言うと、ぼくは何かしらいやな予感がしてならない」白井はそんなことを言い、腰を上げた。

「予感とはまた――」

「根のない予感などない。祈りを知らない者に啓示は訪れないのと同じです」

城山がクリスチャンで、自分は無宗教であることを、白井はときどき引き合いに出すのだが、そういうとき白井はまるで観念の議論に疲れた青年のような表情になる。しかし、もう応えているひまはなく、城山も席を立った。三十階の窓の外で、晩秋の薄い日差しを浴びた朝の市街が弱々しい光を放っていた。

「そういえば、テープの件を知っている役員は、誰と誰ですか」

「貴方と、ぼくと、倉田君」と白井は応えた。本来、話が通るべき総務担当と人事担当の役員は、蚊帳《かや》の外ということだった。なるほど、白井は人事部の塚本にもピンを刺したのだなと思った。

商品を一ケースでも多く売ることだけが使命だった営業マシンの城山も、年季が入るにつれて企業活動の裏表をそれなりに見てきたが、そうした日常の外側にひっそり張りついている瘤《こぶ》の存在をひしひしと実感するようになったのは、やはり取締役になってからだった。ビール会社は、ビールを作って売っておればすむというものではない。それはどこの企業も同じで、日之出だけが特殊なのではない。

八二年の商法改正の後、一般に企業の取る道は二つあった。一つは総会屋との関係を断つ道、一つは巧妙に形を変えて関係を継続する道だが、日之出はほかの多くの企業と同じく後者を取った。それは、面倒を回避したというような次元の話ではなく、商法以前のこの国のシステムともいうべき慣習を、企業だけで変えられるものではないという現実を前にした選択だった。

ただし日之出の場合、岡田経友会に対するさまざまな支出は、総務部長の段階で決裁出来るような金額を超えており、暗黙の了解で扱いを倉田に一任してきた状況は、たしかに自慢出来るようなものだったとは言えない。長年のうちには、いったい何がどこまで妥当なのか、役員の誰も判断出来なくなってきているのは事実で、そんななか、白井は六年前の役員就任と同時に、一年でも早く清算すべきだと言い出して、ほかの役員たちを総毛立たせたのだった。そのとき、「私が責任を持ってやっていることに、軽々に口を出さないでもらいたい」と一蹴《いっしゅう》した倉田の顔は、青ざめて見えるほど激怒していた。

事が感情論にまでなる背景には、旧財閥時代から引きずってきた政財界や右翼との深い人脈と、企業風土があった。物流を外して成り立たないビール事業の性質上、日之出は陸運の子会社を十社抱えているほか、全国各地に保有している厖大《ぼうだい》な不動産がある。その辺りから地下茎は入り込んできたと言われているが、どの根もこの国の経済活動全般につながり、金融資本につながっているのであって、企業一つが単純な社会正義を掲げて済むような話ではないという倉田の認識は、どこまでも正しいと言うことは出来た。企業の正義は、利益を上げることなのだ。

そして、その上でなお、そうした地下茎との関係が、長い目で見て日之出の利益にならないという白井の意見もまた、正論なのだった。白井はただ単純に清算しろと言っているのではない。関係断絶のためには周到な準備と計算を尽くす必要があると説き、この六年、事あるごとに機会を狙《ねら》って、取締役会の根回しと総意づくりのために地道に動いてきた歴史は、城山も承知していた。

城山自身も時代が変わるという予感はあった。好景気はいずれ天井が来る。土地も株もそのうち反落する。大量消費の金満の時代が終わった後に来る次の時代を、一言で予想すれば、おそらく《小市民的潔癖》だというのが城山の勘だった。節約、小型化、簡素、個人主義などのキーワードでくくられるだろう市民の心理は、物質的豊かさを諦《あきら》めて精神的充実へ向かい、社会に〈潔癖〉さを求めてくる。潔癖な時代には、政界や銀行や企業の体質もそれに合わせて問われることになる。企業が、利潤追求より先に、社会的義務や倫理性を問われる時代は、たしかにもうそこまで来ている。

翻《ひるがえ》って自社を眺めると、自己資本比率四七パーセントを誇る日之出の経営体質は、圧倒的に堅いが、この超優良企業の堅さがどうも〈潔癖〉イメージとは一致しないのが、日之出の現実だった。国税庁をはじめ各監督官庁との強い一体感、流通と販売の系列、大手銀行と保険会社が名を連ねる特定株主、どれをとってもイメージは市民生活から遠い。そこへもってきて、《岡田》のような闇《やみ》の社会との関係が公《おおやけ》になったりしたら、日之出百年のブランド・イメージは一気に瓦解《がかい》する。

たしかに《岡田》は何とかしなければならないのだ。そうして城山は、朝っぱらからまた一つ懸案を増やしたが、白井と一緒に役員用会議室の一つに入った時点では、とりあえずその日の始まりに相応《ふさわ》しい朝の顔を、居合わせた役員たちに披露し、また数回「おはようございます」を繰り返すことになった。

毎月第二月曜の朝に開かれる役員朝食会は、もう二十年以上続いている日之出の伝統だった。本社にいる二十人の役員と子会社の社長・副社長が寄り合うことになっているが、それぞれ用事があったり多忙だったりで、集まるのはたいてい二十人前後。到着した順番に席に着くので、毎回隣り合う相手が変わり、話し相手が変わり、話題が変わる。そうして、三千円そこそこの出前の松花堂弁当を食いながら、当たり障《さわ》りのない情報交換をするだけの場であり、深刻な話題は出さないという暗黙の了解もあった。

城山が席に着いたとき、座には久しぶりに日之出飲料の社長の姿があり、先週から新しくなった健康飲料のCMをえさに、「あの踊りながら通り過ぎる怪物は、なんとも不気味だねえ」「あれ、土星人だそうで」「え？　そうなの」「なるほど、それでスカートをはいているのか」「え？　スカートなんですか、あれは」と他愛ない声が上がっていた。

「ねえ、城山さん。あのレモンサワーのCM、不気味でしょうが」といきなり飲料の石塚社長から声をかけられて、城山は「ええ、まあ」と適当に応《こた》えた。その一方で、目で杉原武郎の姿がないことを確認した。これまで、たいてい毎月出席していたのに、今日はいないというのはやはり、娘の件で上司の倉田に何か言われたのかと、ちらりと考えた。

「しかし、いまやあれがばか受けなんですから。最近の若者が面白がるのは、どうも清潔感のある〈不気味〉らしい。毎日広告の連中がそう言うんだが」

石塚社長がさらに言い、それを受けて、「そうなりますと、うちの『芳醇《ほうじゅん》百年』の金文字とウィンナーワルツは、正調すぎますかね。あれも毎日広告ですが」と応じた声は倉田誠吾だった。

倉田は、城山や白井と正反対の偉丈夫だが、体軀《たいく》と反比例した静けさ、口数の少なさは、役員のなかでも際立《きわだ》っていた。城山や白井以上に顔がなく、実績だけがあるその印象は、しかし企業では「やり手」の別名であったし、ビール事業本部を支えている実力に異議を唱える者もいなかった。もっとも、音を立てない魚雷のような男も、先月の社内報に載った戯画ではぬうぼうとした牛に描かれていて、ちなみに城山はペンギン、白井はキツツキだった。

倉田は副社長に就任したいまでも、全部の支社支店のあらゆる数字を刻々と見ており、販売網の末端まで頭に入れて毎週の数字を読み、マーケティングの資料と突き合わせている男だった。一カ月黙って見守り、二カ月目には支社なり支店なりに自分で電話をかけるので、午前中は倉田の電話はたいていふさがっている。午後からは社にはおらず、週五日、ほとんどどこかの支社や工場や特約店へ足を運んでいる。まだ営業課長だった時代に、役員の誰かが「倉田は魚雷だな」と言ったのだが、そのときは、数字の下に潜っていて顔が見えないという意味だった。

そして、そうした実務的な外貌《がいぼう》のどこかに、この十年間は、《岡田》のような相手との付き合いをきれいに埋め込んできたのだ。当時の総務部長と担当役員が無能で、どういう経緯だったのか、副社長の方から「君、やってよ」と一言いわれたらしいが、上司の城山もしばらくは知らなかったし、本人に聞いても口が堅いので何も言わない。六年前に白井がつつき出すまで、《岡田》の話は取締役会のタブーだったが、そのタブーをひとりで背負っている忍耐や憤懣《ふんまん》は、猫背ぎみのその背中にちょっと窺《うかが》える程度だ。

座の会話は途切れず、倉田の一言を受けて、いまは日之出ラガーの『芳醇百年』のCMがえじきになっていた。広報担当の役員が「あそこまで一見、正調でやれるのは、日之出のラガーだからだが、ブランド・イメージを逆手に取って、あのウィンナーワルツのCMは、ぎりぎりのところで遊んでいるのですよ。皆さん、分かります？」と言う。すると、「あのCMはたしかに、上品な悪ふざけだね」という声があり、「いっそ、ビールを〈不気味〉で売るというのはどうかな」と笑い声が立つ。

「この間、ぼくは電通の常務と会ってね。彼が太鼓判を押していたよ。日之出の宣伝感覚は、最前線を走っているって」と石塚の話は続いた。それは城山も同感だった。ラガーの圧倒的なシェアに安住するのを止《や》めた時点で、日之出は、多様化路線に合わせて重厚や伝統の堅いイメージを払拭《ふっしょく》するために、宣伝戦略を全面的に若い社員に任せた。それが早々に実を結び始めているのだった。なにしろ城山をペンギン、白井をキツツキに茶化してしまう連中だ。

「うれしいことじゃないですか」と城山が言うと、「そうだ」「実にね」という相槌が相次いだ。そして、「ところで、今年のうちの文化賞は盛況だったそうだね」とまた話はほかへ流れてゆく。

「杉原は？」城山はちらりと倉田に尋ねてみた。

「大阪支社へ出張です」という短い返事があり、その場はそれだけだった。別の役員が、「そういえば、大阪は《スープレム》の伸びがいいねえ」と言い出し、「関西は、アルコール度数が高めのほうがいいようだな、やっぱり」「東京が低アルコール化しても、関西が同調するのは数年遅れると思う」といった話になった。「地域限定商品というのも、これから考えていく必要がある」という声は倉田だった。

「そういえば城山さん。今日の日米財界人会議には、ＣＩＡのスパイがいるって」と別の役員から声が飛んできた。「どこかの企業から金をもらっている、ということはないでしょう」と城山は苦笑いで受け流し、「しばらくは自動車に矢面に立ってもらうしかない」という白井の声がそれに続いた。しかし、ライムライトとの水面下の微妙な交渉が始まろうとしているときだという認識が誰にもあり、話題は速やかに適当なところで立ち消えた。

そうして朝一番の朝食会は軽く半時間ほどで終わり、城山は普段は平らげる松花堂弁当を半分残して、席を立った。九時四十分には、玄関で秘書の野崎女史がカバンを抱えて待っているのを頭に置きながら、何かし残したような居心地の悪さに駆られ、会議室を出た足はちょっと逡巡《しゅんじゅん》した。

すると、多分相手も機会を待っていたのだろう、倉田誠吾がさりげなく肩を並べてきて、「秦野という学生とその親の件ですが」と切り出した。「白井さんから、お聞きになりましたか」

城山はうなずいた。

倉田とはビール事業本部で四半世紀、一緒にビールを売りに売った仲だから、それこそ阿吽《あうん》の呼吸で、互いの歩幅まで知り尽くしていた。倉田は魚雷と言われてはいるが、その無言の呼吸には、実は相当に振幅があること、感情の突沸《とっぷつ》を防ぐために自分の口を閉じているのだということも、城山は分かっているつもりだった。ともに役員になってからは、逆に少しずつ距離を置くようになってはいたが、その場はエレベーターホールまでの、ほんの数十歩の間の短いやり取りになった。

「杉原と姪《めい》ごさんの話は、ご心配には及びません。杉原が秦野青年の身上調査をした件は、会社には一切関係ないことです」

倉田の声はぼそぼそしていて無表情だと言われるが、城山の耳には、その下に覗《のぞ》いている感情の一つ一つが手に取るように分かった。しかし、倉田が激しく苛立《いらだ》っているのは分かるが、その苛立ちが何に向かっているのか、具体的な対象は、いつも分からないのだ。

「それに、《岡田》もその件は摑《つか》んでいません。彼らは二次面接のトラブルを嗅《か》ぎつけた上で、秦野の親族を調べ上げて、たまたまどこかで入手した遠縁の手紙のなかから、使える材料を探し出しただけでしょう」

「例のジャーナリストですか」

「ええ。ところで今回は、《岡田》が出した尻尾《しっぽ》を、ちょっと叩《たた》いておきますから」

城山は一瞬、聞き間違いかと思った。倉田が白井と同じことを言い出したからではない。倉田は倉田のルートで懸命に《岡田》と接触し、《岡田》の手持ちの情報を探り、その真意を確かめた上で、攻撃を仕掛けると言っているのだった。右手で握手をして左手で争うのが常識の世界だとはいえ、《岡田》との関係保持に腐心してきた本人がそう言い出すというのは、白井の正論とはまた別の、深刻な意味を持っていた。

「小倉と相銀のほうは、そんなに危ないということですか」

「ひょっとしたら、Sがひっかかるかも知れない。そういう情報があります」

S。今日午後、パーティ券の謝礼で電話を入れてくる代議士の酒田の顔が、即座に城山の瞼《まぶた》に浮かんだが、与党最大の実力者に捜査の手が伸びるという事態を、具体的に想像することは出来なかった。いや、小倉の子会社、小倉開発が手がけた土地購入は、金の流れに要注意という情報はすでに入っており、あるいは疑獄事件に発展することもあるのかも知れないと、ぼんやり思い直してみたが、一企業人の頭ではやはり実感がなかった。そんな可能性があるのなら、それこそ早い時期に《岡田》との関係清算に乗り出さなければ、日之出が大変なことになるという、これもぼんやりした焦燥感に一瞬揺さぶられ、動揺したが、そうした動揺も、《岡田》との関係清算への一歩も、その時点ではまだほんとうに漠としていたし、今日明日の話だとは到底思えなかった。

「白井さんの正論が通る時代が来たということです」

倉田は軽く呟《つぶや》いたが、自分の足元に向かって言ったのか、その声色は城山の耳にはあいまいに届いた。倉田は続いて、具体的な対処に触れた。「総務のほうから、警察に告訴状を出させます。こちらからは《岡田》にも歯科医にも触れないかたちで」

倉田は白井と同じことを言ったが、そういう結論に至った事情にまでは触れず、城山にはそれがいまさらながらに歯がゆく感じられた。

「倉田さん。これは、いずれは取締役会全体で取り組むべき話です。みんなが事の次第を腹に入れておく必要が出てきたときは、速やかに報告を頼みます」

「時期をみてそうします。しかし、いまは決算が先です」そう言って、やっと倉田の顔は上がった。その顔に、エレベーターホールのガラス窓から入る日差しが当たった。倉田の目に映る地上三十階の景色は、白井や城山のそれとはまた違っているのだろう。

「最低限前年の数字はクリアしてください」城山が言うと、倉田は即座に「あと〇・一パーセント。二十七万ケース」と応えた。

「ラガーがもう少し伸びればね」

「この二週間の数字は、私も不本意です。全支社に来月の目標数値を立て直させて、全体で何とかプラス二十七万を確保するよう、はっぱをかけます。まあ見ていてくださいよ」

そう言ってみせた倉田の顔はもう、憎らしいほど艶《つや》やかだった。

その日の城山はとくに多忙というほどでもなく、ホテルオークラで開かれた日之出文化賞の授賞式を終え、レセプションに少し顔を出して社に戻ったのは、午後七時半過ぎだった。「ごくろうさま」と野崎女史を帰らせ、一人になって、デスクに並んだ伝言や用件のメモ、郵便物をたしかめてから、朝見ることの出来なかった業務報告書や中間財務諸表の束を広げた。

その後、毎日つけている日誌を書き始めたのが午後八時半。一行目に『AM8：35白井、塚本来訪。人事部内の情報伝達経路に問題はないか』と書いたところで、城山の手は止まった。朝から気になっていた個人的な事柄を、一日の終わりにようやくたぐり寄せることを自分に許し、少し考え、電話に手を伸ばした。呼出し音は四回鳴って途切れ、《杉原でございます》という娘の声が聞こえた。

「佳子《よしこ》ちゃん？」

《あら、伯父さま。会社ですか？》

「ああ。しばらくだね。元気にしている？」

《卒論が進まなくて》といった返事があった。以前なら《ええ、元気よ！　伯父さま、お食事おごって》ときゃんきゃん言い出したはずの姪だった。

「お父さんは帰っている？」

《ええ、代わります》

「その前に、秦野孝之君のことで君に聞いておきたいのだが。秦野君は気の毒に交通事故で亡《な》くなったそうだね。君は、彼がうちの入社試験を受けていたのは知っているのかな？」

《いいえ──》

一秒置いて返ってきた娘の声には、嘘《うそ》ではない狼狽《ろうばい》の響きがあった。

「先月の十日、秦野君は会社へ二次面接を受けに来たのだが、君が最後に秦野君に会ったのはいつ？」

今度は二秒ほど間があり、《十月九日》と返事はあった。

「立ち入ったことを聞いて悪いが、どこで会ったの？」

《大学で》と応えた姪の声はさらに沈み、泣き声になりかけたところで《私の部屋へ電話を切り換えるから、ちょっと待って下さる？》と言うやいなや、電話は保留音に代わった。城山は、電話をかけたことを半分後悔し始めながら待った。そして、再び姪の声が聞こえた。

《私、会社に何かご迷惑をおかけしました──？》

「いや、そんな話ではない。それで、九日には秦野君とどんな話をしたの？」

《私、家を出るから一緒に暮らしてって──》

「また、どうして」
《父と母がバカだから》
「そんな言い方では分からない。ちゃんと説明してごらん」
《私、交際はずっと隠していたんですけど、夏休みに初めて親に話したら、父が興信所で彼の家のことを調べて、向こうのお父さまが被差別部落の出身だから結婚は諦《あきら》めてくれ、って。私、いまどきこんなバカなことを言う親はもう要らないと思った。それで、貯金を下ろしてアパート探して。九日の日に彼に会ったの――。私、彼が日之出を受けているなんて、知りませんでした。私には院に行くって言っていたのに――》
「九日に会ったとき、秦野君とはどんな話をしたの？」
《私が家を出ると言ったら、彼、びっくりして――、どうして急にそんな話になったのかと聞かれても、私、どう説明したらいいのか分からなくて――》
姪は十月九日のその日、秦野に経緯を話す過程で、結局、被差別部落の話を口にしたということだった。城山はすんでのところで怒鳴り声を上げそうになり、言葉を失った。姪に悪気はないが、あまりに思慮が足りない。妹も杉原も、娘になんという教育をしてきたのだと思った。
城山が黙り込んだため、姪は《私、会社に何かご迷惑をおかけしたの――？》と重ねて涙声で尋ねてきた。

「会社の話ではない。あくまで君と秦野君の間の話だ。君はもう少し相手の立場に立った物言いをしなければならなかった。そのことは分かるね？　君の親はバカだが、君も思慮が足りなかった」

受話器から漏れてくる姪のすすり泣きを聞きながら、こんなことをいまさら言って何になるのか、筋を通してどうなるのか、この始末をどうするのかと、城山は頭の芯《しん》に火がつくように自問し続けた。

「それで、秦野君のお葬式には行ったの？」

《どうして行けるんですか！　向こうのご両親は私のことを全然ご存じないのよ、私、お詫《わ》びのしようがないでしょう！》

「佳子ちゃん。よく聞きなさい。秦野君の交通事故は、君の責任ではない。君が殺したのではないのだよ、いいね？　その上で、今回は息子さんを亡くした相手の親御さんの気持ちを第一に考えて、君はしなければならないことがある。親もしなければならないことがある。君がひとりで悩んで解決出来る問題ではないのだ。私からお父さんに話すから、ちょっと電話を代わって」

保留音を聞きながら待つ間、姪も、杉原の夫婦も、この一ヵ月、いったいどんな気持ちで過ごしてきたのだろうと思った。否《いな》、これといった問題もなく一男一女をすでに独立させ、夫婦二人の単調平穏な生活になって久しい城山にあったのは、実際のところは身内への不快であり、自身に返ってくる不名誉への怒りだった。そのこと自体が、これまで経験したことのない居心地の悪さになった。とくに、今朝の朝食会にも姿を見せなかった杉原武郎については、さぞかし仕事に身が入らなかったことだろうと思うと怒りしかなく、順当に出世コースを歩んできたはずの男の、この信じがたい不見識についでは、同じサラリーマンとして、もう少しほかにやり方はなかったのかと、無性に腹立たしさがつのった。

《代わりました。杉原です》という沈鬱《ちんうつ》な声が聞こえた。

「秦野という学生の件、いま佳子ちゃんから一部始終は聞いた。明日じゅうに時間を作って、佳子ちゃんと一緒に、先方のご霊前にお参りしなさい」

《その件ですが、倉田さんから――》

「これは会社の問題ではない。杉原の家の問題だ。貴方《あなた》の信義の問題だ」

《私もそうしたかった。しかし倉田さんには倉田さんの事情があるでしょう! 一切関係ないことにしてくれと言われて、私はどうすればいいんですか》

「会社は関係ない。貴方の家の問題だ。会社のことは私が責任を持つし、倉田が言っている意味も承知している。私から倉田に言うから、貴方は一家の長としてやるべきことをやりなさい。先方は歯医者さんだから、昼の休診時間か、診察が終わった時間に行くように。いいですね？」

少し間を置いて杉原は《岡田経友会ですか――》と尋ねてきたので、城山は「それと貴方の家の問題とは別だ」と繰り返さなければならなかった。そう言ってしまってから、何の権利があって自分はこんなふうに他人の家庭問題に口を出しているのかと自己嫌悪《けんお》がふくらんだ。これは杉原の家の問題などではなく、たしかに会社の問題なのだ。どうすればいいんですかと喉《のど》を振り絞った杉原とて、同じ苦悶《くもん》をしているのだったが、城山の口から出てきた言葉は、自分でぞっとしたほど傲岸《ごうがん》で型通りのものになった。

「貴方も、企業人の前に子をもつ親でしょう！　身上調査の件は誤解を重ねるからあえて出す必要はないが、息子さんを亡くした先方の意を汲《く》んで、出来る限りの礼は尽くしてほしい。義兄として頼みます」

そう言いながら、城山は自分の卑劣な論理に震撼《しんかん》し、その一方でそういう論理を並べる自分を冷静に眺めつつ、ああ俺はこういう人間なのだなと考えていた。被差別部落の件を口にしないほうがいいというのは、自分ならそうするということだったが、そうした判断の根には、《岡田》の卑劣な手や世間の誤解を避けなければならないという会社の理屈がある。その矛盾した言い分を、杉原はもちろん察したに違いない。

《明日、先方に伺います。これで、娘と私たち夫婦の心も少しは晴れるでしょう》杉原は精一杯の皮肉で応じ、電話は切れた。

自分のデスクの目と鼻の先に広がる夜景を眺めながら、城山は受話器を置いた。朝、秩序だった工場のラインを思い浮かべた市街の広がりは、いまは茫々《ぼうぼう》とした灯火の海だった。

城山はしばしの間、自分がいま、思いもよらなかった人生の不確かさに直面しているような思いにとらわれ、放心した。ほとんど気分の域を出ない漠とした心もとなさだったが、それは言い換えれば、身内の小さな失言一つが、間接的にせよ一人の学生の死を招き、こうして企業をわずかでも揺るがしている事実を、無意識のうちに眼前から遠ざけた結果だった。姪が秦野という学生に何を言ったかを知ったとき、城山は同時に、その事実を意識の中心から退けたのだ。もしそうしないでいたら、この頭が何を考えていたかと思いを巡らせる思考の回路も、同時に退けた。そうして至ったのが、人生の不確かさという、あいまいしごくな感慨一つだった。

城山は一方で、姪の一言が引き起こしたこの困難な事態に、しかるべき出口はあるのかと考えもした。いずれ時間が解決するだろうか。世間の雑事に紛れてしまうだろうか。

いや、一人息子を死なせた親の気持ちも、杉原親子の気持ちも、そんなふうに鎮《しず》まるものだろうか、等々。しかし、そうして考えること自体、出口のない行為だと気づくのに時間はかからなかった。

城山は、人生の不確かさというところへ戻ると、とりあえず個人の胸のうちにそれらの物思いを収めた。その後、もう一度受話器を取り上げて、ビール事業本部の本部長室を呼び出した。

「城山です。三分、時間をくれますか。いまからそちらへ行きますから」

《こちらから出向きますが》倉田は言った。

「いや、行きます」

城山は、緩めていたネクタイだけ締め直して、社長室を出た。一階下の二十九階へエレベーターで降りると、エレベーターホールに倉田が立っていた。急いで出迎えに出てきたのはいいが、たったいままで自分のデスクで報告書に埋まっていたに違いないその恰好《かっこう》は、ネクタイも緩み、顔色もくすみ、シャツの袖《そで》を捲《まく》り上げた惨憺《さんたん》たるものだった。もっとも社員が知らないだけで、夜の倉田はいつもこうなのだ。

倉田はいつも通り、一瞬のうちに城山の表情を窺《うかが》い、「部屋へ来られますか？　敵の新商品が冷えていますよ」と周到に和やかな表情を作った。

「いやいや、飲んではいられない」とうわのそらで応《こた》えながら、城山は目の前の部下やこの会社に対して、いまさらのように負い目を感じ、卑屈な気分になった。

「倉田さん。事情が事情ですから、貴方にはやはり言っておくべきでしょう。例の秦野という学生の件ですが、姪に問いただしたところ、面接の前の日に、姪が秦野に出自が云々《うんぬん》という話をしていたことが分かりました。何とも、お詫びのしようもない――」

「いや。姪ごさんの件はこの際関係ありません。《岡田》につけ入るすきを与えた私が、悪かったのです」

「いや。これは杉原の家の問題でもあるから、私は彼に親として先方へ挨拶《あいさつ》に行くように言いました。その点を是非了解してほしい。頼みます」

城山は頭を下げ、倉田は手で軽くそれを制した。

「その件は承知いたしました。しかし、偽名の手紙やテープの件は、こちらで対処させてください。《岡田》が手を出したという証拠を一つでも押さえておきたい。警察のほうで、手紙の入手経路と被疑者が特定された時点で、告訴状は引っ込めます」

「分かりました。話はそれだけです。夜分、お邪魔しました」

「いえ、こちらこそ。足をお運びいただいてすみません」

倉田は、城山のために自分の手を伸ばしてエレベーターの昇降ボタンを押した、そのときだった。手を伸ばしたと同時に一瞬近づいてきた倉田の身体《からだ》から、ぷんと何かの臭《にお》いが立ったのだった。城山の鼻は無意識にうごめいたが、ウィスキーの臭いだと気づいたときには、エレベーターのドアが開いていた。

城山はエレベーターに乗り、ドアロの外に立って一礼する倉田を見つめた。何か言葉を探したが、そのままドアは閉まり、倉田の姿は消えてしまった。

4

新馬場駅で電車を降りたとき、何か踏んだな、と半田修平は思ったのだった。靴を脱いで確かめるのをはしょってそのまま品川署まで歩き、階段を数段上りかけたところで、ついにざくっと右足の親指に激痛が来た。半田は壁際《ぎわ》に寄って右足の靴を脱ぎ、裏返した。

薄くなったゴム底には、一片のガラス片が突き刺さっていた。それを二秒眺めて、半田はまず、新しい靴一足を買うのに一万円の出費だと考えた。次いで血のシミが出来た靴下の指先を見、プラス五百円、と追加して、ひとりにやりとした。近ごろ、やけ気味で気が大きくなっている、と自分を診断してみる。これを機にいっそグッチとかバリーとかを買ってやるかと真面目《まじめ》に考えながら、半田は片足立ちのまま、深く入り込んだガラス片を指先で抜き取りにかかった。

その間に、下から上がってくる軽い靴音があり、すれ違いざまに「失礼」というひと声が降ってきた。半田は目だけ上げて、階段を駆け上っていく男の足元の真っ白なスニーカーを見た。

捜査本部に出てきている本庁の若い警部補だった。名は、合田《ごうだ》といったか。何ということもないスーツとダスターコートの恰好はともかく、いかにも軽くて履き心地のよさそうな白いスニーカー一足が、半田の目の中でちかちかした。急にグッチもバリーも色あせて、半田はちょっと戸惑った。いったい、スニーカーを履いてスーツを着るというのはたんなる無神経か、よっぽど自分に自信があるのか。どっちにしても好かんなと思ったとたん、背筋にぶるっと来た。

半田は、やっと引き抜いたガラス片を投げ捨てて靴を履き、二本の足で立ち直した。そうして自然に顔が上がったとき、いましがた階段を上がっていったスニーカー男が、二階の踊り場に立ってこちらを見下ろしているのに気づいた。しばし真空に落ち込んだような相手の無色の目は、半田の判断を拒絶して、ほんの一秒ほど頭上にあった。そして、すっと逸《そ》れていったと同時に、男の姿も消えてしまった。

一瞬の出来事で、頭は結局事態に追いつかず、半田はそのまま残りの階段へ踏み出した。そうした日常のリズムが寸断された一瞬の溝に、半田はいつもある夢想をたぐり寄せるのだ。そうでもしなければ、溝は瞬時に深い地割れを作り、自分を破壊しかねない憤激の奔流になる。それを未然に防ぐために、いつの間にか身につけた自己防御の夢想の中身は、ある日自分が捜査幹部の寝首をかいて一本取る、というものだった。

捜査会議でおもむろに挙手する。官僚面《づら》をした本庁の天狗《てんぐ》どもを前に、決定的物証を突きつけて「ホシは〇〇です」と言う。とたんに場は騒然となり、泡を食った幹部連中がひそひそやり出す。その瞬間の、目の眩《くら》むような快感は、きっと恍惚《こうこつ》のあまり小便を漏らすほどのものだろう。

想像するだに隠微でぞっとするが、そのおぞましい快感を夢見て、警視庁四万人の警察官は憤死寸前の鬱屈《うっくつ》を生きているのだと半田は思い、最後のオチをつけて自分を納得させるのだ。

ただそれだけの他愛ない夢想を一日に何度も巡らせるのだが、いまもまた、半田はちらりとそのいつもの夢想に浸ると同時に、頭には重い興奮が渦を巻き始めた。ちょうど洗濯物をいっぱい詰め込んだ洗濯槽が、重たげにぐるんぐるんと回り出す、あの感じだった。しかし、月初めからのこの二週間ほどは、まったくその夢想に根拠がないわけでもなかった。捜査本部に内緒で行確してきた灰色の人物が数人いるのだ。まだ物証はないが、一つでも目星がつけば、本庁の奴《やつ》らの鼻をへしおる日も夢とは限らない。

そんなことを考えながら、半田は午前八時十分前に、捜査本部の置かれている二階会議室のドアの前に辿《たど》り着いたが、ドアを開ける前に、後ろから追ってきた刑事課の同僚から、「課長が三階へ来るよう言ってる」と告げられた。

虫の知らせというほどのものではなかったが、半田は不機嫌が加速するのを感じた。ガラス片で傷ついた右足が、急にじくじく痛み出した。三階へ上がる階段の途中でまた靴を脱ぎ、右足の親指を見る。指で触り、黒地の靴下が血でじっとり湿っているのを確かめる。そんなことをしている間に、〈ああ、あれか〉という思いがゆっくりやって来て、額の裏で点滅した。そうか、捜査逸脱の話だな。そう思い至ったとたん、断崖《だんがい》に追い詰められた動転の代わりに、例の夢想がまた、代償のように押し寄せてきた。

夏の盛りに、東品川の学校裏にある公園の植え込みから頭を殴られた男の死体が出てきて、今日でちょうど百日目だった。被害者は、現場から一キロほど離れた南品川一丁目にある特養老人ホームの七十六歳の徘徊《はいかい》老人で、八月十日の午前十時ごろ、公園に遊びに来た子どもが遺体を発見した。通報を受けて、現場からは遠くない品川署から、刑事課強行犯捜査の係として、半田も現場へ駆けつけたが、遺体は死後半日ぐらい経過しており、盆前の暑い時期だったので強い死斑《しはん》が出ていた。

現場付近は、事業所と古い住宅が密集した地域で、一方通行の路地が入り組んでいる。夜は人通りがほとんどないため目撃者がなく、遺体の発見場所の敷石からは有効な靴痕《こん》跡《せき》は採れず、凶器もなし。被害者の衣服には争った跡もなく、犯人のものと思われる遺留品もなかった。

被害者の頭は右耳介《じかい》部の上に、作用面積の比較的大きい鈍器で殴られたと見られる裂創があった。被害者に抵抗した様子がないことから、まず顔見知りの犯行が疑われたが、半田は現場を見たとき、即座に〈バットかゴルフクラブの素振り〉と思ったのだった。半田は、ゴルフはしないが、ストレス解消のために近所の公園でよくバットや竹刀《しない》の素振りをする。常に周りに人がいないのを確かめてから振るが、ときには子どもが飛び出してきてひやりとすることもある。第六感は、そんなところから来たのだろう。

現場の詳しい検証の結果、現場の敷石から検出された血痕や皮膚片や衣服の繊維片などから、被害者は頭を殴られ、両手で右耳介部を押さえ、斜めにはじき飛ばされて横向けに倒れた後、そのまま一メートルほど引きずられて植え込みに横たえられたことが分かった。また、重量のある鈍器で強打されたと見られる側頭骨は陥没骨折を起こしており、頭皮の創口《きずぐち》からは、カーボン樹脂の微量の塗膜片が出た。被害者の身長と、骨折作用面の角度からみて、凶器は斜め下方から振り上げられたゴルフクラブ、重量のあるカーボンヘッドの一、二、三番ウッド辺りと推定され、塗料から二、三のメーカーも絞り込まれた。半田の勘は当たったのだ。

暑い盛りの捜査になり、半田も所轄《しょかつ》から捜査本部に駆り出されて、連日地どりで歩き回った。憶測の前に、まずブツが出なければ捜査は一歩も進まない。

初動捜査の早い段階で、被害者には一銭の貯金も借金もないことが分かり、動機としての痴情も考えにくい年齢なので、捜査は順当に、怨恨《えんこん》の線と行きずりの線の二つに絞られた。被害者の徘徊のコースは不定で、前日の九日に老人ホームから家出人捜索願の届けは出ていたが、被害者が施設からいなくなった時刻もはっきりしない。施設周辺に目撃者は数人いたが、時刻も場所もばらばらで、それをつなぐと、被害者は夕方ごろまで半径五百メートルの範囲をうろうろしていたらしいことが分かっただけだった。

さらに、被害者の鑑の範囲はきわめて狭く、施設に友人もなく、施設の外との手紙のやり取りもない。長男と次男の家族はどちらも、もう何年も施設には足も向けていない。家族には動機がなく、犯行があったと推定される日時の前後の行動はすべて判明している。そうした状況のなかで、被害者に確たる怨恨をもち、一撃で頭骨を陥没させるようなゴルフクラブを携帯して被害者を襲った犯人像というのは、現実には考えにくいことだった。

一方、何者かがたまたま公園内でドライバーの素振りをしていたという説のほうは、まずは、そうした長尺物を持って現場付近にいた者の有無、普段から公園で素振りをしている者の有無から始まる話だった。これは、現場に通じる道路沿いから始まって、少しずつ半径を広げながら、何千という事業所や世帯を一軒一軒つぶしていく作業になる。

情報は、朝晩の捜査会議の場で少しずつ上がってきた。しかし、その内容は「どこそこの某が事務所のロッカーに一番ウッドを一本所持。事件当日は当直勤務」といった程度だった。それ以上の情報はそれぞれの腹のなかにあり、そんな報告を何百聞いても、何も見えては来ないように出来ている。おかげで、捜査の中心がどの辺りにあるのか、末端の捜査員はろくに展望しておらず、ネタの出ない地どりの区画を割り当てられた半田の組には、隠すようなネタさえなく、そういう状態が彼岸過ぎまで続いた。実際、半田の組の担当区域は、現場を中心に半径二キロ圏を六分割したうちの東側の一区画で、大半は芝浦運河をはさんだ東品川の埋立地と、さらに対岸の品川埠頭《ふとう》の南半分だった。

埠頭のほうは、コンテナ置場と火力発電所と原油タンクしかない。東品川の埋立地は、倉庫会社が三つ、商事会社の倉庫が一棟、東洋水産と漁業連合組合のビルが一棟ずつ、都営住宅が三棟、あとは建設中の施設と空き地と天王洲《てんのうず》野球場。トラックしか通らない道路を日がな一日ぶらぶら行ったり来たりし、クズかごを覗《のぞ》き、たまに通る乗用車は全部ナンバーを控え、都営住宅の全部の住人の顔を覚え、ゴルフクラブの素振りをする住人十数人を割り出したが、それだけだった。それでも、毎朝毎夕、捜査会議で何か目ぼしい話が出てこないかと、思わず耳をすませ続けたのは刑事の性《さが》というものだ。

半田が、埋立地の地どりから逸脱する決心をしたのは、十月初めのことだった。ある日曜日、半田は、割当て区域の都営住宅前の空き地で、顔見知りになった住人の一人が喜色満面でドライバーを振っているのを見た。「新品ですか、いいですね」と声をかけ、やれシャフトの硬度がどう、ロフトの角度がどうといった講釈をたっぷり聞かされている間に、半田は突然〈質屋だ〉と閃《ひらめ》いた。犯人は凶器になったクラブを処分したはずだが、ドライバーならもともと値が張るし、もしそれが十万円もする代物なら、処分先はゴミ置場ではなく、質屋の可能性もある、と。

半田は、相棒の木村という巡査部長をたきつけ、地元品川から質屋回りに取りかかった。これといった当てはなく、ただ埋立地の野球場で昼寝をしているよりはマシだという程度の話だった。刑事をやっておれば、贓品《ぞうひん》捜しの質屋回りは日常のことだから、顔の利《き》く業者もなくはない。初めはほとんど時間潰《つぶ》しだったが、十月半ば、以前勤務していた目黒署管内の質屋で、危うく本庁の刑事二人と遭遇しそうになり、なるほどこれが本命かと知った後は、脱線にも気合が入った。これまで名前の挙がったゴルフクラブの持主を一人一人洗い直し、質屋通いに念を入れ、ついには現場近くの事業所や団地に勤め先や住まいのある数人を選んで、行確に入った。

そうして月が替わり、尾行の対象をさらに絞って二週間。一人は、それまでは毎週土日にはゴルフの打ち放しに通っていたのに、夏ごろからぱったりやめたらしい府中市在住の男。一人は、事件からしばらく経《た》って勤め先を辞め、いまは別の会社に就職している都営東品川第4アパートの男。また一人は、事件後の早い時期に、ゴルフクラブをフルセットそっくり買い換えたらしい自営業者の男。それらの名前が、いまは半田の手帳に記されていた。

そして今日、十一月十七日土曜日。地どりから逸脱したのがばれたのだな、と半田はあらためてぼんやり考えてみた。いずればれるのは分かっている脱線を決心したとき、自分が後先のことをどう考えていたのか、もう記憶になかった。多分、何も考えていなかったのかも知れない。

また、この時点でばれたということは、端的に誰かにサされたということだったが、そのこと自体にも実感はなかった。出し抜こうとした自分の足を、まんまとすくった奴がいるということ。この自分がやられたということ。まだ芽も出ないうちにほじくり出され、叩《たた》き潰されたということ。この自分が敗北したということ。そんなことはすべて、そうと認めたとたんに自分が粉砕されるような、彼方《かなた》の出来事だった。

始業前の刑事課の部屋には、知能犯捜査と盗犯捜査の係が数人と、記録や鑑識の連中がいた。公立学校の職員室の風情《ふぜい》から事務机の上のファイルや花瓶などの彩《いろど》りを取り去り、代わりにねずみ色のフィルターをかけて、しんと底冷えのする沈黙を流し込んだら、所轄署の刑事部屋が出来上がる。

釜石《かまいし》の製鉄所の社宅で生まれ育った半田は、東京の大学を出たとき、明るい光の入る場所なら勤め先はどこでもいいと思った。民間の会社をいくつか受けたが、技術系だったのでいずれも勤務先は工場になることが分かり、それならまだ警察のほうがましかと考えて警官になった。なってみて分かったのは、白々しく明るいのは桜田門の本庁だけで、ほかはたいがい、キノコが生えるかと思うほど薄暗く、湿っているということだ。

朝だというのにブラインドを下ろしてある窓際の課長席に、三好《みよし》という名の警視が座っていた。傍らには課長代理の警部が立っており、どちらも死んだ貝が固く口を閉じたような生気のない陰鬱な目をしていた。課長代理は、入ってきた半田に向かって、食堂で客がボーイを呼ぶように手招きをし、半田は呼ばれるままに机の前に立った。

「今日から、二階の本部には出なくてよろしい」と課長代理は言った。「理由は分かっ

ている な？」

その場は半田なりに考えに考え、ひとまず「分かりません」と応《こた》えた。とたんに、死んだ貝の口に、「このばか者！」と一喝された。その声はスチールの事務机やロッカーに響いてはね返り、息を殺してそ知らぬ顔をしている同僚たちの頭の上を流れて、半田の背中に戻ってきた。

「この六週間、君がどこで何をやっていたのかは分かっている。よそのシマを荒らして自分の職務をおろそかにしたことに、異議はあるか」と今度は刑事課長が言った。続けて「釈明の余地のない逸脱行為だ！」と、課長代理が代わりに怒鳴り、一緒に唾《つば》が飛んできた。

釈明の余地がないのではなく、釈明という行為が警察では許されないだけだった。上から黒だと言われたら、下は「はい」と言い、白だと言われても「はい」と言うのが警察だ、と半田は腹のなかで考えた。そうして、かたちばかりの「はい」を一つ吐くたびに、自分の尊厳が一つ破壊される。それにもすでに慣れかけてはいるが、近ごろは自分の知らないもう一つの人格が、自分のなかに出来上がりつつあるのを半田は感じていた。

半田は頭を垂れたまま、叱責《しっせき》を浴びているもう一人の自分を傍観することで、当座の激情を抑え込むことに成功した。

「二度とやるな」と三好課長の一言があった。

「はい。申し訳ありませんでした」と半田は一礼した。

「君は今日から、高橋係長の指揮下で別の事案を担当するように」

「はい」

「以上」

半田はまた一礼した。三好課長は席を立ち、捜査会議に出るために部屋を出ていった。その背に、忍従の二字が、少し朽ちかけた看板のようにぶら下がっているのを半田は見収めた。捜査会議では、三好は署長もろとも黒板前の幹部席のお飾りに過ぎず、本庁から出向いてきている強行犯捜査の一係長の前でじっと沈黙しているだけだ。

課長が消えると、今日から指揮下に入れと言われた知能犯捜査の高橋係長から、すぐに一声飛んできた。

「半田。下で待っていろ。すぐ行くから」

「事案は何ですか」

「信用毀損《きそん》業務妨害」

信用何とかの用語の意味もぴんと来なかった。〈強行の刑事もこれで終わりか〉と思っただけで、半田は一礼して部屋を出た。

しかし廊下へ出ると、半田は生来のしつこさで、なおも自分が地どりの担当区域から脱線した理由を考え続けたものだった。ある日質屋を思いついたのは、きっかけに過ぎない。その前からずっと、溜《た》まりに溜まっていたものがあったのだと思った。

捜査が始まって間もなく、捜査本部は実は、ホシは事件現場の公園には徒歩で出入りしたと推定したのだった。公園周辺の路地には車を止める場所はないからだ。ホシは現場近くに住まいか勤め先のある人間だとすれば、徒歩でやって来る距離というものがある。せいぜい歩いて五分程度の距離と考えると、その範囲内にある住宅と事業所は限られる。少なくともその線では、半田の受持ちである東側に疑わしい人間のいないことは、早い時点で分かっていたのだった。たんに可能性を言うのなら、ホシがたまに埋立地の広い公園でもスウィングの練習をする人間である可能性はゼロではないが、要するに埋立地を含む現場の東側一帯は、最初から捜査の対象外だったのであり、そこを地どりの区域として割り当てられた半田の組は、最初から無視されていたということだった。

朝晩の会議では、半田の組からはいつも何も報告することがなく、「うちは――」と言いかけると、会議を仕切っている本庁の七係の係長が「はい、次」と、次の報告へ移ってしまうこともしばしばだった。またあるときは、同じ七係の巡査部長の一人が、玄関ですれ違いざまに何を思ったのか「お宅は昼寝が出来るだろう」と半田に向かって吐き捨てた。実際、そのとき半田は不用意な欠伸《あくび》一つを漏らした直後だった。

すべては、あの何十日もの無為のせいだ。半田はとりあえずそう結論を出したが、その無為が、この先何十年もの無為につながらないという保証はない。当座の悔恨より、半田は自分の足元に広がっている沼の感触を味わい、立っているだけで足が沈んでいくような無力感にとらわれて、これはいつもよりひどいな、と思った。いつもならやって来るはずのあの夢想さえ、もはやどこかで死んでしまったかのようだった。

そうして半田は階段を降り始めたのだが、ちょうどそのとき、二階の踊り場には会議室から出てきた捜査員たちの姿があった。会議はいつもの通り、ほんの数分で終わったのだろう。それぞれの割当て地区へ散っていく二人ずつの組が、散り散りに階段を降りていくところだった。昨日まで組んでいた同僚の木村の頭も見えた。

半田は、その集団と一緒にならないよう、階段の途中で自分の足を止め、集団が先に出ていってしまうのを待った。その間、ふと眼下の踊り場から下へ降りていく一人の男の頭が見え、その足元の白いスニーカーが見えたのは、きっと何かの運命だったに違いない。

突然、自分でも抑えられない勢いで何かが噴き出したかと思うと、半田は階段を駆け降り、二階の踊り場からさらに数段下って、片手を伸ばした。合田とかいう警部補の肩を摑《つか》み、「おい」と声をかけると、相手は振り向いた。

「おい、あんた。さっき、俺を見ただろう。あれは何だ。何で俺を見た――!」

警部補は、歳《とし》はせいぜい三十ぐらいだろう、爬虫類《はちゅうるい》のひんやりした冷たさを湛《たた》えた切れ長の目を、半田の顔面に据えた。それから、やっと相手の発した声が聞こえたとでもいうのか、半田の手を払って「音がしたので」と一言いった。

自分の靴に刺さったガラス片一つ。それを投げ捨てた小さな音一つ。いったいこの世界の落差は何なのだと半田は困惑し、だめ押しの一撃を食らったような目まいを覚えた。いまや目の前の警部補がたしかに自分を見たという確信は消え、自分が何をやっているのかも分からないまま、一瞬のうちに増幅した生理的興奮に押し流された。

「それがどうした。何で俺を見た!」その自分の声も、自分の手も、知らぬ間に飛び出した。半田は警部補に摑みかかり、直後に署の同僚らに引き剝《は》がされて、「ばかやろう」の一喝とともに押し退《の》けられた。当の警部補は、眉《まゆ》をちらりとひそめただけで速やかに踵《きびす》を返し、降りていってしまった。

それを見送った数秒の間、自分がいったい何に苛立《いらだ》ったのかも思い出せないまま、半田はただ、自分の足元の沼がさらにずしりと沈んだのを感じた。自分の足だけが地球にのめり込んでいる、と思った。

誰もいなくなった階段ホールに、自分の荒立った息だけが残った。靴のなかで、血のしみた靴下と指がぬるぬるした。もう一度靴を脱ぎかけたら、上から書類カバンを手にした高橋係長が降りてきて、半田は足を下ろした。

「おい、これから解同の都連本部へ行って、それから成城の歯医者だ。これが事案の告訴状。告訴人は日之出ビール。被告訴人は不詳」

係長の事務的な一声で、半田は否応《いやおう》なく職務に引き戻され、突き出されたA4用紙三枚の書面を受け取った。ざっと目を通したところ、過日、偽名の手紙一通と差出人不詳のカセットテープ一本を送り付けられたらしい日之出ビールが、信用を傷つけられ業務を妨害されたとして、差出人の適正な処罰を求めているという内容だった。その書面から、『部落解放同盟東京都連合会』の一語を拾い上げる間、半田の足元の沼はさらにじりじりと沈み続けた。自分の周りだけ、世界が朝とも思えない暗さに翳《かげ》っているような気がした。

「被差別部落、ですか――」

「なに、エセ同和の話だ。おい、先にコーヒーを一杯飲んでいこう。テープを起こしたものを見せるから」

「歯医者がエセ同和なんですか」

「歯医者は、テープを送った人物らしい。一応、本人の話だけ任意で聞いておけという署長命令だ」

何ひとつ頭に入らないまま、半田は「了解」と応えた。田舎町の司法書士か公証役場の事務員といった風情の高橋係長の後について、午前八時十五分に署の玄関を出た。

半田には、警察で鍛えられ、焼きを入れられたもう一人の人格がいる。そいつが耳のそばで〈このままではすますものか〉と罵声《ばせい》を上げ続けていた。その声を聞きながら、半田自身は、池に垂れた浮きがぴくりとも動かないのをじっと眺めているような、忍耐の半日を過ごすことになった。

実際、午前中に喫茶店で目を通すように言われたテープ起こしの手紙文は、字面《じづら》しか目に入らなかったし、解同の事務所では、応対に出てきた専従の職員の、いかにも迷惑げな口ぶりだけが耳に残った。そもそも告訴状の内容からして、昭和二十二年に自社の神奈川工場に宛《あ》てられた手紙が、録音テープという形で見知らぬ相手から送られてきたというのに、日之出側には、自社宛ての手紙が紛失したとか、盗用されたといった認識がない。片や被告訴人の側も、支離滅裂な手紙やテープを日之出に送ることで、何の利益も受けそうにない。半田には、互いに相手を間違えてものを言っているとしか思えない事案だった。

聞けば、日之出にはもう一通、歯科医が署名入りで出した手紙が届いており、署では告訴状を受けて、任意で提出されたその手紙と、偽名の手紙やテープの指紋を照合し、それらが合致したので三件とも歯科医の所業だと断定したらしいが、強行犯や盗犯ばかり扱ってきた半田には、いくら任意でも、動機もはっきりしないこの程度の話でなぜ動けるのか、理解も出来なかった。

この俺の感度計がばかになったか、世界が狂っているかどっちかだと思いながら、半田は午後一時には、高橋係長とともに成城七丁目の住宅街にいた。成城学園グラウンドに近い高級マンションの一棟の前に立って、いかにも空き巣が涎《よだれ》を垂らしそうな瀟洒《しょうしゃ》なルーフテラス付きの建物を見上げたとき、半田の頭には〈億、だな〉という思いが一つやって来ただけだった。

歯科医院は、建物の一階部分が張り出してブティックが二つ三つ入っている並びにあり、意外に古風で飾りのない『ハタノ歯科医院』という表札と玄関のガラス戸には、とくに目を引くものもなかった。《午後の診療は二時より》という札のかかったその玄関を見ながら、係長は近くの公衆電話から電話を入れ、「自宅で会うそうだ」ということで、エレベーターで五階の自宅へ上がった。

秦野という人物を見た半田の第一印象は、一言で言えば標本箱のなかの蝶《ちょう》だった。姿形は完璧《かんぺき》だが、もはや静物で、触ると壊れる。実際、脂気《あぶらけ》のない深窓の令息がそのまま中年になったような無頓着《むとんちゃく》さと、知能指数だけで出来ているような無機質さと、かなりこみ入った思考回路を窺《うかが》わせる陰気さなどが合わさった外貌《がいぼう》はしんと静寂で、さらに、息子を亡《な》くしたせいだけでもなさそうな、空疎《くうそ》さも感じられた。眼球の動きに、ちょっと普通でない落ちつきのなさもあった。

しかも、生活が崩壊しているのは明らかで、三十畳もあろうかという豪勢な居間は、脱ぎ散らかした衣類がその辺にひっかかっており、長い間外気も入れていないらしい黴《かび》臭《くさ》さと、すえたアルコールの臭気が充満していた。その居間の中央にあるソファに腰を下ろした秦野は、開口一番「私の間違いでした」と言った。

秦野がまず自分から話したところによれば、日之出ビールの入社試験を受けた息子に、会社側から何らかの差別的働きかけがあったのではないかという自分の疑いは間違いであり、息子は、付き合っていた学友との結婚をまだ早いと相手の両親に反対されたショックで、心身不安定になったというのが真相のようだ、ということだった。秦野は他人《ひと》事《ごと》のように理路整然と話し、そこにはまったく感情の振幅も見られなかった。

「それでは、先方の親御さんがご霊前にお参りに来られたことで、先生のお気持ちも一応落ちつかれたということですか」

高橋係長はそう促したが、秦野はそれには返事をしなかった。続いて係長は、日之出側から信用毀損業務妨害で告訴状が出ている事情を説明し、形式通り、これは任意の捜査なので話したくないことは話さなくてよい旨《むね》を告げた。相手のほうは、聞こえているのかいないのかも分からない顔だった。

係長は、その歯科医に向かって、事務的に聞くべきことを聞き始めた。まず、テープの内容について、昭和二十二年に岡村清二という人物が日之出神奈川工場に宛てた手紙を、テープに吹き込んだのか否か。その手紙は本来、秦野の手元にあるべきものではないが、どこから入手したのか。

秦野は、十一月五日夜に訪ねてきた男二人に手紙を貰《もら》った、という話をした。うち一人は解同の都連執行委員の西村某を名乗ったが、そのとき受け取った名刺は捨てたので、名前は正確に覚えていないということだった。

「西村の特徴を教えていただけますか」

「身長は百六十五センチぐらい。中肉中背。年齢は五十歳前後。色黒。細い指をしている。右顎《あご》に直径十ミリのホクロ」

秦野は機械のように特徴を並べ、係長はそれを手帳に書き取った。

「で、西村の用向きは」

「私が二度目の手紙で解同を騙《かた》ったので、事情を聞きに来たのです。息子が日之出の入社選考で不採用になった件で、西村は日之出には日之出の事情があるといった話をし、これが役に立つだろうと言って、手紙のコピーを置いていきました」

「日之出の事情というのを、具体的にお聞きになりましたか」

「小倉運輸とかいう会社の経営状態と主力銀行の話でした。私は理解出来ないと答えた」

「銀行は、ひょっとして中日相銀ですか」

「そうだったと思います」

「具体的には、どんな話でしたか」

「不良債権とか、迂回《うかい》融資とか。正確には覚えていません」

「そういう話のどこが、日之出の入社選考に関係している、と西村は言ったのですか」

「小倉運輸の問題を調べている人物に、手紙の中で岡村清二が触れているということでした。昭和二十一年に日之出の京都工場を解雇された被差別部落出身者三名の一人だとか」

係長の手は手帳の上を走り続けた。その隣で、半田はただ所在なかった。

「ところで、先生は、相手を解同だと信じて聞いておられたのですか」

「いいえ」

「では、偽《にせ》の肩書を名乗って、経済の話をする人物を、何者だと思われたのですか」

「分かりません」

「見ず知らずの人間が、解同を騙って、息子さんの話をいきなり持ってきたのでしょう。不審に思われませんでしたか」

「被差別部落については、あることないこと、知らないところで知らないうちに話が一人歩きするのは珍しくないので、別に」

「ところで、西村は手紙の出所は話しましたか」

「いいえ。尋ねたが答えなかった」

「手紙について、西村は対価を要求しましたか」

「いいえ」

「その手紙をいまお持ちですか」

「テープに吹き込んだ後、六日の朝、ゴミに出しました」

そんなやり取りの後、係長の質問は、秦野が日之出宛てにテープを送った目的に移った。秦野は、四十三年前に岡村清二という男が書いたという手紙を精読するうちに、なにがしかのシンパシーを覚え、岡村に代わって、日之出に何事か伝えてやろうと思ったと答えた。息子に絡《から》めた理由はとくに無く、日之出という一企業に対する漠とした嫌悪《けんお》のほかには何もなかったという、分かったような分からないような話だった。

「テープを送ったことについて、いまはどう考えておられますか」

「無駄なことをしたと思います」

「反省のお気持ちは」

「もう二度としません。息子について日之出に落ち度があったとしても、もう問う気はありません」

何の滞りもなく、速やかに話はそこまで辿《たど》り着き、高橋係長はぽんと自分の膝《ひざ》を叩《たた》いた。

「それでは、いまお話しいただいた線で、任意で供述調書を作成したいので、明日品川署へ出向いていただけますか。その上で、日之出側に告訴取消しの意思の有無を確認しますので」

「自分のしたことの責任は取ります」

「いやいや、そんな話にはなりません。手続き上、調書は作成しますが、任意ですから署名捺印《なついん》はご随意になすって結構です。それよりも、その西村某が訪問した経緯は、調書のかたちで残しておかれたほうがいいと思いますので」

そう言った係長のそばで、半田はちらりと〈なぜだ〉と思ったが、当の秦野はとくに何も尋ね返さず、「明日、伺います」と応《こた》えただけだった。

それでは、と係長は腰を上げ、半田も従った。秦野はもう反応がなく、見送りに立つ様子もなかったので半田たちは勝手に辞去したが、玄関ドアを開けたとたん、そこに立っていた女と鉢合わせになった。女は「どなた」と鋭い一声を発した。

半田が戸惑う端で、係長は手短に「品川署の者ですが、秦野先生の奥さんでいらっしゃいますか」と尋ね返し、女は「何か――」と立ちすくんだ。

「主人が何かしたんですか――」

「いえいえ、ちょっと先生に話を伺いに参っただけです。ご心配なく」

その係長の言葉が終わるか終わらないうちに、女は玄関ドアに激突するかと思う勢いで、なかに消えてしまった。

エレベーターで下に降りる間、係長は思い出したように「スーツがヴァレンチノ・ガラヴァーニで七〇万、ケリーバッグが八〇万――」などと呟《つぶや》いた。半田のほうはちらりと水面をかき混ぜられたような思いで、いましがた遇ったばかりの女の姿を思い返したが、四十代にしては容色に衰えもない派手な目鼻だちと、美容院でセットしたばかりのような髪形しか印象になかった。上から下までシックな黒系統でまとめていたと思ったが、ブランドまでは半田には分からなかった。

「ところでこの件、調書まで取る必要があるんですか」半田は尋ねてみた。すると、係長は即座に「君、西村真一を知らんのか」と言い出した。

「名前、分かっているんですか」

「当たり前だ。顎に直径一センチのホクロのある西村といえば、この世界には一人しかおらん。在日朝鮮人二世で、本名はキム・ホヨル。十年前から総会屋のリストに載っている」

知能犯捜査の狙《ねら》いはこれか。半田の頭の池に、やっと小さい波紋が一つ生まれたが、浮きが動くほどの波にはならなかった。「すみません」とだけ応えた。

係長は、こんなバカを相手にしているとは知らなかったというふうに、急に白けた表情になって先に歩き出した。半田はのそりと後ろに続いた。

「これからどこへ行くんですか」

「街金筋。西村の情報を仕入れる。いいか。西村というのは、解同なんかまったく関係ない。日之出も関係ない。その男が解同を騙って、見ず知らずの歯医者のところへ、入手経路の分からない日之出の内部資料を、ただで置いてきたというんだぞ。これが臭《にお》わなくてどうする」

「はい」

明日からずっとこれか。

どんよりした住宅街の空を仰いだとたん、長年の習慣で、また新たな夢想が一つ、すっと半田の胸に滑り込んだ。退職願と書いた封筒をある日いきなり上司の机に叩きつけるという、ただそれだけの夢想だったが、それは大した快感にもならず、すぐに力なく消え去った。退職願が一大事になるための条件は、いまの半田には何ひとつ揃《そろ》っていなかった。それを手にした上司が驚き、署が驚き、本庁が驚き、何とか撤回させなければと青ざめるようなネタはなく、この自分の退職を恐れる者、惜しむ者も、いるわけではなかった。

暗くなるまで、高橋係長のお供で新宿の街金数社を回り、金融ブローカー数人の事務所を回った後、署に戻って、係長から西村真一の鑑と手口の説明を受け、明日十八日の秦野浩之の聴取のポイントを、ひとつずつ確認させられた。西村はいま、広域暴力団誠和会系のいくつかの企業舎弟の使い走りをしていること。誠和会は岡田経友会という強力な地下金融のグループを抱えており、西村がどこかでその岡田グループとつながっていないかどうか、それが問題なのだということ、等々。要は、日之出の告訴状は、金融事件を扱う二係にとって降ってわいた格好の口実だったのだと、半田は最後に納得した。午後九時前にやっと署を出たとき、殺しの捜査本部のある二階の窓に皓々《こうこう》と明かりが灯っているのを見たが、やって来た憤怒《ふんぬ》はいくらか鈍いものだった。新馬場駅まで歩く間、行く手斜め前方の北品川の夜空には、日之出ビールやソニーの本社ビルの光の夜景がそびえていた。いつ見ても、地上に落ちてきた恒星かと思う美しさだった。

半田は燦然《さんぜん》と輝く高層ビル群を仰ぎ見た。どこも、所詮《しょせん》は一円でも多い売上を上げるために靴の底を減らしている社員の総体だとはいえ、自分に身近なものは何ひとつないような気がし、また一つなにがしかの疎外感《そがいかん》を持って、半田は目を逸《そ》らす。駅まで歩く間、背中に張りついているもう一人の自分が〈そのうち辞めてやる〉と虚勢を張っていた。半田は鼻白みながら、〈そう言い続けて何年だ〉と思った。己の尊厳や自信はせいぜい夢想の中で挽回《ばんかい》して、明日も明後日もとにかく働くしかないのが現実だった。いい加減飽き飽きしているとは言っても、警備会社に再就職して、どこかの工事現場で交通整理をやっている自分を想像すると、ほとんど憤死しそうになるというのが、現実だった。

半田はまだ混雑の続く電車に乗り、吊《つ》り革を握って黙然と立ち続け、糀谷《こうじや》駅で下車した。パチンコ屋のネオンだけがぴかぴか光っているちっぽけな駅前商店街から環八通りへ出、羽田方向へ歩き出した。ものの一分も歩くと、事業所と古い町家しかない道路沿いはがらんとし始め、つい誘われるような明かりもなくなる。家路を急ぐ勤め人はみな、海風に追われるように急ぎ足で路地へ消えていき、半田も、小さい踏切のある角で萩中《はぎなか》二丁目の路地へ入った。

自宅は、萩中公園西側の萩中第二アパート二号棟で、そこまではすぐに辿り着いたが、半田は路地に立ってほんの数秒、逡巡《しゅんじゅん》した。五階建ての五階の窓には、明かりがついていた。九時ごろには帰宅したはずの妻が、いまごろは洗濯機を回しながら、自分と亭主の遅い夕飯のために、勤め先のイトーヨーカ堂で買ってきた惣菜《そうざい》のパックを破っている。刺し身の盛り合わせと、青菜の煮浸し。きんぴらごぼう。自宅では飲まないと決めているので、冷蔵庫には缶ビール一缶もない。半田はそのときただ、ビール一杯を思い浮かべて立ち止まり、そのままアパートの前を通り過ぎることに決めた。

午後十時ごろまで、あと三、四十分の寄り道をするつもりで、半田は羽田方向へ続く路地へ出た。数分で産業道路へ出、それを越えると羽田と呼ばれる地区になる。昼間は空港へ入る車両の排気ガスしかなく、夜は隣の空港の灯火は届かず、密集した町家の屋根がひっそり重なりあう上を、高速一号線の高架が貫いている。その高架をはさんで道路沿いには小さい商店街がある。日暮れどきにはどこも閉まってしまうが、蕎麦《そば》屋が一軒、大衆中華の店が一軒、酒屋が一軒といった具合に、ぽつぽつ明かりが残っていた。

半田はまず、高架の手前にある酒屋の自販機で缶ビール一缶を買った。その場でプルトップの栓を開け、凍るほど冷たいビールを一口啜《すす》った。斜め向かいにある薬局は、まだ開いていた。ネオンの付いていない看板は夜陰の下で見えないが、明かりをつけたままカーテンを引いてあるガラス戸に《物井薬局》とあった。

道端でもう一口ビールを呷《あお》る間に、その薬局のガラス戸が開き、なかから男が一人出てきた。見ると、競馬仲間の元自衛官で、その夜は頭に幅十センチほどの包帯を巻いた恰好《かっこう》だった。向こうも半田を見、面倒臭そうに足を止めて「このざまだ」と挨拶《あいさつ》代わりの一声を出した。

「事故か」半田が尋ねると、布川淳一《じゅんいち》は「昨日、東名で」と応えた。「前を走っていた一〇トントレーラーが、いきなり車線はみ出してきやがって。ブレーキ踏んだとたんに、玉突き十台だ。俺のトラック、めちゃめちゃ」

「ケガがその程度でよかった」

半田がそう言うと、二秒間を置いて、布川淳一は「死に損なった」と自分の足元の地面に吐き捨てた。

死に損なった、か。なるほど、障害児を持った親は、そんなことも考えるのかと半田は思ってみたが、実感もなく、立ち入る気もない話だった。

「馬券？」

「ああ」

「じゃあ、お先に」

明日の日曜日、府中へ行くのかどうかも互いに尋ねなかった。半田も人と口をきく気分ではなかったし、布川もそうだったのだろう。布川は道端に止めてあった自家用のワゴン車に乗り込んだ。いままで気づかなかったが、ワゴン車の暗い荷台のなかで人の腕が二本、音もなく泳いでいた。布川の娘が、荷台にひっくり返って暴れているのだ。エンジンが掛かるやいなや、プロのドライバーの手にかかったワゴン車は魔物のような速やかさで滑り出し、産業道路へ消えてしまった。

半田は、缶ビールを手に薬局の表にある呼び鈴を押し、ガラス戸を開けてなかに首を入れた。昼間外に出してある安売りの洗剤やトイレットペーパーの陳列棚が、夜はなかに引き込んであり、二坪ほどの広さの店内は、中に入るのも難しいほど狭くなっていた。その奥ののれんから、店主の物井が顔を出した。半田だと分かると、「今夜は早いね」と言いつつ出てきて、洗剤の陳列棚をぐいと押し退《の》けた。「そら、入って」

先月、物井は孫を亡《な》くしたということだが、もともと表情が乏しく口数も少ない人物で、ひどく落ち込んでいるような様子は傍目には窺《うかが》えなかった。いつもひっそりとして平板な外貌《がいぼう》だが、夜はサングラスをかけておらず、白濁して動かない左目が少し奇怪な感じがした。

薬局には、昼間は中年の女の薬剤師が来ており、その間物井はご隠居よろしくその辺を出歩いて、〈老人いこいの家〉で将棋をさしたりし、スーパーで買物をして夕方戻ってくると、一人で適当に何か作って食べ、テレビを見ながら店番をし、十一時ごろに店を閉めて寝る。そして、日曜は競馬。そういう生活をしている男だというのは、この六年ほど半田が薬局に通ううちに、少しずつ知ったことだった。店へ来ると、ときどき鍋《なべ》を焦《こ》げつかせた臭いがすることもあった。

「ついさっき、布川が来てね。事故で頭をケガして」物井が話しかけてきた。

「外で会った」半田は応えた。「何か、思い詰めているよ」

「いろいろ大変らしい。会社に始末書を出したり、警察に呼び出されたりで」

「ああ」

「ともかく休養になるんなら、この際事故も悪くない。そう言ったんだけど」

そんな短いやり取りをしながら、物井は老眼鏡をかけて、店のレジの引出しから先週の十一日日曜日の当たり馬券二枚を出し、「はい、これ」とていねいにカウンターに並べた。半田は「どうも」と受け取った。物井に頼んで買ってもらった二レースがどちらも当たったのだ。配当がいくらだったのか確かめもしなかったが、一杯やるぐらいの金が戻ってきたということだった。

半田は缶ビールを一口呷った。

「明日のレースは？」と物井は尋ねてきた。

「新聞を買うひまもなかったし」

「新聞ならあるよ。見るかい？」

「いや。明日はパスだ」

もう一口呷ったときだった。物井の後ろののれんの向こうを女が一人横切り、半田は一瞬缶ビールを傾ける手を止めた。黒のスーツとストッキングのふくらはぎの線。首から上はのれんの陰。あのスーツは、昼間あの歯科医の自宅で見たヴァレンチノ何とかだ、と思った。半田の目線に気づいたのか、物井も振り返り、「娘がちょっと帰っていて」と呟《つぶや》いた。

何てこった、というところだった。亡くした孫というのが、よりにもよって物井の娘とあの歯科医の息子だったとは――。しかし、絶句したのも一瞬だった。もとより捜査中の事案に触れることは出来なかったし、一日の終わりに遭遇した偶然もまた安っぽいドラマのようだと思うと、半田はまた一つ疎外された気分になり、「へえ――」と適当な返事をして、缶ビールの残りを空けた。風が強くなったのか、路地に面したガラス戸がガタガタ鳴っていた。

「来週のジャパンカップは、新聞を買っておいてあげるから」と物井は言った。

「オグリキャップ、出るかな」

「出るといいね。出たら、オグリだ」

「物井さんは、明日は行くの」

「ほかにすることもないし」

「――じゃあ。空き缶、すみません」

半田は空き缶をカウンターに置き、「おやすみ」を言って店を出た。ガラス戸のなかで、物井がまた陳列棚を元に戻す音がした。

半田はもう一缶、酒屋の自販機でビールを買った。産業道路の交差点を前に、プルトップを開け、一口呷った。交差点を渡ってまっすぐ路地を行けば萩中のアパートだったが、足は動かず、そのまま道端で飲み続けた。目前には、山本車輛《しゃりょう》工業の工場の壁が一つ。無人の産業道路沿いは、トタン塀やコンクリート塀と、街灯の放列だった。

その昔、いったい俺は何を望んでいたのだろう、と半田は思う。明るい光の差す事務机に座ること。そこそこ安定した給料を得て、まっとうな人生を送ることだけだったのではないか。情けないほど平凡な希望一つを胸に警察に入った男が、いまはどうだ——。飲み残した缶を車道へ投げ捨てると、それはたちまちトラックのタイヤに音もなく踏みつぶされた。ああ、あれがいまの俺だと思ったとたん、〈そのうち奴《やつ》らの鼻を明かしてやる〉ともう一人の自分が呻《うめ》いた。

5

物井清三は、半田が置いていった缶ビールの空き缶の《日之出スープレム》の商標を見つめた。それを掌《て》のなかで握り潰《つぶ》して屑《くず》かごに捨て、のれんをくぐって居宅の居間に戻った。

待ち構えていたように、「競馬ばっかり——!」という娘の美津子の声が飛んできた。一つ一つの子音が、鉤《かぎ》にひっかかるような鋭い語調で、それが物井の耳をざわつかせた。昔から亡くなった母親そっくりの性根のきつい娘だったが、それでも子どものころはこんな喋《しゃべ》り方はしなかった、と思ってみる。

話の途中で相次いだ客に苛立《いらだ》っているのだろうが、畳に座ったらスカートに折り皺《じわ》が出来るというので、美津子は半時間このかた、柱を背に突っ立ったままだった。母親の芳枝《よしえ》も大正生まれにしてはスタイルのいいハイカラな女だったが、そうして立っている美津子は、物井にはもはや、よその人にしか見えなかった。思えば、自分の腕のなかにいると思えたのは幼稚園時代だけで、小学校に上がるころには急速におませになって芳枝の小型版と化し、十代になるともう芳枝の双子で、女子大に入ったときには、完全に物井の手の届かない別世界にいた。大学生のころ、派手な服装で男友だちと出かけるのを注意したら、「嫉《や》かないでよ」と一蹴《いっしゅう》され、女房には「美津子は上昇志向なのよ。あんたとは違って」と言われたものだ。

物井は、実際、自分の物の考え方や生活感が時代に合わないのだろうと戸惑い、萎縮《いしゅく》しつつ、上昇志向の女二人を眺めるだけの甲斐性《かいしょう》のない存在だった。娘は、大学を出て大手保険会社に入り、一年も経《た》たないうちに結婚すると言い出したが、相手は歯科医だというので、それならばしかるべき式の準備をと思ったら、籍だけ入れて、明日にでも相手のマンションに移るからと言う。結局、後日、相手方の親族を招いて都内のホテルで一席もうけ、それだけで一切の話が終わってしまったのだった。

歯科医というのはよほど裕福なのに違いない。それを物井が実感したのは、たまに会う娘の身辺からだった。エステティック・サロンとかスポーツジムとかに通って身体《からだ》を磨き上げ、三日に一度は美容院でセットをし、実家へ立ち寄るのにオートクチュールの一着一〇〇万円もするスーツを着てくる。喪中でさえなければ、普段はこの上にまだ、大きさがトラ豆ほどもあるダイヤの装身具を着けていたりする。どのみち孫の不幸でもなければ滅多に来ることもなかったのだが、葬式以来、何かと用事があってそういう恰好で現れるたびに、物井は目のやり場に困り、居心地の悪さでつい顔が下を向くのだった。

上昇志向とやらの正体が、結局いい生活をし、贅沢《ぜいたく》なものを身に着けることだったのなら、それは父親が与えてやれなかったものだということにほかならない。まるで当てつけのような贅沢品を見せられて、物井は自分の人生のすべてを否定されたような気がしないでもなかった。

昭和二十二年、東北の八戸にあった鋳造所を解雇されて東京へ出てきた後、一年半は上野界隈《かいわい》でバタ屋のリヤカーを引き、やっと大田区西糀谷の町工場の旋盤工になって、工場のすみで寝起きした生活。しばらく後に四歳の連れ子を抱えた芳枝と成り行きで結婚し、お金がない、お金がないとぼやかれながら、何とか六十まで工場でつましく鋼《はがね》を削り続けた生活。娘を女子大へやるというのは、旋盤工の給料では相当無理をしなければならず、毎晩残業し、ピースを一日ひと箱、日曜日には百円馬券を二、三枚買うだけの小遣いで我慢した生活。そのころは、自分が死んだら保険金が入るなと、本気で考えた。五十のときに西六郷にあった家を売り、貯金をはたいて芳枝の遠縁がやっていた薬局を買い取ったが、これが借金の担保に取られていた代物《しろもの》で、ほとんど詐欺《さぎ》にあったも同然だった。それでも親戚《しんせき》相手に文句も言えず、必死に借金を返してきた生活。それら全部が、娘の目にどんなふうに映っていたのだろうかと思う。

いまさらあらためて意識することでもなかったが、美津子は芳枝の連れ子で、物井の血は引いていなかった。芳枝と籍を入れた後、生活に追われてしばらくは子どもをつくる余裕がなく、少し余裕が出来たときには、芳枝はもう四十五を越えていて、出産は無理だと医者に言われたのだった。

生きるのが上手だとは決して思わないが、自分なりに働いた結果の人生を、少しは自分で慈《いつく》しむ気持ちはあった。それを、外の世界の幸運や才覚と比べられたら、物井には返す言葉もなく、自分の小さい自信や自己満足すら消えてしまうのだ。美津子も、息子を亡くしたばかりだから気が立っているのだろうと慮《おもんぱか》ってもなお、長い間の習慣で物井の頭はやはり下を向き、娘の顔を見ようと思っても見る気がしない。歳《とし》を取るというのは、忍耐がなくなるということだ。

そうして物井は、こそこそとコタツに入り直し、冷めた湯飲みのお茶を啜って、きゅっと背を丸めた。

「聞いているの！」頭の上から美津子の鋭い声が降ってきた。

「聞いているよ」物井は口だけ動かした。

半時間前に美津子が突然やって来て、いきなり始めたのは、亭主の秦野のところへ警察が来たという話だった。孫の孝之は生前、日之出ビールを不合格になっており、納得がいかないということで、秦野は保護者として日之出宛《あ》てに糾弾めいた手紙を何通か送ったらしい。それがもとで、日之出は告訴状を警察に出し、刑事事件になりかけているということだった。

何があったにしろ、会社宛てに嫌がらせの手紙を送るというのは常識外れもいいところで、あの律儀《りちぎ》そうな秦野がほんとうにそんなことをしたのなら、そこにはよほどの事情があったのだろうと物井は思ったが、聞けば、ややこしい話はまだほかにもあった。孫には結婚を約束した相手がいて、それが急に先方の親の反対で破談になったというのだった。そのショックで孝之は交通事故を起こしたのではないか。先方は口にはしなかったが、破談の理由はおおかた秦野の戸籍ではないか、と美津子は言うのだ。そして、そこからいきなり飛躍して、いまは「父さんが無責任だったからよ」という話になっていた。

「私、この一カ月、さんざん考えました。たしかにすべて、秦野が悪いのよ。自分の戸籍を隠していたのは確信犯よ。妻も子どももまったく知らなくて、ある日突然こんな目に遭うのは、秦野がきちんとするべき説明をしなかったからよ。でも元はといえば、娘が誰かと結婚すると言ったとき、相手の家のことを調べるのが親の常識でしょう。でも、父さんは何もしなかった」

「戸籍なんか別に――」

「何が〈別に〉ですか！　世間の常識よ！」

「しかし君は、秦野さんが好きで結婚したんだろうが――」

「だから、親が無責任だと言うのよ！　相手が誰であれ、娘が結婚すると言ったら、とりあえず相手の家を調べるのが親の義務でしょう！」

「そんな義務は、この世にはない」

「東北の田舎にはないんでしょうけど、東京にはあります！　たしかに、私がバカでした。ハンサムでお金持ちの歯医者で、母方の実家は鎌倉のお医者さまで。山ほど名門出のガールフレンドがいたのに、あの秦野がなぜ私なんかと結婚したのか、気がつかなかった私がバカでした。父さんに私の悔しさが分かる？」

男と女の立場を逆にした話なら、似たような物言いを、自分も芳枝の口からいやというほど聞かされた、と物井は思う。高等女学校出の芳枝が新婚半年目で出征を見送った前夫は、早稲田の文学部を出た文芸誌の編集者で、戦死を報《しら》せる葉書一枚で、芳枝は生まれたばかりの美津子を抱えて未亡人になった。終戦を迎えて、生活のために新宿で女給をしていたときに物井と知り合い結婚したのは、幼い娘を抱えて、然《しか》るべき伴侶《はんりょ》など望むべくもなかったからだと、事あるごとに芳枝は口にした。世が世ならば、誰が好き好んで、片目の不自由な町工場の工員と所帯など持つものか、と。

「父さんに私の悔しさが分かる？　一生懸命に孝之を育ててきて。私にはもったいないほどの、素晴らしい子に育ってくれて。これからというときに、父親の戸籍よ！」

「ちょっと待ちなさい――」

「私だって、戸籍なんかどうこう言いたくないわよ！　でも、私が何も知らなかったから、孝之に何も教えてやれなかったのよ。孝之だって、ちゃんと親が教育さえしていれば、相手方から何を言われても、それなりの対処はしたはずよ。隠していた秦野が悪いのよ。戸籍を隠すような男との結婚を止めなかった父さんの責任よ！」

美津子は声を震わせてすすり泣きを始め、その様子を、物井はいやでも見ないわけにはいかなかった。美津子は美津子なりに苦しみ、相談する相手もなく、結局は親に憤懣《ふんまん》をぶつけているのだということは、物井とて分かっていた。何百万の装《よそお》いをしていようと、柱を背に突っ立ったまま泣いているのは、一応自分の娘だった。

「座ったらどうだ――」と物井は声をかけたが、とたんに美津子は「父さん！」とさらに声を荒らげた。「分かるでしょう。私、騙《だま》されたのよ！」

「もう二十年以上も夫婦でやってきたのに、騙したとか騙されたとか言って、どうなる。夫婦で力を合わせて、何とかやっていくしかないだろう――」

「それが出来たら、ここへ来てやしないわよ！　秦野は狂っているのよ！　ほんとうに頭がおかしいの、目が変なの！」

美津子はなぜ、こんなに耳に刺さるような声でものを言うのか。親でもいやになると思いながら、物井は月初めの深夜に、いきなり電話をかけてきた秦野の声をぼんやり思い出した。息子を亡《な》くして、ちょっと気もそぞろといった感じの声だったが、声色から窺《うかが》えるような異変はなかった。

美津子の声はさらに甲高くなった。「秦野は明日、品川署へ行くんですって。調書を取られて、その後どうなるのか知らないけれど、あの人だってもう社会生命はお終《しま》いなのよ。それなのにあの人、全然反応がないの。目が変なのよ。ほんとうよ、あの人は私より孝之がすべてだったんだから――！」

「警察のことは、そんなに心配は要らんと思うが──」

「何言ってるのよ！　警察に呼ばれるような医者に診てもらおうと思う患者が、どこにいるのよ。噂《うわさ》はそこらじゅうに広まるのよ！」

「まだ何も決まったわけじゃないし──」

「ひとごとみたいに言わないでよ。父さんにも関係のある話でしょう！」

関係のある話。その意味を反芻《はんすう》するのに、いくらか時間がかかった。まったく関係ないとは言えないが、どうでもいいほど小さい影響しかない、と物井は思った。

タンスの上の古い写真立てから、色褪《あ》せた家族の写真が一枚、こちらを見ていた。昭和二十四年、勤めていた工場の近くに六畳一間を借りて、芳枝と所帯を持ったときの記念の一枚だった。美津子は四歳の可愛《かわい》い盛りで、新しい父親に手を引かれている。美人の妻と娘をいっぺんに手に入れた二十四歳の男は、いかにも田舎者らしい緊張した表情で胸を張っている。その写真を額に入れて飾ったのは物井で、それから四十一年、空気のようにいつも茶の間にあった。女二人がどう思っていたのかは知らないが、物井自身は人生のいろいろな場面で、その写真一枚を眺めてきたという思いがあり、いまもまたコタツからそれを眺めた。

自分がもし、いまの十倍ほど気の強い短気な男だったら、女房と娘を殺して、自分も死んでいたかも知れない。写真を眺めてはそう思い、思うだけで気がすんで、物井は働き続けてきたのだった。芳枝との縁は、戦後間もない時期に、多くの男女が生きていくためにとりあえず一つ屋根の下にもぐり込まざるを得なかった、無数のいい加減な結婚の一つだった。しかしそれも、金さえあれば、互いにもっと静かに生きてこられたに違いない。物井が悔やむのは、ただ、金がないばかりに穏やかな精神的充足を知らなかった自分の人生だった。

思えば、生来身にしみついた生活の不安がいつもつきまとい、現実に金に詰まると、その不安は先鋭な恐怖の針になって襲ってきた。東京へ出てきて以来、生きるだけで精一杯だった自分の周りで、社会は何やら恐ろしい速度で変わってゆき、いっこうに増えない自分の収入を前に、いつも少しずつ周りから取り残されていく気がした。家庭の中にも寄る辺はなく、口を開いたら甲斐性なしと言う芳枝を前に、心底安らいだという経験をしたことがなかった。歳とともに、不安や焦燥《しょうそう》などの生臭い感情は錆《さ》びついたが、それで自分の精神が落ちついたのかというと、それも違う。芳枝が亡くなって五年、表面上は起伏のない静かな生活になったが、それを充足と呼ぶには六十五年の人生の正負のバランスが、狂い過ぎているような気もした。

すでに別の人生を歩んで久しい娘のことを、物井は、昔のようには案じることが出来ない自分を感じた。いまはもう、娘より、自分自身の残りの人生を惜しむ気持ちの方が明らかに大きいのだ。

老いた父親の腹のうちなど知るはずもない美津子は、甲高い声で喋《しゃべ》り続けていた。

「私、悔しいのよ。あの人は、仕方なく結婚した女なんか、贅沢さえさせておけば、自分の義務は済んだと思っている人よ。成り上がりの私のことなんか、一度だって認めたことはなかった。それはいやというほど分かっていたけれど、孝之が生まれたら育てなきゃならない。私、ずっと耐えてきたのよ、二十三年も！」

「そんなことをいまごろ言われても、父さんにはどうしようもない——」

「どうせそうでしょうよ。昔から何ひとつ責任を持とうとしなかった人ですものね」そう言って、美津子はハンカチで鼻をかみ、セットしてある髪を片手でなで上げて、「私、別れるから」といきなり語調を変えた。「秦野だって二十三年も、さぞかし不本意な結婚生活だったんでしょうから」

「別れて、生活はどうするんだ——」

「秦野からは財産の半分をもらいます。大磯《おおいそ》の別荘は私の名義だし。売り払って好きにするわ。誰にも迷惑はかけません」

「そんなことを言うんじゃない——」

そこでまた、チリリンと店の呼び鈴が鳴った。

「ほら、また競馬のお仲間よ」そう吐き捨てて、美津子は足元に置いていたハンドバッグを拾った。「私、明日から二、三日旅行へ行きますから、もし警察が何か言ってきたら、いないと言っといて」

「美津子、ちょっと──」

物井はコタツから這《は》い出して追いかけようとしたが、美津子はその前に勝手口から出ていってしまい、裏木戸が壊れそうな勢いで閉まる音がした。

店のほうで「物井さあん」と呼ぶ声は競馬仲間ではなく、近所の住人だった。物井が店へ顔を出すと、薬局の並びにある牛乳販売店の主人が、洗剤の陳列棚ごしに「夜遅くに悪いねえ、孫が歯が痛いって言いだして」と声をかけてきた。

「虫歯、腫《は》れているのかい？」物井は重い口を開いたが、受け答えはいつもどおりになった。何があっても、こんな声、こんな喋り方しか自分には持ち合わせがないということだ、と思った。

「虫歯だと思うけど、とにかく泣いて泣いて」

「お宅に脱脂綿はある？　塗り薬をあげっから、付けてみて。それで治らなきゃ、膿《う》んでいるってことだ。歯医者へ行かないと」

物井は塗り薬を出してやり、「助かるよ」と言いつつ商店主は金を払って出ていった。「お大事に」とそれを見送って、風で鳴り続けるガラス戸を閉めると、狭い店の空気に美津子が残していった香水が香った。刺々《とげとげ》しいとしか言いようのないその声も、まだその辺に響いているような気がした。

先立つものさえあったら、自分とてとうの昔にひとりになっていた、と物井は虚《むな》しく思ってみた。すると、思い出すのもいやな失意の数々が、またぞろぽつぽつと脳裏に翻《ひるがえ》った。たとえば、娘の成人式に振袖《ふりそで》を揃《そろ》えてやらなければならなかったときのことだ。その年に限って工場が不況でボーナスが出ず、大慌《おおあわ》てで信金を回って、やっと工面した十万円で振袖と帯を買ってやったら、安物だったせいか物井の目にも見栄《みば》えがせず、娘は結局ワンピースで式に行ったのだった。その振袖は、結局一度も袖を通されないいま、やがて質屋行きになった。そのときの振袖の、黄色い蝶《ちょう》の柄はいまでも覚えていた。

また、こんなこともあった。娘が小学生だったころ、遠足の当日にたまたま芳枝が感冒で寝込んでいて、夜勤明けの物井が四苦八苦して弁当を作ったのだが、せっかく作ったその弁当を食卓の上に置いたまま、娘は出ていった。物井はそのとき必死で理由を探したものだったが、最後に、弁当を包んだ布巾《ふきん》が機械油臭いのを発見したときは、ひとりで嗤《わら》うしかなかった。

そういえば、自分は一度も父兄参観の日どりを知らされたことがなく、行ったこともなかったなと思い出したところで、物井は店じまいのために陳列棚をぐいと動かした。六十五になった人間が、昔の思い出を無為に掘り出すのは残された時間の浪費だった。それでもあれやこれやと甦《よみがえ》ってくるのが老年なら、振り払う努力こそ必要だった。秦野も美津子もいったい何を考えているのか、夫婦生活をこれからどうするのか、この自分が案じなければならない義理がどこにある。

物井は、店の外へ出てシャッターを下ろし始めた。その間に、産業道路の方から入ってきた乗用車が一台、薬局の前で止まるやいなや運転席の窓から「物井のにっちゃん！」とだみ声が上がった。

実に、いろんな人間が入れかわり立ちかわりやってくる夜だ。戦車かと思う大きなベンツから「寝るには早いべ」と陽気な声を張り上げて降り立った男は、半世紀も昔に物井が働いていた八戸の金本鋳造所の、社長の息子だった。当時、物井を「にっちゃん、にっちゃん」と呼んでなついていた小学生の洟《はな》垂れ小僧が、実家の倒産で苦労した後に上京して三十年。いまや千葉の市原の方で鉄工所を経営する立派な中小企業の親爺《おやじ》になって、ときどき親しげに物井を訪ねてくるのだった。

現れるときにはたいてい酒が入っている金本義也《よしや》は、色艶《いろつや》のいい真っ赤な顔をほころばせてひょいと高級洋酒の化粧箱を物井に押しつけ、「昨日までマニラさ行っててよ。今日はもっと早くここへ来ようと思ったんだども、つい飲んじまって」と笑った。

「さてはまた、あっちで悪い遊びさしてきたな」

「ま、そう言うな。得意先の接待もあるし」

物井は、ベンツの後ろの座席に乗っている男二人の姿をちらりと見た。金偏の関係か、金本がその筋の企業舎弟と交流があるらしいのは以前から分かっていたが、物井はその夜も一応「よくねえよ」と一言釘《くぎ》を刺した。相手は「あんつこだぁね(心配ない)」と郷里の言葉でとぼけて見せただけだった。昔の、気の弱い子どもの面影はもうどこにもない五十男の姿に、物井はいまはもう、戸惑うことのほうが多かった。

「じゃあ、また寄るから。にっちゃんも風邪引かねえようにな」

そう言って、金本は機嫌よく車に引き返していった。走り出す車の車窓から、その筋の見知らぬ男の目が、物井のほうをちらりと見ていった。顎《あご》に大きなホクロがある、陰気な顔だった。

物井は貰《もら》い物の洋酒を抱えてちょっと思案し、それを自転車のカゴに入れた。娘がやって来たために予定が狂ったが、初めからちょっと訪ねなければと思っていた先に、やっと出かける時間が出来たのだった。

その相手は、薬局から自転車で十分ほどの距離にある東糀谷の町工場の、従業員アパートに住んでいる競馬仲間の一人だったが、先週の日曜日は府中に姿を見せず、普段なら、ときどきぶらりと薬局へ来るのにそれもなく、月初めの四日以来もう二週間姿を見ていなかった。友人知人の類《たぐい》はほとんどない男だから、生きているのなら、いまごろは明日のレースに備えて競馬専門紙に頭を突っ込んでいるはずだった。

物井は残りのシャッターを下ろして鍵《かぎ》をかけ、半纏《はんてん》をはおったままの恰好《かっこう》で、自転車を産業道路へ漕ぎ出した。

人けのない産業道路沿いの歩道をゆっくり漕いで、歩道橋を二つ通り過ぎると、南糀谷のバス停の先で東側の路地へ入る。産業道路をはさんだ一帯は、物井が昭和二十三年にやって来たころは、埃《ほこり》っぽい道路脇《わき》に立ち並ぶ電柱がずっと遠くまで見え、かすかに潮香の漂ってくる空き地と畑と板塀の民家の間にぽつぽつと町工場のバラックが建って、旋盤やグラインダーの音を賑々《にぎにぎ》しく響かせていたものだった。それから間もなく、多摩川や海老取《えびとり》川沿いから大きな工場が建ち始め、奥へ行くほど順に規模の小さくなる町工場が建て込んで、入り組んだ路地に駄菓子屋と町工場が軒を並べているような街になった。高度成長期に、バラックは小さい事業所のビルに代わり、民家は安普請《やすぶしん》の建売住宅に代わり、空き地にはマンションが建つようになったが、物井の鼻孔に入ってくる空気の臭《にお》いはあまり変わらなかった。夜、排気ガスや埃が減ると、道路や建屋の壁から滲《にじ》み出すように臭ってくるのは、いまも油や錆《さび》の臭いだ。

このところの好景気で、東糀谷五丁目の比較的規模の大きい工場の建屋の窓にはまだ明かりがあった。小さい工場は、路地に面した入口の扉の下から漏れる明かりと工作機械の音で、まだ動いているところはそれと分かる。物井はまず、路地の一本を入ったところにあるモルタル二階建てのアパートの、二階の窓の一つを見上げ、明かりがないのを確かめて、隣の工場の建屋の前に自転車を止めた。『オオタ製作所』と書かれた入口の引き戸の下からわずかな明かりが漏れていたが、機械の音はなかった。「いるかい？」と声をかけて引き戸を開けると、作業場の奥から、松戸のヨウちゃんが顔を振り向けた。

オオタ製作所は、大田区に八千ある町工場の中では中ぐらいの規模で、社員十人を抱えてプラスチック製品用の精密金型を作っていた。百坪ほどの細長い建屋に、最新型のNC旋盤二台、ナライ付き旋盤二台、万能フライス盤二台、立テフライス盤一台、ボール盤二台、スロッタ一台が揃っており、宇宙ロケット用の部品からオモチャまで、ありとあらゆるプラスチック製品の金型を、黒鋼の塊一つから、千分の一ミリの精度で削り出している。旋盤一台で、あるいはフライス盤一台に割り出し台を付けて、自動車用のカム切削からシャフト類のミゾ切削、歯切りまで何でもやっていた物井の時代とは、生産効率も、扱う製品の範囲も様変わりだった。入口を入ったところに置いてある仕掛り品の金型などは、物井が見ても、何の型なのか見当もつかなかった。

作業場は仄暗《ほのぐら》く、奥の作業机の上に一つ灯《とも》っている裸電球の下に、ヨウちゃんは座っていた。散らかった机の上に、色とりどりの清涼飲料の缶を並べ、その端に競馬専門紙が広げてあった。「冷えるね」と声をかけると、ヨウちゃんは顔だけ振り向け、何も言わずに自分の手元に目を落とした。その右手にはマイクロメーター。左手にハンダ一本。

ヨウちゃんは、マイクロメーターでハンダの径を測ると、右手を机の上の工具用の引出しに伸ばして、ボール盤用のドリルを探し始めた。何をしているのかと思ったのも束《つか》の間《ま》、物井はハンダを机に置いたヨウちゃんの左手に目を奪われた。分厚い包帯で巻かれた人さし指と中指の二本が、短かった。第一関節の辺りから先がない。びっくりしてその左手を摑《つか》むと、ヨウちゃんは表情もなく、「事故」とだけ言った。

「いつ──」

「八日」

「旋盤か」

「ううん。同僚が金型を運んでいて。そいつが手を滑らせて、落ちてきたのが俺の手の上」そう言いながらヨウちゃんがひょいと顎をしゃくった先の棚には、大きさが一抱えはある何かの金型が置いてあった。あれが手指の上に落ちてきたのかと、物井は絶句した。

「病院ですぐにレントゲンを撮ったら、骨が砕けていた。手術する前に指が腫れだして、紫色になって」と、ヨウちゃんはこともなげに言った。

「指、動くのか」

「一応」

「金型を落とした奴《やつ》は」

「辞めた」

「警察に届けなかったのか」

「労災も下りるし。三本残っていたら、仕事は出来る」

ヨウちゃんというのは、普段からこういう喋り方しかしない男だった。生理も感情も面《つら》の皮の下にもぐりこんでいて、他人に分かるようなかたちで外に出てくることはない。七年前に高卒でこの工場に入ってきたときから、相貌《そうぼう》もほとんど変わらない。一日中、日の当たらない工場にいるせいで青白い顔は、それでもさすがに頰の肉が落ち、また数段尖《とが》って、顎の線などは十七、八の子どものように華奢《きゃしゃ》だった。それがいまは、薄暗い電灯の下でさらに弱々しく見えた。

「ひょっとして社長に、事故のことは内々にしてくれと言われたのか」物井は重ねて尋ねてみた。

「俺がいいって言ったんだ」ヨウちゃんは顔も上げずに言った。

「どうして」

「別に」

ヨウちゃんは、さっきから何をしているのか、棚の引出しにサイズ別に並んでいるドリルの刃を指でひっかき回しながら、「一・四のやつ、ない？」と続けた。

「普通のキリ？」物井は老眼鏡をずらせて自分の手を引出しに伸ばし、径一・四ミリの刃が入った小さいプラスチックケースを探し出し、渡してやった。ヨウちゃんはそのケースから、縫い針ほど細いネジレキリ一本を取り出し、くるりと椅子《いす》を回して、後ろにある小型ボール盤の主軸穴にそれをはめた。それから、作業机に並んでいたジュースのアルミ缶を一つ取り、それを逆さにしてボール盤の丸テーブルに置く。

「缶ジュースの底に穴開けて、どうするんだ」物井は声をかけたが、ひとまず返事はなかった。ヨウちゃんは手送りでドリルの先端を缶の底に合わせ、ハンドルを下ろした。アルミの粉がかすかに飛び散って、一秒で穴が開き、そこからオレンジジュースがとろりと溢《あふ》れ出した。

ヨウちゃんは、穴の開いた缶ジュースを作業机に移動させ、溢れたジュースを真っ黒な手拭《てぬぐ》いで拭った。それを置いて、今度はハンダの先を手ヤスリで削り始めた。見ておれば、尖らせたハンダの先をいま開けた穴に突っ込んで、穴を塞《ふさ》ごうとしていることは、物井にも一応分かった。

「明日の馬柱を見ていたんだけど、指が痛くてじっとしていられないんだ」

ハンダの先を削りながら、ヨウちゃんは低く呟《つぶや》いた。「腹の立つこともあるし」、と。

「腹の立つことって、何だ」

「病院で切り取られた俺の指先、手術のあとで貰うつもりだったのに、捨てられちまった。俺の一部なのに、生ゴミに出されたのかと思うと、何となくやりきれないだろ」

もし切り取られた指を貰っていたら、どうする気だったのか。「そうだなあ」と応《こた》えてはみたが、物井には、他人のせいで自分の指をなくした失意を本人がどんなふうに自分の腹に収めているのか、見当もつかなかった。

物井は作業場の隅にある洗面台から、ガラスコップ二つを取り、作業机に置いた。貰いものの洋酒の化粧箱を開けて、スコッチらしい凝ったかたちのボトルを取り出し、コップ二つに少しずつ注いだ。その間も、ヨウちゃんはニッパーでつまんだハンダの先を缶ジュースに開けた穴に突っ込もうとしながら、眉根《まゆね》に皺《しわ》を寄せていた。

「穴が小さすぎる」物井は声をかけた。「ハンダの径はいくつよ」

「一・六」

「じゃあ、穴のほうは一・五だ」物井は、工具の引出しから径一・五ミリのキリの入ったケースを探し、ヨウちゃんの手元に置いてやった。その間に、ヨウちゃんは物井が注いだウィスキーのコップを一口啜《すす》り、「美味《うま》いなあ」と囁《ささや》いて、初めてニッと笑った。

物井にはストレートのウィスキーはきつ過ぎ、一口舐《な》めたところで思わず顔が歪《ゆが》んだ。それを見ていたのか、ヨウちゃんは黙って席を立つと、洗面台からコップ一杯の水を運んできてくれた。ついでに、どこからか電気ストーブも持ってきて、物井の足元に置いた。物井はウィスキーに水を足し、ふうと一息入れた。電気ストーブで、足元も温かくなった。

その間に、ヨウちゃんは一・五ミリのキリで缶の穴を広げ、またハンダの先を突っ込みにかかった。今度はうまく入り、続けてヨウちゃんは手拭いで拭い直したハンダの栓の周囲に、すかさず瞬間接着剤を塗り付けた。それから余ったハンダをハサミで切り捨てると、缶の底から盛り上がっているハンダの頭をヤスリでへつり、さらにペーパーをかけて、その缶底を物井の目の前に突き出してみせた。

「どう？」

「そうだなあ」

表面に出来たほんのかすかな凹凸を薄いパテで補修し、その上からアルミ缶と同じ塗料を塗れば、まず素人目《しろうとめ》には分からない程度には仕上げられる、というのが物井の感想だった。いや、開けた穴を塞ぐのが目的なら、きれいに穴を削ってしまうボール盤ではなく、ケガキ針でも突き刺して、わずかでも穴の縁に幅をもたせたほうが、蓋《ふた》をするハンダとの接着面が大きくなる。自分ならそうする、とは思った。

「それ、どうする気だ」

「缶ジュースに砂でも入れて、病院の看護婦に飲ませてやる。俺の指を捨てた仕返しだ」

「『指を返せ』と書いた熨斗《のし》でもつけてやれ」物井が調子を合わせると、ヨウちゃんは気がすんだのか、小さく笑ってそれ以上は何も言わなかった。

「それより指は。まだ痛むのかい」

「少し」

ヨウちゃんはアルミ缶を置いて、広げてあった競馬専門紙を手元にひっぱった。その拍子に、新聞の下から何かの薄い冊子が机から滑り落ち、拾ってみると『PC―98シリーズ』というカラー刷りのパンフレットだった。

「パソコン、買うの？」

「安いのがあったら。これからは競馬の予想もパソコンでやる時代になるって、高《こう》が言うから」

「コウ？」

「高克己《かつみ》。信金の奴」

「あの派手なスーツの――」

「普段はふつうだ。頭の中身は複雑だけど」

「へえ」

「出来ることなら毎日、違う人間をやりたいんだってさ。月曜はサラリーマン、火曜は自営業、水曜はワル、木曜は日本人、金曜は在日朝鮮人」

ヨウちゃんは大して興味もなさそうにそんなことを言い、新聞の上にだらしなく両肘《ひじ》をついて頭を垂れた。物井もまた、信金の某について推し量ることは何もなかった。月初めに府中で見かけた男の派手な身なりにしても、具体的にどうだというわけではなく、身のこなしや眼差《まなざ》しなどの全体の印象で、その筋のように見えたというだけのことだった。

「よく話すのかい？」と尋ねると、ヨウちゃんは新聞から顔を埋めたまま、「ときどき」

と応えた。明日十八日の10、11レースの馬柱は、すでに赤えんぴつの書込みでぐしゃぐしゃだった。11レースはGⅡで、芝二五〇〇のハンデ戦。ヨウちゃんの二重丸は、斤量《きんりょう》五二キロと軽いフォロロマーノに付いていた。

「穴狙《ねら》いだなあ、ヨウちゃんは」

「追い切りのタイムがいいしよ。先行して逃げきって欲しいんだ、こいつには」

「ロマーノはちょっと疲れが出そうな感じだ。ここはやっぱり本命のジュネーブシンボリが抜け出して、それを追うのがどれか、ってとこだと思うが――」

「物井さん、シンボリ?」

「ここは一発勝負でセントビッド。天皇賞、よかったし」

「ああ、こいつ、差してきそうな気がするんだ――」ヨウちゃんの赤えんぴつは、セントビッドの上に初めから付いていた一重丸の上をぐりぐりとなぞり、「半分過ぎた辺りで、六番、七番、八番手に付けているかどうかだな――」と独《ひと》り言《ごと》は続いた。

すでに午前零時近く、少し瞼《まぶた》が重くなってきた物井の耳に、ヨウちゃんのぶつぶつ言う声が遠くなったり近くなったりした。馬柱を見始めたら朝までの、体力のある若者相手の深夜の時間は、いつもそんなふうだった。物井もしかし、いまごろ布団《ふとん》に入っても、夜明け前には目が覚め、トイレに立ったりして、その後はなかなか寝つけず、昼ごろになって逆に欠伸《あくび》が出たりする。どうせなら、もう少し遅くまで起きていて、朝までぐっすり寝たほうが健康にはいいのだった。

工場のトタン屋根の上を吹き抜ける晩秋の海風は、鋭く高い音を立てていた。物井の耳には、その音は羽田空港の向こうに広がる海の、波頭の色やかたちを具体的に運んでくるものだった。一方、足元の電気ストーブの赤く焼けたニクロム線は、垂れた瞼の下で一点の火と入れ代わり、それはやがて大きく膨らんで、炉の中で燃えるコークスの炎になったかと思うと、物井は半世紀前に自分のいた郷里の鋳造所の姿を夢うつつにまさぐっていた。

そこは、キューポラで銑鉄《せんてつ》や鋼屑《はがねくず》と鋳物《いもの》屑を溶かして鋳込《いこ》み、漁船用のエンジン部品やワイヤードラムを作る工場だった。

建屋は三百坪ほどあり、壁と屋根はトタン葺《ぶ》きで、下は砂地のままの地面だった。キューポラを据える場所だけ高くなっている屋根には、熱を逃がすための隙間《すきま》があり、そこから火の粉混じりの煤塵《ばいじん》と異臭を逃がすのだった。その屋根の隙間から雨や雪が落ちてくると、建屋のなかでは二つある五トンキューポラに当たって水蒸気が弾《はじ》け飛び、送風ファンが唸《うな》りを上げる。その下で、旧式のキューポラはいつも割れるような音を立てて震えながら燃えていた。

そこでの十二歳の見習い工の仕事の一つは、燃え具合を調整するための追込めコークスを台車に載せて運ぶことだった。十四のころには、指示通りにそのコークスを炉の装入口から放り込む作業に就き、十六になると、自分で火加減を見ることが出来るようになった。キューポラを燃やすのは時間との勝負で、送風量のちょっとした過不足でベッドコークスが燃え過ぎたり、不完全燃焼したりする。コークスと地金の詰め方が悪いとやはり熱効率が下がって、溶湯温度が低くなってしまう。うまく燃えているかどうかは、溶けた鉄が滴下し始めるまで分からない。そして、一五〇〇度の溶湯が淡い黄色の光を放って炉の流出口から垂れ始めると、年長の工員たちが容器に溜《た》めて、地べたに並べた鋳型に次々に流し込んでゆくのだった。

鋳物は重く、硅砂《けいさ》で固めた鋳型も重く、鋼屑などの地金も重い。工員たちは皆、上半身に筋肉が付き、手の皮は炭焼き夫より黒く、分厚かった。

鋳造所のあった八戸港は、物井が見習い工になった昭和十二年にはすでに市営魚市場の大屋根や製氷冷凍工場が連なり、数百隻《せき》の漁船が並ぶ岸壁の後ろには、造船所や鉄工所や鋳造所が集まって、日がな一日、路地は造船の槌《つち》音や旋盤の火花や、魚を運ぶ荷馬車の音、行き交う出稼ぎ漁民の声などがひしめき合っていた。マグロが揚がる朝には殺気立った競《せ》りの気配で目が覚め、鰯《いわし》や秋刀魚《さんま》の大漁があると、雑魚《ざこ》に群がるウミネコの、潰《つぶ》れた鳴き声でやはり目が覚めた。ほどなく漁港のすぐ隣に砂漠のような三〇〇〇トン岸壁が完成すると、開けっ放しの鋳造所の窓からは、鉱石や穀類を積んだ大型貨物船の接岸する姿が見えるようになり、荷役の人夫たちの大声が聞こえ、岸壁の引込線をゆく貨物列車の噴き出す煙と蒸気が、作業場まで流れ込んできた。

キューポラの装入口は二階屋ほどの高さにあり、梯子《はしご》に乗っていると、窓からはときどき工場の裏の車道を通ってゆく出征兵士の行列の、見送りの小旗の先だけが倉庫の屋根越しに見えた。また、昼ごろに決まって窓の外を通ってゆくのは、鉄工所を回って屑鉄を集める寄せ屋の荷車で、その男はいつも眠たげに「あいやぇ、あいや」と喉《のど》を鳴らしていた。夕方には裏口に物売りの女が現れ、社長の内儀《おかみ》さんが出ていって、晩飯のおかずに鯨肉や身欠き鰊《にしん》を買う。その女が来ない日には、おかずは寒大根か玉菜の万年汁と鰯だった。

工場の作業は日が落ちるころには終わるが、その後まだ、毎日のキューポラの補修の仕事があった。そのころには喧騒《けんそう》の退《ひ》いた真っ暗な港は海風の巣になり、沖がかりに停泊している大連航路の貨物船の灯火が、夜道の提灯《ちょうちん》のように揺れ始め、風の渦はやがてトタン屋根を鳴らして工場まで押し寄せてくる。キューポラの内側の耐火煉瓦《れんが》にこびりついた酸化物の滓《かす》をかき落としながら、静けさがじんと頭の芯《しん》に響いて上を見上げると、屋根の隙間から落ちてくるぼたん雪は、工場のすぐ裏手を走る八戸線の鉄路に降り、バス道に降り、バスで一時間ほどかかる山間《やまあい》の村にも降っている雪だった。夏は、屋根の隙間から落ちてくるのは蛾《が》とコガネムシだった。

夏の八戸は、市街の草地も、そこからバス道沿いに山へ広がってゆく田畑も、むせるほどの緑一色になる。盆休みに村へ帰る日は、朝、一張羅の白いシャツとズボンと靴下を下ろし、前の日に散髪した丸刈りの頭に麦わら帽子を載せ、内儀さんが持たせてくれたスルメと干物の入った風呂敷《ふろしき》包みを手に、工場を出発するのだった。

あれは昭和十六年の夏だったか、村へ帰る途中のバス道で、物井は、村の実家で立分けで飼育していた牝馬の駒子《こまこ》が馬喰《ばくろう》に引かれてゆくのを見た。地主は、年老いて子馬を産めなくなった駒子をとうとう手放したのだ。駒子は物井が生まれた年にやって来て、ずっと一緒に寝起きしてきた馬だった。昭和十二年に兄の清一が出征したとき、自分が帰るまで手放さないでくれと頼んでいったが、そのころから死産や難産が続いていたのだった。バスの車窓からそれを見送る間、急にすきっ腹が震えだすような、身体《からだ》じゅうがわななくような思いに襲われながら、物井はじっと目を見開き続けた。子馬を産めない牝馬は食用にするしかないが、駒子を肉にして食うのも、肉を売った金を手にするのも自分たち小作農ではないのだと、あらためてぼんやり考えたりもした。そうして思案げに垂れた頭を軽く左右に振り振り、田畑の緑濃いバス道を引かれていった駒子の姿は、未来なんかどこにあるのだろうという唐突な思い一つと結びついて、物井はその後、しばしば思い出したものだ。

戦中、鋳造所は産業報国会の指定工場になって手榴弾《しゅりゅうだん》の器を作っていたが、敵は栄養失調ですかすかの自分の身体だった。土嚢《どのう》でも背負っているようなだるさのなか、戦況などついぞ知らなかったが、次第に地金や燃料が入りにくくなってくる一方、いつの間にか大型漁船は輸送船団に駆り出されていなくなり、統制で魚市場の競りが絶え、三〇〇〇トン岸壁に入る貨物船が日に日に減っていく港には、代わりに、蕪島《かぶしま》の砲台建設に通う女学生たちの長い行列が連なっていた。

昭和二十年の春には、近所に残っていた男たちは皆、八戸守備の混成団に編成されていなくなり、工場には社長の金本と、片目の不自由な物井の二人しか残っていなかった。キューポラは錆《さ》びつき、仕掛り品の棚も原料置場もからっぽだった。防空演習や勤労奉仕の土木作業だけで過ぎていく一日一日はしかし、一面では生きることに意味付けが要らない、奇妙に心静かな月日だったかも知れない。八月の盛暑、工場の近くの草地に物井が作っていた畑のカボチャは直径十センチに育ち、その間から点々と顔を出した彼岸花が真っ赤だった。あの年も、その辺りの田んぼの稲の穂に実は入っていなかった。

二十歳で終戦を迎えたとき、物井の目に映った世界の印象は、一口に言えば、一夜にして崩れた城からちりぢりになって這《は》い出した蟻《あり》の群れだった。才覚のある蟻はさまざまに機転をきかして肥え太り、気がつくともうその辺にはいなかった。一方、才覚のない蟻には、その日食べるものを手に入れるだけで精一杯の、出口のない日々がそのまま残ったのだ。

実際、終戦から半年経《た》っても一年経っても、銑鉄や鋼屑などの物資は出回らず、工場は動かなかった。社長の金本は戦中に物資を隠すほど気がきく人物ではなかったから、闇《やみ》で食いつなぐような蓄えもなかった。復員してきた工員たちは一人去り二人去り、二十一年の夏にはまた、社長と物井の二人だけになって、工場にはコークスの燃え滓がバケツ一杯、湯口などの鋳物屑がほんの一山残っているだけ、という状態に逆戻りした。社長が仕事や原料を回してもらうために出歩いている間、物井は内儀さんと二人で畑を作り、港の日雇い仕事にありついたりして、かろうじて自分と金本一家の口を養ったが、そのうち何とかなるだろうという希望は日に日に小さくなり、代わりに、自分も工場も、もうどうにもならないのだという思いが少しずつ根を下ろしていった。

そして、昭和二十二年の晩秋のことだ。社長に呼ばれて事務所に行くと、社長は金庫から大瓶のビール一本を取り出して机に置き、「こったただものでも、飲むべぇ」と言った。統制品ではない、金色の鳳凰《ほうおう》が翔《と》ぶ日之出の商標の付いた、ほんものの日之出ビールだった。おおかた、統制になる前にどこかで手に入れ、置いてあったものに違いない。そして、すすめられるままにコップ一杯のその古いビールを啜《すす》った後、物井は、工場を処分したいので辞めてくれと告げられたのだ。十年の奉公がビールの泡と消えたとはいえ、誰の責任でもなく、そういう時代なのだということは物井も分かっていた。社長を問い詰めてみたところで、どうにもならないと諦《あきら》めて、物井は頭を垂れる以外に、何を言ったわけでもなかった。

しかしその夜、物井のなかで一世一代のとんでもない飛躍が起こった。気がついたとき、物井はいつの間にか夜中にキューポラの送風機の重油を抜き取って母屋《おもや》までバケツで運び、片手には鉄の火かき棒を握っていた。そのときたまたま、古いビールのせいで下していた腹が痛み出して便所に駆け込むことになり、そこでやっと我に返ったが、もし便所に行っていなかったら、金本社長の一家四人を殴り殺して工場に火をつけていたところだった。

どこからやって来たのかも分からない激発に物井はおののき、言葉を失った。自分ではおとなしい人間だと思ってきたが、ほんとうは一つ間違ったら何をするか分からない悪鬼がいたというのは、二十二年の人生をそっくり覆《くつがえ》すほどの驚愕《きょうがく》になり、ひとまず、昨日までの長い貧窮も空腹も消し飛んでしまった。俺は恐ろしい男なのだと自分に言い聞かせて震え続け、父母には悪いが、俺は生まれてくるべきではなかったとまで思い、泣いた。

物井はやがて、こんなことは最初で最後だ、もう二度とないと思い直して自分を納得させたが、激情が退いてしまった後にやって来た虚脱感の深さはまたひとしおだった。そしてそのとき、便所の小窓の外で白んでいく空を眺めながら、生まれて初めて自分の人生ということを考えた結果、俺は牛馬かと思った。村の実家の煤《すす》けた土間から始まってここに至るまでの、この生活のすべてに沁《し》みていた希望のなさやひもじさを、まとめて思ったのもそのときだった。

早朝に風呂敷包み一つの手荷物をまとめて工場を出たとき、金本一家の末っ子の義也が「にっちゃん！　にっちゃん！」と追いかけてきたが、物井はもう返事をしなかった。その日、海辺を走る八戸線の線路とその脇《わき》のバス道は薄く雪を被《かぶ》っており、まだ枯れ切っていない草が茫々《ぼうぼう》と蒼《あお》かった。物井はそこを歩きながら、村のバス道を引かれていったあの駒子の後ろ姿と自分を重ね、未来はどこにあるのだろうと自問し続けたのだ。

そうか、あれが日之出ビールだったか――。

はるか昔の味一つが甦《よみがえ》ってきたところで胃袋がぴくりと動き、物井は、我に返った。

肘《の》の下でよじれていた新聞を押し退け、また一口、生ぬるいウィスキーを啜った。

そういえば、四十三年前に一度だけ顔を出した悪鬼のことを思い出したのは久しぶりだと思い、いまさらと唾棄《だき》しながらも一瞬身震いを新たにして、もう一口ウィスキーを啜った。

ヨウちゃんは相変わらず紙面の上、二十センチのところへ頭を垂れていたが、その目はいまは馬柱を見ていなかった。紙面の上に置いた左手の、不揃《ふぞろ》いな五本の指の、さらにその向こうの見えない何かを見ているような、放心とも集中ともつかない目だった。

ヨウちゃんはときどき、そうしてぼんやりしていることがあるのだが、何とも無色透明というか、表情のなさもここまで来ると鬼気迫るような感じもなくはなかった。

「ヨウちゃん、どうした」と物井は軽く声をかけた。

「俺さ――、今朝、火をつけてきたんだ」と、これまた何の抑揚もない声でヨウちゃんは応《こた》えた。

「どこに」

「俺の手の上に金型を落とした奴《やつ》の家」

「家に火をつけたのか――」

「ほんとうは外へ呼び出して殴ってやろうと思ったんだけど。それも面倒になってきて」そんなことを呟《つぶや》きながら、ヨウちゃんは目の前にかざした自分の左手を眺めていたが、その目には相変わらず何の色もついていなかった。

「人間の身体なんか、ちょん切れた指は生ゴミだし、死んだら丸ごとガス炉で燃やすんだろ。そんなもの、殴るほどの価値もない」とヨウちゃんは独りごちた。

「価値、って何だ」

「百円とか、千円とか、値札がつくこと」

「だったら、人間の頭にも価値はないってことだ」

物井はそう応じたが、ヨウちゃんの頭はまた新聞の上に垂れてしまっていた。聞いていないのかと思ったら、しばらくして「頭の中身を全部かき出して、代わりに砂でも詰められたらいいな。さらさらの真っ白な砂……」という呟きが返ってきた。

施設で育ち、工業高校を出て就職して七年。同年代のサラリーマンより高い給料を取れるようになっている自分のいまを、頭に砂を詰めたいとのたまうような男が、何をどう考えているのか、物井には正確なところは理解も出来なかった。若者の言葉でいう《キレている》とは、こういう感じかも知れないが、それにしてもヨウちゃんのキレ方は、ひときわ清冽《せいれつ》のような、酷薄のような、危ういような、だった。

そういえば同じ年代でも、裕福な家庭や両親の愛情や将来の展望の全部がそろっていた孫の孝之には、何があっても自分の頭に砂を詰めるというような発想はやって来なかっただろう。ふと、そんなことを考えながら、あらためて、新聞の上に屈《かが》んでいるヨウちゃんの小さい頭に見入った。

「ところでその家、どのぐらい燃えたんだ」

「玄関の軒先だけ」

「確かだな？」

「ああ」

「ともかく、二度とするんじゃないよ」

物井は無言の若者の肩を軽く撫《な》で、丸椅子《まるいす》から腰を上げた。ヨウちゃんが誰かの家に火をつけたといっても、四十三年前の自分の暴発とはだいぶん中身も意味も違うような気がし、物井としては、二度とするなということしか言えなかった。

寒風しか残っていない産業道路を自転車で戻る間、覚醒した身体のどこからか、故郷の風雪や草の物音はまだ少しずつ噴き出し続けていた。八戸の鋳造所を去った三日後には、物井は実家の父母が工面した米一升をリュックに入れて、青森駅から上野行きの汽車に乗っていたのだった。ヤミ米や芋を懐《ふところ》に入れた乗客で足の踏み場もない汽車に詰めこまれている間、失意や不安はあったが、その一方でふわふわした解放感に浸されていたのを物井は思い出す。十二歳で初めて八戸へ奉公に出た日も、父親に連れられてバスに揺られながら、やはり似たような思いをした。バス道も鉄路も、自分をどこかへ連れ出してゆく道でさえあれば、その先に何があろうといっこうに構わなかったのだ。

しかし、あの日から四十三年。数万杯の飯を食い、数万回の糞《くそ》を出してきたこの自分は、いったいどこへ抜け出したというのか。それを考え始めるといつも、半世紀以上の月日が一挙に空洞にかえり、身体中を風が吹き抜ける。自分はどこへも抜け出せなかったという控えめな結論は、もう久しく物井の頭にあったが、新しく出直す時間はないところまで来たいま、自分が故郷にいたころよりもっと深い虚空《こくう》に立っていると感じることも、なきにしもあらずだった。

出口のない遠心分離器の中で半世紀も回り続けたら、どんな複雑な液体もばらばらに分かれるだろう。そこから一つ一つこぼれ落ちてくる戸来村の生家の土間、稗《ひえ》畑、炭焼きの煙、皺《しわ》深い父母の顔、頭を垂れた駒子、寒大根、八戸の鋳造所のもろもろがあり、それらにへばりつくやませの冷たさや草の青臭さがあり、さらにそれらのすべてが入っていた自分の身体一つがあるだけだった。ついぞ未来を知らなかった自分の身体一つの、御しがたい重さを感じながら、物井は羽田の交差点まで辿《たど》り着き、商店街の方へ折れた。

そのときだった。薬局の前に単車が止めてあり、顔見知りの派出所の巡査が振り向いて、「ああ、物井さん」と片手を上げた。「さっき、成城署のほうから連絡があったんですが、秦野美津子というのは娘さん？　娘さんと連絡は取れます？　取れなければ、代わりにちょっと来ていただけませんかね」

「娘が何か」

「いや、ご主人のほうです」

「秦野浩之が——」

「小田急線に飛び込んで即死だそうで」

物井は、とっさに誰の顔も思い浮かべることが出来ないまま「はあ」と応《こた》え、「お勤めご苦労さまです」と頭を下げた。その対応のどこが変だったのか、巡査は拍子抜けしたような怪訝《けげん》な顔をし、病院名と、娘への連絡を任せる旨《むね》を告げて、「じゃあ——まあ、よろしく」と単車にまたがった。

巡査が走り去ったあとの路地には、斜め向かいの酒屋の自販機の、日之出ビールの商標が光っていた。四十三年前に八戸の鋳造所で見たのと同じ、金色の鳳凰の商標がそこにあるというのは、あらためて不思議な感じがした。未来はやはりなかった、自分はどこへも抜け出せなかった、と物井は思ってみた。

第二章　一九九四年――前夜

1

日曜日の朝、物井は取り込んだ新聞の一面に『小倉グループ、今日にも強制捜査』の見出しを見た。ざっと記事に目を通して新聞を置き、冷蔵庫からネギと油揚げを探し出して味噌汁《みそしる》を作り始めると、半田修平が電話をかけてきて、《小倉の記事、読んだか？》と言った。

小倉への強制捜査はこれで三度目だった。今回は、八六年から八九年にかけて小倉運輸株を買い占めた仕手グループ《竹光《たけみつ》》の代表新井公浩が、小倉運輸の役員に就任した直後の九〇年初め、小倉に対して取得株の買取りを要求した際の恐喝容疑。新井は、小倉に対する別の恐喝容疑で、すでに二年前に逮捕、起訴されている。

記事には『地検特捜部が、再三の強制捜査に踏み切った背景には、九一年の問題発覚当時、《竹光》の取得株買取りに応じた小倉経営陣に対する特別背任容疑での訴追が見送られた経緯があり、すでに同件の時効が成立している現在、一連の小倉疑惑の金の流れを解明するためには新井被告の取調べが不可欠との判断があったと見られる』とあった。記事はさらに、『今回の小倉への強制捜査は、小倉のメインバンクであった旧中日相銀（九一年、東栄銀行に吸収合併）が経営難に陥っていた九〇年、自民党の大物政治家がその自主再建支援を約束したとされる、いわゆる「Sメモ」疑惑の捜査が進展しないなかで行われる。旧中日相銀グループが、九〇年に小倉開発に対してゴルフ場用地買収と開発費名目で融資した一二〇億のうち、三〇億円が出資法違反に問われている事件で逮捕、起訴された旧相銀元常務安田幸一被告、同元監査役坂上辰雄被告の公判の行方にも、微妙な影響を与えるのは避けられない』と続いていた。

「一応読んだけど」と物井は言い、半田は《何の足しにもならん記事だったな》と、物井の言葉の後を受けた。

巷《ちまた》で小倉・中日相銀疑惑と呼ばれている一連の事件は、本来なら物井にも半田にも無縁の世界になるはずだったが、それなりにこうして関心を払わざるを得ないのは、どちらも秦野浩之がらみの事情だった。

九〇年十一月に秦野浩之が自殺したとき、物井は警察に呼ばれ、いきなり岡村清二とはどういう関係か、岡村はどういう人物か、最後に会ったのはいつか、岡村が昭和二十二年に日之出ビール宛《あ》てに書いた手紙を知っているか、などと聞かれてひたすら困惑した。生前、秦野浩之が岡村清二の古い手紙をあるところから入手し、その手紙をテープに吹き込んで日之出に送ったという経緯を知ったのも、そのときだった。この歳《とし》になって、心境の変化などもはや起こるものではないと思っていた物井だが、その時点で顔も思い出せなかった実兄岡村清二の手紙は、物井の胸にちょっと波風を立て、以来、警察で見せてもらったテープ起こしの文面を胸の引出しにしまい込んで、所在なく仏壇の前に座り込むことも多くなった。

その後、四十九日の法事の席で、物井は半田から、秦野が日之出ビール宛てに手紙やテープを送った件の捜査を担当していたのは自分なのだと聞かされた。半田の話では、秦野に岡村清二の手紙を渡したのは総会屋だということだったが、総会屋が四十年以上も昔に日之出ビールに宛てられた手紙を持っていた事情や、それを秦野に渡した事情等々肝心の点については、自分も分からないのだと半田は言った。

半田はさらに、その総会屋が当該の手紙を秦野に渡したとき、初対面の歯科医を相手に、中日相銀と小倉運輸の経営難に言及したらしいという話もした。一連の小倉・中日相銀疑惑についての物井の関心は、そこが原点だった。

一方、当の半田は、なにしろ日之出ビールの告訴を受けて秦野に事情を聴きにいったその日に秦野に死なれて、上からさんざん絞られたというから、疑惑の内容に関心があるというよりも、その辺の釈然としない気分の問題が大きいようだった。普段なら絶対に漏らさないだろう捜査の話を、物井相手に縷々《るる》吐露したのも、おおかたはそういうことだったろう。

ともかくそういう事情で、二人して新聞記事にはとくに目を配ってきたのだが、小倉・中日疑惑と、歯科医と、歯科医に接触した総会屋と、岡村清二と、そして日之出ビールを結ぶような奇怪な線はいっこうに見えて来ず、物井自身はそろそろ興味を失い始めていたというのが、正直なところだった。

しかし、半田は違う。生来しつこい性格だと自分で言うとおり、たった今《何の足しにもならない記事だ》と言ったそばから、《こんなふうに地下で回っている金の話は、あの信金の野郎が詳しいだろうな。あいつ、今日は府中へ来るかな?》と尋ねてきた。

「天皇賞だもの。来るだろう」

《今日は俺も行くよ。天皇賞はビワハヤヒデか、ナリタタイシンだろ?》

半田は、秦野の自殺以来、仕事の成績がぱっとしないようだった。去年蒲田《かまた》署へ移り、また少し忙しくなったと本人は言っているが、勤務を抜けて府中へ行くというのなら、忙しさもそこそこに違いなかった。

それから半田は、思い出したように《ところで、興信所のほうは──》と話題を変えた。物井は「秋川市のホームに、それらしい年寄りがいるという話もあるんだが、どうせまた人違いだろう」と応《こた》えた。

去年の盆に八戸へ墓参りに帰ったとき、物井はついでに岡村清二の墓へもお参りをと思い、岡村商会に墓の所在を尋ねると、清二からの音信は、昭和二十八年ごろに東京からよこしたハガキを最後に途絶えたままだと言われた。八戸に戸籍も残っているということで、物井はそれならばちょっと清二を探してみようかと思ったのだった。そういう次第で、年が明けてから、興信所に頼んだのだが、三カ月経《た》ってもはかばかしい進展はないし、もうあまり期待もしていなかった。

《見つかるといいな》

「うん、まあ」

《じゃあ、府中で》と言って、半田は電話を切った。

その後、すぐに店の呼び鈴が鳴り、外へ出るとゴルフの恰好《かっこう》をした金本義也がベンツを止めて立っており、「にっちゃん、朝鮮人参《にんじん》食って元気つけてくれ」と紙袋を突き出してきた。また韓国で賭博《とばく》をやってきたのは聞くまでもなく、「一応元気だけどね。ありがとう」と物井はそれを受け取った。ベンツには一緒にゴルフに行く男が一人乗っており、物井のほうへ軽く会釈《えしゃく》だけよこした。義也が付き合っているやくざの顔はいくつか知っているが、今日はいつ見ても陰気な顔をしている、ホクロ男だった。

そうして義也がゴルフに行ってしまった後、物井はやっと味噌汁と佃煮《つくだに》で朝飯をすませ、休業日の薬局の前をちょっと掃除してから、普段より早い九時前には自宅を出た。

四月二十四日のその日は、競馬の開催地が中山から府中へ移って二日目だった。久しぶりに仲間たちの出足はよく、まだ昼にもならない時刻から、何となくいつもの顔ぶれが二階正面スタンドの一角に揃《そろ》った。阪神競馬場で春の天皇賞があるため、普段より人出は多めだが、そのほとんどが眼下の序盤戦のレースよりも、手元の競馬新聞へ目を落としており、昼前のスタンドは、一レース毎《ごと》の歓声もまだまだ小さかった。

半田は、電話で言っていたとおり、姿を見せるやいなや先に来ていた信金の高克己をつかまえて朝刊を突きつけ、「これ、解説してくれ」と言い出した。

高は、半田の突き出した紙面に横目をくれ、「捜査もいよいよ行き詰まったってことだ。政治家に流した裏金の証拠なんか、誰が残すもんか」と鼻先の返事をした。

「その辺の錬金術の手口を教えろ」と半田が畳みかけると、高は、今度は「まず元手だ」と混ぜ返して話には乗ってこず、代わりに布川のレディが「おぉあぁいぃ」と叫び出した。

娘は相変わらず元気で、上半身をねじり、頭をぐるりぐるりと回して喉《のど》を鳴らしていた。その右隣から手を伸ばした布川が、娘の口にちぎったクリームパンを突っ込んだが、それは涎《よだれ》と一緒に吐き出されて、娘の膝《ひざ》の上に落ちた。娘の足元はパンくずだらけだ。

「ほら、もう要らないって」物井は娘の左隣から手を出して、布川からクリームパンの袋とタオルを取り上げた。タオルで娘の口許《くちもと》を拭《ぬぐ》ってやる間、娘はまた「おぉあぁいぃ」と叫んで、嬉《うれ》しそうにベンチの上でどすんどすんと跳ね、物井の向こう脛《ずね》を蹴飛《けと》ばした。十六になった娘は、背丈は大きくないがそれなりに脂肪がついて、土日に施設から家に戻されてももう女親の手に負える重さではなく、下の世話一つまでが男親の肩にかかってくる。おかげで屈強な布川も近ごろは腰痛《ようつう》で眠れないらしく、大して不平を漏らすわけではないが、男盛りの背は少し小さくなったようにも見えた。その布川は、これ幸いにしばし娘をうっちゃって、広げた自分の新聞の上で欠伸《あくび》を漏らしていた。

「おぉあいぃーっ」と娘はまた喉を振り絞った。

「障害？　うん、次は障害だ。どれが走りそうかな──」物井がそう娘に応えてやると、娘は首を歪《ゆが》めて馬場のほうへ額を突き出し、〈アレ〉と指し示した。返し馬でゴール前正面を駆けていく馬には⑥番のゼッケンが付いており、新聞で確かめると一番人気のハイビームだった。へえと思い、物井はすぐ後ろの席にいる仲間三人の方へ顔を振り向けた。

「おい、レディが次は⑥だって。誰か、買えよ」

「馬連で⑥—⑪。絶対いけるよ、今日は」

そう応えたのはヨウちゃんだったが、何のことはない、天皇賞の話だった。新聞の上に頭を落として赤えんぴつを握りしめているヨウちゃんの横から、高が「物井さん、馬連で⑥—⑪、枠連で⑥—⑧。今日は有り金はたいても、損はしないって」と言い、さらにその横から、半田修平が「元手は、こいつの信金が無担保で融資してくれる」と口をはさむと、高は口許を軽く歪めて「ヘッ」と笑った。その笑い方は、ちょっと独特の雰囲気だ。

高克己が仲間に加わるようになったのは三年前の春先、高騰《こうとう》を続けていた株価と地価がついに反落に転じて間もなくの時期だった。世間は一気に景気後退一色になり、急に金融機関もひまになったのか、高は日曜日毎に競馬場にやって来て、ヨウちゃんと一緒に一階馬券売場の柱の下に座り込むようになった。高がヨウちゃんと気が合った理由は単純で、「こいつ、金の話をしないから」ということだった。

高が自分で話したところによると、親の望み通り慶應を出、親の知り合いに請《こ》われて信金に就職し、貸付業務一筋でやって来て、毎晩午前零時前に帰宅したことがなかったという生活が十年。全支店中トップの営業成績で走っていた九〇年初め、胃潰瘍《いかいよう》で吐血して病院行きになり、二カ月入院して職場に復帰したら、もう元の居場所はなかった。金融機関というのは、そういうところらしい。そうして預金業務に配置転換になり、会員外の一般顧客から月々一万、二万の預金を細々と集めて回る日々になって、「人生が楽になった」と言う高克己は、実際、しごく平凡な勤め人の顔をしていたものだった。

その一方で、半田曰《いわ》く「ホストクラブか、温泉旅館の歌謡ショーだ」という高克己の今日の身なりは、イタリア製のダブルのスーツに、目をむくような黄緑色のネクタイだ。いくらかは、手広くパチンコ店やレジャービルを経営している実家の会社の従業員や、出入りの企業舎弟の面々の手前、堅気ぶっていてはなめられるために、それらしく振舞っている部分もあるらしいが、そうだとしても、物井には依然、身に染《し》みついたその筋の臭《にお》いのようなものが感じられ、その筋だという最初のころの印象もまた、やはりそのままなのだった。

とはいえ、それらはみな、日本人に対しては心情的に拒否反応があり、「在日の同胞とは価値観も話も合わない」という高の、それなりに難しいに違いない内面を差し引いての話ではあった。刑事の半田や元自衛官の布川は、相手が在日朝鮮人というだけで、単純に一線を引いているような素振りもあった。

「だったら半田さん、一〇〇万貸してやるから、儲《もう》けの三割、バックするか」と、後ろで高の声がした。

「ほかのカモを探すんだな」と半田は吐き捨て、高はまた「ヘッ」と笑い、その二人の隣では、ヨウちゃんが携帯ラジオのイヤホンを耳に入れたまま新聞を睨《にら》み続けていた。布川は何回目かの欠伸をかみ殺しながら、三つほど離れた席に陣取っている若い娘のグループのほうへ窺《うかが》うような目を流し、眉間《みけん》に皺《しわ》一本を作る。ここ二、三年、競馬も健全な青少年の娯楽になったとでもいうのか、小娘や学生風情《ふぜい》の若者がずいぶん増えたが、もう十年も前から競馬場通いのレディのほうは、ベンチを揺すっての上機嫌だった。

眼下の馬場は、ダート三一〇〇メートルの障害レースがスタートした。物井たちはそれぞれちょっと頭を上げ、曇天の下のダートを走り出す馬たちを眺める。跳躍する馬と騎手の動きは、遠目に眺めるとクランクシャフトが回るようなぎくしゃくした感じだった。一周目の4コーナー手前で、誰か一人が転落すると、落馬を怖がる娘の喉から悲鳴が飛び出した。

スタンド前を駆け抜けた馬群は、スローペースで二周目の向こう正面を流れてゆく。

⑥番のハイビームが真ん中辺りから伸びてくる。「ほら、来た来た」と物井は娘の背中を叩《たた》き、娘は大きく首を回して何か言う。4コーナー手前の最終障害でまた落馬が相次ぎ、さらに二頭減って、最後の直線にかかった十頭の追い込みは、ハイビームが抜け出てゴールインした。

「ほら、⑥番が勝ったよ」物井は娘に声をかけたが、目の前で落馬を見た娘は下を向いた頭をふらふらさせてぐずり出し、布川が「いい加減にしろ」と低く怒鳴った。

後ろでは、しつこい半田が「そもそも何百億もの金が、どうしてこれだけあっちこっちへ動かせるのか、そこを説明してくれ」と高に話しかけていた。物井は、今度はそちらのほうへちょっと耳をすませる。

「金は、回さなきゃ儲からん。回すたびに誰かが潤《うるお》う。だから回すんだ」という高の声が聞こえた。

「たとえば中日相銀の場合、誰が、どうやって金を回して、誰が潤ったんだ」

「みんなで回して、みんなそれぞれ潤ったのさ。いいか、奴《やつ》らはまずつけ入る火種を探す。中日相銀は、経営難、粉飾決算、筆頭株主の創業者一族と経営側の内紛、と三拍子揃っていた。次に、出来レースのシナリオを作る。それに乗る奴らに声をかける。計画が出来上がる。あとは実行だ」

「創業者一族がある日突然、持株を第三者に売り渡したという、あれか——」

ああそうだったと、物井も世間で報じられている経緯をちらりと反芻《はんすう》した。創業者一族が、田丸善三という政商を仲介に立てて持株を第三者に売却したことで、その第三者に乗っ取られる窮地に立った相銀の経営陣に、支援を約束したのが自民党の大物政治家《S》だ、と言われている。

また、支援の見返りに《S》には金が流れたという話もあり、その裏金作りに利用されたのが、ゴルフ場用地の買収と開発費の名目で、中日相銀グループが小倉開発に対して行った一二〇億の不透明な融資だ、と言われている。すでに逮捕されている中日相銀の幹部二人の直接の容疑は、その融資に関わるものだ。ちなみに一二〇億のうち、出資法違反に問われている三〇億は、新聞によれば、系列ノンバンクから小倉開発に融資されており、その件が迂回《うかい》融資や、根抵当権を設定する際の登記の書類の不備などで摘発されたのだった。小倉が購入したゴルフ場用地は、もともと一〇億ほどの価値しかない山林だったということで、もちろんゴルフ場は建設されなかった。《S》の支援もなかった。

そして、一連の金の流れは行き着くところに行き着いた。創業者一族から株を譲渡された竹村喜八なる第三者は、しばらくして東栄銀行に株を売り渡し、中日相銀はついに九一年、東栄銀行に吸収されたのだ。高克己の言うとおり、初めから何者かの筋書き通りの展開だったのは明らかで、相銀の創業者一族と、持株を譲渡された竹村喜八と、東栄銀行と、政商田丸善三と、政治家が、みんなでつるんで金を回したということだった。

「だったら、そもそも竹村喜八に、一族の株を買い取る資金を融資したのは、どこだ」

と半田の声は続いていた。

「竹村なんて、田丸善三の盟友だから、岡田経友会の一声で、融資なんかどうにでもなる。それこそ担保なんか関係なしでな」

「一族と竹村と東栄と永田町を全部つないでいるのは、田丸善三か。奴がシナリオを書いたんだな？」

「田丸なんて、刑事が口に出す名前かよ」と高はまず返したが、半田のほうは委細かまわぬしつこさで、素人《しろうと》の疑問を繰り出し続けた。

「だったら、仕手筋の《竹光》が小倉運輸株を買い占めたのも、シナリオのうちということか」

「本筋のシナリオとは別だろうが、どのみち、みんなどこかでつながって、適当に融通しあっているんだ。一口に、小倉運輸株を三千四百万株買い占めたと言っても、半端な買い物じゃないからな。八八年から八九年の株価が一二〇〇円平均として、ざっと四〇

○億。この資金を《竹光》の新井公浩に融資した東進ファイナンスは、東栄系列だ」
「四〇〇億か——」

「それが元手だ。新井は、仕手戦で株価を最高値一九〇〇円近くまでつり上げたところで、買い占めた株を売り抜ける代わりに、いくらか安い価格で、小倉運輸と、メインバンクの中日相銀に買取りを要求した。新聞に六一二億円とあるから、逆算したら、一株一八〇〇円ぐらいの計算になるかな。元手四〇〇億で、実入りが二〇〇億。これが《竹光》のような手合いの商売だ」

「《竹光》の新井の要求はごり押しとしか思えんが、小倉も相銀も、弱みを握られて断れなかったということか」

「何が弱みだ。小倉にしろ相銀にしろ、裏の世界に手を出して、うまい汁を吸うときはさんざん吸ったんだ。田丸もそうだ。《竹光》もそうだ。弱みというんなら、みんな相身互いだ。大損しない範囲でもちつもたれつ、顔を立てたり立てられたり。その上で、嵌《は》めるか嵌められるかの真剣勝負をやっているんだよ、奴らは」

「奴らの世界では、恐喝が真剣勝負か」

「新井公浩のことを言っているんなら、奴は少々根回しが足りなかったというところだな。いまごろ田丸あたりが弁護士を通して、拘置所の新井に後始末を迫っているぜ、きっと」

半田は少し間を置き、「それにしても詳しいな、あんた」と呟《つぶや》いた。高はその一語をどう受け止めたのか、間延びした声で「俺も、似たような空気を吸って育ってきたからな」と応《こた》えただけだった。

半田はその場で応える言葉が見つからなかったか、あるいは興味が失《う》せたのか、応答の代わりにベンチの背を新聞で叩きつけ、話はそこまでだった。

馬場では、第6レースに出る馬たちがパドックのお披露目をすませて、もう返し馬のために姿を見せ始めていた。いつの間にか正午も過ぎており、さっきは要らないと言っていたのに、また腹が空《す》いたという娘の口に、物井はちぎったパンを運んだ。布川は眠たげな目を馬場へやったまま、娘のほうは見てもいなかった。その布川の代わりに、ヨウちゃんがいつものように娘の飲む牛乳を買いに立っていった。何を考えているのか分からないが、ヨウちゃんは意外に娘の面倒をよく見る。

春らしい穏やかな曇天の下を行く四歳馬の伸びやかな肢体と、涎を垂らす娘の口許を交互に眺めながら、物井はまたふと、小倉と旧中日相銀の話を思い返し、いったい関係者の中で損をしたのは誰なのだ、と思った。食い荒らされたといっても、旧相銀も小倉も、個々の社員が借金を抱えたわけではなく、職を失ったわけでもない。逮捕された旧相銀の元役員二人にしても、せいぜい貧乏くじを引いたという程度で、本人や家族が路頭に迷うような話ではない。金が回るということは、どこかで借金も回っているはずだが、なにしろ額が大き過ぎ、最後につけを払う個人がいるとも思えない。要は、誰も身ぐるみ剝《は》がれた者はいないのだと思い至ると、物井は急に鼻白んだ。

そのとき、半世紀も昔に売られていった牝馬の駒子《こまこ》の姿をまた唐突に思い出しながら、物井はある思いを巡らせた。高の言うとおり、金はたしかに回して儲けるものだろうが、財を成した人々が回しているその金は、元はといえばどこから来たか。郷里の村で炭俵を運んでいた父母の手から、キューポラを燃やしていたこの自分の手から、女工をしていた姉の手から、ビールを作っていた岡村清二の手から、生まれ出た金ではないのか。にもかかわらず、自分たちの手にはいつも、食うのがやっとの金が回ってくるのみで、あとは全部何者かの財になったのだった。それだけでなく、貧窮していた物井の一家から、最後の糧《かて》だった駒子を地主が取り上げていったように、空っぽの金本鋳造所の工場に残っていたバケツ一杯の鋳物屑《いものくず》を借金取りが持ち去ったように、持たざる者や才覚のない者からとことん搾《しぼ》り取ることで、財というものは築かれてきたに違いなかった。実に、いまごろ気づいてどうするというところだったが、物井は久々に自分の人生にみちていた閉塞感《へいそくかん》を呼び戻すと、さらにどっと鼻白んだ。

戦後半世紀、ついにどこへも抜け出すことが出来なかった蟻《あり》一匹の閉塞感は、終戦直後のそれが漠とした闇《やみ》におののくような感じだったのに比べると、いまは自分が息をしているこの時空全体が刻々と収縮しているような、まさに時間も空間も残り少なくなっているような、ある種の焦燥感に近いものになっていた。日々のちょっとした意味不明の苛立《いらだ》ち。こうした物思い。あれこれ考えてはいつの間にか陥っている放心等々、何もかもじりじりとして、容赦なくこの自分を苛《さいな》んでくる感じだった。

物井は、涎《よだれ》を垂らしてクリームパンをくちゃくちゃ噛《か》んでいるレディの口許《くちもと》をタオルで拭《ぬぐ》った。半分は自動的に手が伸びたが、半分は、涎とパンくずで汚れたシャツの襟元に思わずぞっとしたというのが正直なところだった。その隣で、父親の布川は黙然と馬場に目を据えたまま動かず、後ろでは高克己が、いましがたの話とはうって変わって、「今月中に、十万でいいから定期に回してくれよ」と、半田相手につましい営業をしていた。その端から「そら」という一言とともに、ヨウちゃんが、買ってきたばかりのフルーツ牛乳の紙パックを差し出してくる。

それをストローで飲ませてやると、娘は歯を食いしばって機嫌よく「いーっ、いーっ」と笑い声を立てた。家では、虫歯になると治療が大変だという理由で甘いものを与えられない娘は、日曜日だけの甘いクリームパンと甘いフルーツ牛乳がお気に入りだった。

　やっと我に返ったらしい布川の頭が上がり、首を回して娘に目をやったかと思うと、その目はそのまま娘の頭を素通りして後ろの三人のほうを見た。

「なあ、高さん。この国でほんとうに金のあるところはどこだ」と布川はいきなり言った。

「都銀、証券大手、生保、一部の大企業、宗教法人。また、どうして」

「日がな一日東名を走りながら、どれをカモにするか考えてひまを潰《つぶ》すのさ。要は火種を探せばいいんだろ？」

　半分は独《ひと》り言《ごと》のように呟いて、布川はまた前を向いてしまった。すかさずそれを、「だったら製造業だ」という高の声が追いかける。

「どうして製造業なんだ」と聞き返したのは半田だった。

「物を作っている企業は、金の何たるかを知っているからな。リベット一個、ネジ一本の原価計算をするところから物作りは始まるんだ。製品が出来たら、今度は一個売れて、いくら。粗利が二パーセントとか三パーセントの、血の滲《にじ》むような世界だ」

「それで」

「金の重みを知っているから、金を搾り取られたら、一番苦しむ」

「そいつは血も涙もねえな」半田は嗤《わら》った。

どうでもいい雑談を耳にしながら、物井は自分の腹のなかにも、製造業一般に対する諸々《もろもろ》のわだかまりがあることをちらりと考えた。十二で奉公に出た八戸の鋳造所。半世紀前に岡村清二がおり、いままた孫が入社しようとしていた日之出ビール。四半世紀働いた西糀谷《こうじや》のかつての勤め先。どれもが腹の底でいまなおくすぶり続けている理由といえば漠然としたものだったし、個々の企業がどうだというのではなかったが、それぞれの時代に、それぞれの企業を眺めていた自分自身の人生が、灰色か鈍色《にびいろ》をしていたに違いなかった。

後ろで、ヨウちゃんがふいに「金取って、どうすんのさ」と呟き、黙り込んだ。「製造業か――」という半田の独り言が聞こえ、こちらも黙り込む。代わりに、ゲートインのファンファーレが鳴り、娘がベンチの上で楽しげに嬌声《きょうせい》を上げた。

向こう正面から、若い四歳馬が芝一四〇〇メートルのスタートを切った。どれが抜け出してくるかな、と傍観する一分半足らずの時間、物井はちょっと頭を空白にした。

春の芝を駆けてくる馬の脚は、どれも明るく浮き上がるような感じだった。横一列の行進が気ままに少しずつ前後しながら、ほとんど鼻差の一進一退で十一頭は4コーナーを回ってくる。抜け出した先行馬が二頭。その外側から追い上げてくる馬がいる。抜くかな、と目を凝らした瞬間、その脚がつんのめったかと思うと、騎手がふわっと宙に浮き上がり、傾いた。緑の帽子。主《あるじ》を失った馬のゼッケンは⑦だった。娘が喉《のど》を振り絞り、その頭と両腕がぶんぶん回り出した。スタンドから腰を浮かせた観衆の動作が津波になる。ゴールに駆け込んだ馬群に沸き、飛び出してくる担架にどよめき、揺れた。

物井は手元の新聞の馬柱で⑦の騎手の、柴田という名を確かめた。もう二十年以上、物井の競馬場通いと一緒に、馬を駆り続けてきた同郷の青森出身の騎手だった。あまり派手さはなかったが、気骨や情念を感じさせる馬の追い込み方が、物井はちょっと好きだったのだ。いつも出るときは注意していたのに、今日は不覚だったと後悔しながら、物井は担架で運ばれていく騎手をしばし目で追った。

ざわめきの退《ひ》かないスタンドでは、高が思い出したように「製造業といっても、でかいところがいいな。トヨタ、新日鉄、三菱重工——」などと並べていた。

「俺ならソニーか、日之出だ」半田が言った。「品川署にいたとき、毎日新馬場の駅から眺めていた。夜は光の城だった」

そういえば、二つの会社の本社ビルの夜景は何度か見たことがあると思い出しながら、物井は隣でむずかり続けている娘にフルーツ牛乳の残りを飲ませた。牛乳はすでに生ぬるくなりかけており、娘が嚙み潰したストローの先はくしゃくしゃだった。それでも娘は、甘い牛乳をひとくち啜《すす》るとちょっと落ちついて、「おいしい」という意味の言葉を吐いた。

その横から、布川が一万円札一枚を突き出してきたのは、それから間もなくのことだった。「ちょっと昼寝してきていいか？　レディを頼む。二時には戻るから」と布川は一方的に言い、逃げるように席を立って行ってしまった。物井と後ろの三人はそれを見送り、それぞれ顔を見合わせただけで、誰からも言葉は出なかった。

物井はそのとき、いっときでも娘から離れたいと発作的に思ったのだろう布川の後ろ姿に、出口のない鬱々《うつうつ》とした気分を感じ取ったが、だからどうだと他人が口を出す筋合いの話でもなかった。頭を切り換えて、「車椅子《くるまいす》で入れるトイレ、あったかな」と後ろへ声をかけると、ヨウちゃんは「探してくる」と一言いって、身軽に席を立っていった。ヨウちゃんは五分ほど後に、トイレがあったと言いつつ戻ってきて、「いまラジオで聞いたけど」と言った。「東栄銀行の山下とかいう常務が今朝、自宅の前で撃たれて死んだってよ」

その直後、今度は半田が即座にベンチから腰を上げていた。緊急配備があるかも知れないということで、半田もそのまま消えてしまった。

2

　レギュラーティー一八四ヤードの7番ショートホールは、ティーショットがグリーン手前の池を辛うじて外れて、ひやっとした。飛んでいくボールを見送った直後にスライス気味だと気づいて〈あれれ〉と思ったのだが、原因を詮索するのは後回しにし、数珠つなぎの後続プレーヤーに「お先に」と照れ笑いを投げかけて、城山恭介は速やかにボールを追って移動した。

　毎年、春と秋に千葉の松尾ゴルフ倶楽部で開かれる日之出関東コンペは、大所帯で名高い。まず、関東圏の全特約店のうち、大小を問わず毎回公平に順繰りで順番が回ってくる本店支店営業所の代表五十名。日之出からは、会長、社長、副社長二名、役員四名、ビール事業本部の営業部長、次長のほか、関東圏の五支社二支店の責任者と営業担当部長の計二十四名。子会社と関連会社からは、これも順繰りで割り当てられた十社の代表。総勢八十四名の盛況だった。

　同じようなコンペは、北海道、東北、北陸、中部、近畿、中国、四国、九州でも行っており、二十年来、まさに日之出ならではの生産・流通・販売のネットワークの強固さを内外に誇示してきた伝統行事だった。しかしいまや、小回りのきかないガリバーの象徴のような感もあり、城山自身は数年のうちには止《や》めたいと考えていたが、山積している種々の懸案と同じく、伝統を覆《くつがえ》すのは常に至難の技だった。

城山はその日、イン・アウト各十二組に振り分けられたうちのインの九組になり、一緒になったのは、一人が大手特約店トミオカの社長、一人が同じく大手特約店飯田商会の社長、一人が流通の関連会社佐藤運輸の社長だった。

プレーは午前九時にスタートし、九組の城山が四番手で7番ホールのグリーンにボールを載せたときには、正午を過ぎていた。池の端からのアプローチショットがうまく決まり、ピンの手前二メートルにつけたので、これはパーでいけるかなと思った。カップまでは緩い上りのスロープだ。先にホールアウトした佐藤運輸社長が、「ごゆっくり」と声をかけてきた。

城山のゴルフ歴は三十年になるが、さほど努力もしなかったし、未《いま》だに一〇〇を切ったり切らなかったりの腕前では気負いもなかった。パッティングライン上に適当な目標だけ定めて、普段の調子でコツンと当てたら、運良くボールはカップに届いて、グリーンの外から軽く拍手が上がった。

城山はそそくさとグリーンを下り、次のホールのためにクラブを三番ウッドと取り替えて、ほかの三人と歩き出した。佐藤運輸社長が「雨にはならんでしょうねえ」と曇天を見上げ、城山は「大丈夫でしょう」と応えた。特約店の二人は、城山を傍らに置いて、「一並びに上がるどころか、値崩れする可能性が大きい」「大手スーパーがどのぐらいの値段を付けてくるか——」といった話をしていた。

五月一日付で一斉値上げされる酒類の店頭価格がどうなるか、という話だった。三百五十ミリリットル缶の現行二百二十円のメーカー希望小売価格が、今回二百二十五円に値上げされるのだが、大手スーパーは逆に、現行の値引き率をさらに拡大する値下げ戦略に出ようとしている。スーパーによっては、最低百九十三円からの価格設定になるという情報もある。全国一律だったビールの価格は数年前、酒類ディスカウントストアで崩れ出したが、これまでスーパーでは、缶ビール一缶につき数円の値引きに止《とど》まっていたのが、今回は十円以上二十円未満の大幅値引きが始まるのは確実な情勢になっているのだった。城山は、二人の話は聞こえていたが軽々に応じるわけにもいかず、聞き流すに留めて、代わりにワングリーンの美しい起伏に目をやった。

松尾のコースは、濃い杉林と、その底に沈むように広がる一つ一つのフェアウェイがひたすら静かで、城山は好きなのだった。どの位置からも、顔を上げると直立する杉木立と空しか見えない。十八あるホールを一つずつ回る間、余計なものが一切ない緑の底で、空に向かってボールを打つ。ボールはまた緑の底へ落下し、またそれを打ち上げる。ただそれだけの静寂な時間を大切にして、城山はボールを追ってきたつもりだが、ビールを売って一兆三〇〇〇億円を売り上げる企業のトップに就いて四年、この一面の緑の中で実は深呼吸一つ、する余裕もなかったのだった。

城山の、三十五年間のビール業界への奉公のなかで、いまほど多方面で厳しい時期はなかった。ビールの総需要は、昨年は冷夏の影響もあって、九年ぶりの対前年比マイナスに陥ったが、昨年の需要減はさらに、バブル経済崩壊による三年ごしの景気低迷の中での客単価の低下傾向と、アルコール消費量そのものの頭打ち傾向をも確実にした。

一方、酒類の生産と流通販売の土俵に目を転じると、まず、八九年、九三年と、二度にわたる酒類販売業免許等取扱要領の部分改正や、大店法の規制緩和によって、酒類販売のチャンネルの多様化は大きく加速された。酒類ディスカウントストアの市場拡大の足場は一層固まり、コンビニエンスストアや大手スーパーなどの酒類販売進出がますます促進される条件が整ったいま、各種チャンネルでの値下げ競争が激しくなり、それが一般酒販店の軒並み売上減に結びついて、ビール業界百年の歴史が築いてきた特約店問屋・二次問屋・酒販店の系列は、ここへきて根底から揺らいでいるのだった。

酒販店の一部はフランチャイズ化やコンビニエンスストアへの転業で生き残りを図っ

ているが、そうもゆかない小規模小売店はもはや立ち行かなくなっている。問屋もまた、単価の切下げと消費の低迷による絶対的な売上減に見舞われている。値下げによる利幅の減少に対抗して合理化をしようにも、現行の系列制度は酒販店と問屋の双方にとって、経費節減のための一括仕入れや売れ筋商品の絞り込みの妨げになるばかりで、経営の非効率に拍車をかけている。かといって、経営基盤や競争力強化のための中小問屋間の合併、大手への吸収は、同族経営の多い問屋業界の体質では一朝一夕に進むものではない。

一方、コンビニエンスストアや大手スーパーなどの業態は、高率の酒税のために売っても売っても利益の出ない国産ビールに代わり、海外ビールメーカーと組んで自社ブランド製品を開発しての直販や、総代理店契約を結んでの直販の動きを始めているのだった。五月一日から、国産ビールは三百五十ミリリットル缶が二百二十五円。片や某コンビニエンスストアが直販している輸入ブランドは百八十円。そうした大手量販店と海外メーカーの直取《じか》引、それによるビールの価格破壊、多様な販売チャンネルの拡大、そして税率や原料価格の面で圧倒的に有利な海外製品の大量流入といった事態が指し示しているビール業界の未来は、国内ビールメーカーにとっては、百年来の国内の販売流通システムのなし崩しと、そのシステムの元締めである自社の売上減を約束していた。どのメーカーも、いまや構造的な事業の改革を迫られているが、リベートのシステムを含む特約店制度の見直し、問屋の再編、小規模酒販店の再編と切捨て、メーカーが負担している膨大な宣伝広告費や、地域別ルートセールスにかかる人件費の見直し、流通の合理化のための陸運業界の再編など、現状ではメーカーにとっても流通販売各層にとっても、五年、十年先の現実でしかない困難な問題ばかりだった。

しかし現実のほうは、あと一週間で、片や酒屋や自販機に二百二十五円の缶ビール、片やディスカウントストアやコンビニエンスストア、大手スーパーの店頭に二百円を切る輸入ビールや自社ブランドのビールが並ぶ日がやって来る。二十四缶入りの一ケースでは、千円前後の差になる場合も出てくる。一週間後にこの影響をもろに被《かぶ》るのは、日之出で言えば六百の特約店であり、全国十三万軒の一般酒販店だ。この半年、城山自身も陣頭に立って、靴底がすり減るほど得意先を回っており、実をいうと、芝に立っている足が少し痛いほどだった。

「今年の夏は、猛暑になるという長期予報が出ましたね」と、佐藤運輸の社長が特約店の二人に声をかけていた。

「ええ、こうなりゃ、もうお天気頼みで」と飯田商会の社長が応《こた》え、「暑くなって、業務用が伸びてくれないことには」とトミオカの社長が後を続けた。春の商戦の滑り出しは、各社ともにいま一つの伸びで、お天気頼みは城山も同感だった。他社は今春も新商品を揃《そろ》えたが、日之出は出していなかった。ラガーとスープレムが堅調な間に、国内の生産ラインの大幅改編をやり、流通を簡素化するための配送ターミナルの再編に手をつける方を優先させたからだが、当面の数字はやはり気になった。

杉林の木立を抜けると、次の8番ミドルホールのティーグラウンド前には、三組が溜《た》まっていた。見れば、ミドルアイアンを握っているのは白井誠一で、アドレスがなかなか決まらない様子だった。8番は狭いフェアウェイがすり鉢状になったドッグレッグで、最初のティーショットに気を遣うところだが、ちょっと見ていると、白井はもぞもぞしながら、普段よりだいぶん時間がかかっていた。

白井のゴルフ歴は城山と似たようなもので、決して下手でもないのだが、プレーの仕方はまったく違う。白井は昔から、己の技量より一段上の攻略図をまず描き、次にそれを実現する方法をあれこれ探すタイプだった。城山はスコアをまとめることを考えるが、白井は難しいコースを狙《ねら》ってトリプルボギーを十七回叩《たた》いても、一回でもパーを決めればいいと言う。どこか、仕事の進め方や経営観にも通じる白井のプレーはしかし、現状では理想と現実の落差が大きく、冷静なのか気分屋なのか分からない珍プレーもときには飛び出して、面白いのだった。

白井のクラブがやっとバックスウィングに入り、一応きれいに振り抜かれて、ボールは飛んでいった。城山には見えなかったが、すぐに人垣の間からパチパチと拍手が上がったので、ボールはいい位置に着いたのだろう。

特約店の面々を前にして、白井は素知らぬ顔をしているが、業界の将来を左右することになるライムライト社との合弁話も四年目の大詰めを迎えて連日交渉に当たっており、実に多忙なのだった。今日のゴルフは、ほんとうは体力的にも限界だったはずだが、合弁内容がどう決着するか、事態を注視している新聞や業界の目を逸《そ》らせ、同業他社の疑心暗鬼をかわすために、どうしても何食わぬ顔をして恒例のコンペに出てくる必要があったのだ。

ティーショットの順番を待つ間、前後の人々と適当に世間話を交わしながら、城山は、数日中に自分が最終決断をしなければならない合弁問題について、またしばし思いを巡らせた。

九〇年秋、総代理店契約を解消して新たに合弁会社を設立したいというライムライトの意向が示されたとき、先方の狙いが日本市場への本格参入であることを知って、日之出は心底当惑した。ライムライトが提示した合弁の条件は、日之出の出資を一〇パーセントに留《とど》めて、代表権・経営権の一切を自社が握り、もっとも大事な販売ルートについては、日之出の特約店系列に限らず自社が自由に選択する、というものだった。しかも、合弁期間は十年。要は、ライムライトの目指す合弁会社は、日之出の系列に収まるのではなく、完全に日本市場の一角を占める独立した競合会社であり、たんに酒類販売免許の規制をクリアするためだけに国内メーカーの名前を借りるといったかたちだったのだ。

これには、城山をはじめ役員全員が驚き呆《あき》れ、最初の一年間は、ライムライトとの関係解消も選択肢に入れて、条件交渉が続いた。過去十年間の日之出の拡販の努力が実って、ライムライト製品の国内販売量は年間七百万ケース、シェア一・三パーセントにまで伸びていたし、その数字を落とすことは日之出にとって当面の大きな損失にはなるが、ライムライトの主張する条件を呑《の》んで合弁会社を設立した暁に被《こうむ》る長期的な被害は、その比ではない。相手に合弁条件を変えさせるか、関係解消で一・三パーセントの数字を落とすか。日之出の取締役会も意見は分かれた。

それでも、交渉も三年を経過した去年の秋には、担当役員の白井の粘り強い駆け引きが実を結び、日之出の出資比率四九パーセント、経営権はライムライトに譲るが、販売ルートは日之出の特約店系列を使うという条件で、十月半ばには合意が成立した。その後、両者は速やかに公取委へ提出するための合弁趣意書の作成に取りかかったのだが、そこで今度は突然公取委の横やりが入った。日米構造協議の進展や、規制緩和と市場開放を内外に公約した連立政権の誕生、その流れをくむ独禁法の運用強化などの情勢を追い風と判断したライムライトが、日之出との合意内容を勝手に反故《ほご》にして、公取委に駆け込んだのだ。

公取委が、日本国内のビール業界の大手四社による寡占《かせん》状態や、酒税徴収のために生産・流通・販売までを免許制度で保護されて自由競争が成り立たない状況を独禁法違反と見ており、何かと是正の機会を狙っていたのは、いまに始まったことではない。その公取委に対して、ライムライトは当初の条件で日之出との合弁を成立させたいとねじ込んだのだが、それを受けた公取委の指導は異例の執拗《しつよう》さだった。曰《いわ》く、ライムライトの構想に沿うかたちで新しい合弁会社を設立することは、国内の寡占状態解消と、本来あるべき自由競争への道を開くものになるだけではない。国内メーカーのどこかが合弁に乗らなければ、ビールは自動車部品、板ガラス、電気通信分野などとともに、日米交渉の標的になる可能性がある、という婉曲《えんきょく》な脅しも出た。

公取委の強い姿勢は、要するに、ライムライトの強引な要求を日本のどこかのメーカーが引き受けなければ内外の要請に応えられない情勢であり、しかも、それを引き受ける基礎体力があるメーカーは日之出しかない、ということだった。一方、本来なら酒税確保のために国内メーカーを保護してしかるべき国税庁は、政局の混迷もあって弱腰に終始し、何の指導力も発揮しなかった。しかし、時代の流れを見れば、いずれどこかで起こってくる問題だったのであり、結局は時勢をうまく読んだライムライトが勝ち、守勢に回った日之出が負けたのだとも言えた。

万が一にも、年間七〇〇億円のビールを売り上げるコンビニエンスストアとライムライトに手を結ばれては大変だということで、日之出はとりあえず、この一月から再度ライムライトとの交渉のテーブルに着き、何とか少しでも譲歩を引き出そうと、一昨日まで白井は頑張ってきたところだった。仮に先方の条件をそのまま呑んでも、日之出の経営基盤そのものに大きな影響はないが、将来的には自社を含めたビール業界全体への計り知れない打撃になる話だ。いったん先例を作ったが最後、海外の巨大メーカーが次々に似たような攻勢をかけてこないとも限らない。そうなったら、いまのところは国内の業界は迎え撃つ手だてがない。

この三カ月、取締役会には、特約店系列を海外メーカーに食い荒らされる道を、業界最大手の日之出が自ら選択するということに、どうしても抵抗があるという声が多かった。しかし、では合弁を拒否出来るのかといえば、出来ると言える者もまた、いなかった。白井本人は、初めから、いずれは通らなければならない道なら、いまから整備したほうが得策だという意見だったが、城山自身も考えに考えた末、要求を呑む決断をしようとはしていた。

日之出一社については、十年間の合弁期間中、ライムライトのシェア分を売上に上乗せ出来るのだし、十年後にライムライトを独立させて本格的な自由競争が始まる時代には、ビールのシェア低下分をほかの事業部でカバー出来るぐらいの体制を整えていなければ、どのみち日之出の未来はない。また、ライムライトの殴り込みが、問屋や酒販店の重い腰を上げさせ、なかなか進まない合理化を加速させる一助になれば、それも長い目で見ればプラスになる。

あとは、要求の呑み方だった。丸呑みでは、それこそ同業他社にも特約店各社にも顔が立たない。昨夜遅く、城山は最終的な条件を一つ、ライムライト側に提示するよう白井に伝えたところだった。すなわち、合弁後三年間は、国内メーカーの希望小売価格と同価格を維持すること。ひとまず、それだけを応諾するよう迫り、相手の出方を見ること。明日月曜日には、白井はそうしてまた、ライムライトとの交渉のテーブルに着く予定になっていた。

多分これで、四年越しのライムライトとの合弁問題は決着が付くことになるだろう。二十七日水曜日に取締役会を招集して最終結論を出し、二十八日に決定内容を公取委とライムライト側に伝え、諸般の手続きを整えた後に、五月半ばには合弁の発表。しかし、企業としてはその前に、特定株主をはじめ、大手特約店、同業他社への事前の事情説明と根回しもしなければならない。世界のビール市場で一〇パーセントのシェアを占め、生産規模では日本の大手四社の合計の一・五倍という巨大企業ライムライトとの合弁は、たとえどんなかたちであれ、四方八方がひっくり返る事態なのだった。

根回しのための日取りは、連休明けの五月九日月曜日から一週間——。城山が独《ひと》り、そんな胸算用をしている間に、ティーショットを待つ目前の行列は刻々と短くなり、代わりに後ろに新たな列が連なっていた。

頭上から降ってくる鳥の声が耳に戻り、見上げると薄曇りの空にわずかに日が差してきていた。城山は木々の新芽の匂《にお》いの濃い空気を吸い込み、やっと目先のショットはどう狙おうかと考えかけたところで、「今朝の朝刊ですが——」と佐藤運輸の社長が軽く話しかけてきた。その憂鬱《ゆううつ》そうな声色を聞き分けて、「はあ」と城山は小さく相槌《あいづち》を返した。

朝刊に載った小倉グループへの強制捜査の記事は、日之出内部ではおおむね驚きもなく受け止められたが、関連の運輸会社各社にとっては再三の動揺を生んでいるだろうと、城山も察してはいた。どこも小倉と似たような経営内容だし、バブル時代には陸運部門の採算の低さを補うために財テクに手を出し、多角化で不動産に投資したところも多い。佐藤運輸もその一つだった。一昨年から日之出が役員を入れ、日之出が進めている流通部門の再編の一環として、佐藤運輸が埼玉・千葉に保有するトラックターミナルと路線便の一部を借り上げ、経営基盤の強化にめどをつけた。一方、小倉については三年前、不祥事が表沙汰《おもてざた》になる前に日之出は経営参加を見送っており、そのことで世間からは「日之出はうまくやった」と言われたものだった。

事実、経営参加はかたちばかり見送ったが、小倉との業務提携の方は着々と進んでおり、流通網の整備計画に狂いは生じていない。強制捜査一つで小倉が潰《つぶ》れるわけでもなく、すでに経営陣も一新して新体制になった小倉の行く末を危ぶむ要因はどこにもない。日之出は、その意味ではたしかに、うまく実を取ったのだった。

「小倉さんも気の毒に、取引先にいちいちお詫《わ》びの書状を送ったり、運転手一人一人に挨拶《あいさつ》をさせたりで」と佐藤の社長は呟《つぶや》き、城山は「たしかに」とだけ応えて、それ以上の会話を避けた。

後列のほうが「おお」とどよめき、続いてため息とざわめきになった。振り向くと、みんな杉木立の向こうに見える7番ホールのグリーンを覗《のぞ》いていた。「惜しい！」「惜しいねえ！」といった声が上がった。

「打ったの、誰」と城山は後ろへ声をかけた。「倉田さん。あと十センチでホールインワン」と誰かの声が飛んでくる。

「ああ、倉田さんなら――」という呟きが周囲から聞こえた。倉田なら、ショートホールでのホールインワンすれすれなど、たしかに驚くほどのことでもなかった。若いころからゴルフには熱心で、営業マン時代はひまがあったら一人で黙々とゴルフ場通いをしていた男だ。さすがに役員になってからは時間も取れなくなって、スコアも落ちているようだが、四十代は常にシングルプレーヤー、ハンディがゼロの時期もあった。素質と集中力は歳《とし》を取っても衰えるものではないのか、いまでも飛ばしたら二百七、八十は軽いし、三、四メートルのパットなら楽に沈めるものだから、コンペのたびに、倉田はハンディなしでもまだ足りないという声が出る。

城山はちょっと杉木立の隙間《すきま》へ首を伸ばしてみたが、倉田の姿を見ることは出来なかった。今朝クラブハウスで顔を合わせたとき、倉田は、小倉の強制捜査を受けて岡田経友会がとくに新たな動きを見せる気配はない、自民党のSに手が届く可能性はない、と城山に耳打ちしていったが、その口調にはほっとしたというような感じは窺《うかが》えなかった。それは報告を受けた城山も同じで、地検特捜部の動きがあるたびに、捜査が日之出に波及しはしまいかと恐れ、商法違反で摘発されはしまいかと恐れなければならない当事者の、当然の反応だった。

日之出は昨年、ついに岡田経友会との関係解消に踏み切り、絵画購入というかたちで一〇億円の手切れ金を支払って、念書を交わしたのだった。とはいえ、困難な交渉の一切を取り仕切って円満解決に持ち込んだ倉田も、社長としてその決裁をした城山も、万一の場合は《岡田》もろとも一蓮托生《いちれんたくしょう》の運命ではあった。もっとも、そうした可能性は限りなくゼロに近いという周到な判断の上で行われた手打ちであったから、城山にはさほど切羽詰まった感覚はなかったが、現場で交渉に当たってきた倉田にはまた別の受け止め方があるだろう。今朝の、小倉への強制捜査を伝える新聞記事一つに、人知れず腹をざわめかせたに違いない倉田だが、それでも一応、ホールインワンに近いプレーが出来るのならと、城山はひとまず安堵《あんど》した。

「じゃあ、お先に」と、一つ前の八組の二番手がティーグラウンドに出てゆき、城山の順番まであと二人になった。さあ、次のティーショットは、ドッグレッグのカーブの真ん中辺りを狙って、約一七〇ヤード。この8番ホールでは、ここのところ立て続けにコース両脇《わき》の林に引っかけているから、今日こそは。城山は手袋をはめ直し、手首の準備運動を始めながらふと、ティーグラウンドの向こうを仰ぎ見た。

ティーグラウンドを遠回りにして、誰かが走ってくるのが見えた。東京支社長の藤井か、と目を凝らすうちに、藤井は杉林に入ってきて、8番ホールのティーショットを待つ行列の後方に近づいた。誰に用事があるのかと思ったら、藤井は役員の柴崎という男に何か耳打ちし、今度は柴崎が小走りに走り出して、列の最後尾辺りにいる倉田に耳打ちを繰り返した。

その倉田と目が合った。倉田は「失礼」と周りに声をかけながら、行列の先端にいる城山のところまでやって来ると、「先ほど、東栄の山下常務が亡《な》くなられたそうです」と言った。

ひそひそ話というほどの声でもなかったので、それは周囲の人々にも聞こえ、たちまちざわめきが広がった。山下某の死はともかく、東栄と取引のあるところは、とっさに弔問や弔電の手配などを考えただろう。片や城山は、倉田の険しい目に覗いている何かのサインを見て取った。

何か不都合があったと察し、とりあえず連れの特約店や佐藤運輸の社長たちに「ちょっと失礼いたします」と声をかけて、プレーの列を離れた。倉田、藤井がついてきた。杉林に入ったところで倉田が横に並び、「田園調布の自宅の前で、何者かに撃たれたということです」と低く呟いた。

撃たれた――？　城山は聞き返そうと思ったが、とっさに声のほうが出なかった。

「総務から何度も警察へ確認させましたが、間違いありません。いま、総務部長を病院へ走らせました」という倉田の、かたくなに冷静を装《よそお》った口調を耳にしながら、城山はやっと自分の声を取り戻した。

「寺田さんは」

「本店に出ておられます」

寺田は東栄の頭取で、筆頭株主として日之出の取締役会に入っている人物だった。いまごろ赤坂の東栄本店でどんな顔をしているだろうか、と思った。

「東京に残っている役員は誰がいましたっけ。誰か呼び出して、先方との窓口になるよう伝えて下さい。もし可能なら、まず本店のほうへ出向くように言って」

「杉原を呼びます」

倉田はすぐに私用の携帯電話を取り出して、電話をかけ始めた。8番ホールを終わったらしい白井誠一が、次のホールに使うウッドを手にしたまま、杉林を抜けてこちらへ向かってきた。不愉快そうに眉根《まゆね》にしわを作りながら、白井は「あとの段取り、どうしたものですかね」と声をかけてきた。

「インのほうは、あと何組残っています?」

「二、三組だと思いますが」

「ハーフだけ先に終えましょう。その後、昼食の前に役員を集めて──」

「そうですね」と独りごちて、白井は元来た道を戻っていった。入れ代わりに、電話を終えた倉田が「別室を用意させますか？」と尋ねてきたので、城山は「そうして下さい」と応《こた》え、「さあ皆さん、プレーに戻ってください」自分から倉田や藤井を促した。

そこでまた、「城山君」と声がかかって、城山は足を止めなければならなかった。そろそろハーフを終えてクラブハウスに戻るころだったはずの、会長の鈴木敬三が早足で杉林を歩いてきたのだった。齢《よわい》六十五の鈴木はちょっと息を切らせており、まず一言「誠和会だ——」と囁《ささや》いた。城山はあいまいにうなずいたが、イエスともノーとも言うわけにはゆかなかった。

「うちの役員全員の安全対策を至急検討するように。頼みますよ」

「はい」と城山はもう一度うなずいた。

「費用など、この際言ってられない」

「はい」

鈴木は社長時代、岡田経友会代表の岡田朋治《ともはる》や顧問の田丸善三、そして自民党の酒田泰一をはじめとした代議士などとのパイプを持っていた本人だった。おおかたは先代から引き継いだ人脈で、実際の汚れ仕事は倉田に任せていたとはいえ、それこそ鈴木しか知らない不透明な話が相当あったに違いない。その辺りを白井誠一に追及され、白井は周到にも、その件で取締役会の多数意見をまとめてしまったために、鈴木は四年前の経営陣交代の際、いささか不本意なかたちで代表権をもたない会長に退いたのだった。

鈴木も倉田と同じく、具体的な話は決して漏らさないが、岡田経友会とのつながりのなかで、その元締めである誠和会とも一度ならず接触はあったに違いなかった。物言わぬ鈴木の沈鬱な顔を見ると、城山としては歯がゆさと不安の両方を感じ、事態はおそらく、それほど安穏としていられるようなものでもないのだと考えざるを得なかった。

企業と企業のおこぼれを食うハイエナとの長い共存関係が崩れたが最後、ハイエナが直に企業を襲い始めるのはいわば当然の成り行きだった。ついこの間まで、相手構わず融資を増やし続けた金融機関が、景気後退と同時に一斉にてのひらを返して三年、追い詰められた取引先のなかには相当数の暴力団絡《がら》みの企業も含まれている。金が回っている間はいいが、金の切れ目と同時に暴力の牙《きば》をむくような相手との共存関係を築いてきた銀行自身が、そのツケを一つ、人命で払わせられたのが今日の事態だと、城山は冷静に考えた。

状況は日之出とて例外ではなく、実はもっと複雑だとも言えた。日之出がかつて《岡田》系総会屋、政治団体などに対して経営コンサルタント会社などをトンネルにして支払ってきた金額は、毎年約九〇〇〇万。一社が支出する金額としては相当に大きかった上に、なにより明らかな商法違反だった。一昨年、《岡田》との関係清算を決意した時期、警察庁は経済四団体に対して総会屋排除の協力要請を強める一方で、商法違反での各企業の摘発を積極的に進める方針に出ていた。日之出も《岡田》も危機感をもち、双方とも、摘発で受ける損害は多大と判断した結果、とりあえず関係解消へ話は進んだのだが、実態は双方が弱みを握っての手打ちだった。《岡田》は日之出の商法違反の事実を握り、日之出は《岡田》系列の各団体と企業との広範な相関関係の情報を握っていたからだ。

ともあれ、そうして日之出は倉田の手腕で何とか切り抜けたが、ほぼ同じ時期、毎日ビールは総会屋への利益供与で摘発を受け、経営陣の交代に追い込まれた上に、株価に影響も出た。そのときの摘発で、警察は結局、暴力団と企業のつながりを示す膨大な関係資料を押収《おうしゅう》したと言われており、それは《岡田》にも相当な打撃になっているはずだった。毎日ビールの摘発のおかげで日之出にも国税庁の査察が入ったが、帳簿や名簿の資料に証拠は一切残していなかったことで、事なきを得たに過ぎなかった。そういう次第であったから、地下金融を取り巻く状況が厳しくなっているいま、《岡田》にしても、どこまでじっと座視しているか。一度は手打ちをした日之出に対しても、何か要求してくるのではないか。その不安は拭《ぬぐ》いきれなかった。

「警察がだらしないよ——」そう吐き捨てた鈴木の声は、今度は少し震えていた。たしかに、暴対法施行以来、警察は企業へ総会屋排除の圧力をかけてきたが、その結果がこれでは企業としてはやりきれなかった。都銀の常務が白昼射殺されるという事態は、ツケを払うといった次元を超えており、とうてい納得出来るものではなかった。

「山下昭夫とは法学部の同期でね」

「そうでしたね」

「律儀《りちぎ》な折り目正しい男だった。ぼくは自分が撃たれたような気がするよ。ひどいね、実にひどい」

少し感傷的になってきた鈴木の声を聞きながら、城山のほうはふと、山王の自宅にいる古女房の顔が脳裏をよぎり、今日から戸締まりに念を入れるよう注意しなければといったことも、ちらりと思い出した。外に出ているときに、家族の顔を思い浮かべるなど、滅多にないことだった。

8番ホールは、城山の九組の三番手、トミオカの社長がすでにティーグラウンドに立っていた。城山は「ああ、失礼。私の順番ですので」と鈴木に声をかけ、ウッドを手に走り出した。

そうして城山はプレーに戻ったが、さすがに気が散って、8番と9番はどちらもダブルボギーという結果に終わった。倉田も、9番のミドルホールはボギーを叩《たた》いたようだった。

ハーフを終えた後、日之出側の人間は別室に集まったが、役員も社員も総じて鈍重な表情だった。もともと《岡田》関係は鈴木と倉田が裏で処理してきた話だったため、取締役会で概要は報告されてきたとは言っても、大半は他人事《ひとごと》に近い意識しか持ち合わせておらず、いくらかは城山自身もそうだった。ましてや支社・支店のレベルでは、事態の把握もおぼつかなかったことだろう。

一方倉田も、人前では相変わらず魚雷の顔をしており、手早く状況の説明をし、東栄の各取引支店への対応を指示しただけだった。今夜にもあるはずの死者の身内の通夜《つや》には、鈴木会長と城山が顔を出すことになった。

城山からは、明朝の役員会議は一時間早い午前八時から、という指示だけ出した。会議では、既存の課題のほかに、新たに役員の安全確保の対策を話し合わなければならなかった。

「では、昼食に行って下さい。特約店各位への説明をよろしくお願いします」

五分足らずで散会し、東京へ戻らなければならない城山と鈴木は、着替えもそこそこに社用車で帰路に着いた。城山は、ふさぎがちな自分自身の気分を鼓舞する必要を感じて、いまは試作段階の来春の新商品のことなどを考えようとした。完成すれば第二のラガーになるはずの新商品は、低迷しているビール事業に活を入れるためにも、出来れば初年度五千万ケースの売上を見込みたいところだった。せめてそんなことでも考えて気を紛らしたかったのだが、鈴木と一緒ではそれもままならなかった。

鈴木は車中、「そういえば先週、自民党のパーティでSに会ってね」と言い出した。

「いまの連立政権は早晩潰《つぶ》れるだろうから、いざ総選挙の暁にはよろしくと言うんだが。ああいう露骨な口調を聞いたのは、ぼくは初めてだよ」

「パーティ券では足りないというふうな口調でしたか」

「そのようだった。小倉疑惑で取り沙汰《とざた》されている最中に、どういう了見なのか、まったく真意を測りかねたよ。君も、近々に彼に会う機会があったら、ちょっと注意したほうがいい。田丸なんかが割り込んできたら、面倒だ」

「パーティ券以上の付き合いは断ります」

「それが出来ればいいんだが」

「少なくとも意思表示はしなければ」

城山は、第二のラガーという一つの希望の隣に、きれいごとでは済まない企業風土への自戒や嫌悪《けんお》を並べて白々しい気分に陥ったが、そうした自分の本心を慎重に脇に置くぐらいの厚顔は、この四年のうちに身についていた。

3

「物井さぁん、かき氷！」

店のなかから、薬剤師の小母《おば》さんが呼んでいた。「イチゴとメロン、どっちがいいですかぁ！」という大声は、路地に水を撒《ま》いている物井の頭の上を飛んでいって、炎天の日差しのなかで蒸発した。

「ぼくは要らんから、あんた、食べなさい」

物井はやっとそれだけ返事をし、自分はよしずの下の朝顔を覗《のぞ》き込んだ。今夏は猛暑のせいで直径三センチの花しかつけず、朝早く開いたと思ったら、午前九時に店を開けるころには、もう萎《しぼ》んで頭を垂れているのだった。炎天下で力なく蔓《つる》を伸ばして立っている朝顔を見ると、物井はつい、そろそろ命を終わろうとしているこいつは、自分の一生に満足しているのだろうかなどと考えて、朝顔相手に、知らぬ間に何やら独《ひと》りごちていた。

百円のかき氷をシャカシャカつつきながら、小母さんが店から顔を出し、「枯れた朝顔なんか見ていると、塞《ふさ》ぎの虫がつくわよ」と話しかけてきた。小母さんはあまり暑くならないうちにと、十時前に商店街に買物に行ったついでにかき氷や葛餅《くずもち》を買ってきて、朝からそんなものを食い、昼にはまた素麺《そうめん》を二束ほど平らげる。

「ほら、そんな日向《ひなた》にいると日射病になっちゃう。入って、麦茶でも飲んでいて。もうすぐお昼のお素麺、茹《ゆ》でるから」

「今日は、お昼は要らんよ。先にお茶漬け食って、秋川へ行くから」

「昨日も行ったのに。この暑さに、物好きねえ」

「あんたも、ぼくの歳《とし》になったら分かるよ」

「あたしも還暦が近いけどね。考えたかないわよ、先のことなんか」

小母さんは、口いっぱいに氷をほおばってなかへ入ってしまった。店の奥の居間で、つけっ放しのテレビが高校野球の試合を流していた。物井はバケツに残っている水をアスファルトにひっくり返し、そういえばたしかに昨日も秋川には行ったのだと考えた。

物井は考えることがたくさんあるだけで、塞ぎ込んでいるわけではなかった。片付けたり維持したりしなければならないいくつかの事柄が、とりたてて感情を伴わないまま、自分の人生に並んでおり、体力と相談しながら一日を適当に割り振って、一つ一つと向き合っているだけだった。日に数回の打ち水も、朝顔の世話も、昼に素麺を食うのも、秋川の特養老人ホームにいる岡村清二を一日おきに見舞うのも、みな同じリズムで流れていた。

物井は居間に戻って仏壇の前に座り、チンと鉦《かね》を叩いて手を合わせ、朝供えた白飯の茶碗《ちゃわん》を引き揚げた。妻の芳枝、孫の孝之、娘婿《むすめむこ》の秦野、郷里の祖父母や父母と、なにせ仏さまの数が多いので、みんなまとめて茶碗一杯のお供えで我慢してもらっているが、そのなかに兄の岡村清二が入っていないというのは、考えてみれば不思議なことだった。もう四十年も前に死んだと聞いていた男が生きており、生きているべき人間たちが亡《な》くなってしまったというのは。

下げたお供えの冷飯に麦茶をかけ、糠漬《ぬかづ》けの瓜《うり》とナスビを出して簡単な昼食を取りながら、物井は二日続きで秋川のホームへ行こうとしている理由を思い返した。

五月初めに清二の生存が確認されてから三カ月経《た》つが、物井は先日来、清二を引き取ることを考えていた。三カ月前に偶然再会しただけの男一人に、元より肉親の情など持ちようもなかったが、一応血のつながった兄だと思うと面倒を見るのは自分の義務だという気もしたし、清二の世話をすることで、自分自身の余生を心穏やかに過ごせるのではないか、といった思いもあった。ひたひたと老いの閉塞感《へいそくかん》にさらされて苛立《いらだ》っているひまがあったら、とにかく手足を動かして何かをしているほうがいいに決まっていたし、要は、清二のためというよりは、自分自身のためだった。もっとも、互いの年齢を思うと二の足を踏んだり、人生の最後だからこそ体力の残っているうちにと思い直したり、いまさらという気もしたりで、なかなか腰の上がる話でもなかった。

そうして一日一日延ばすうちに、盛夏を迎えて清二の身体《からだ》は目に見えて弱ってきており、昨日はこれまで少しずつ吸い口で飲んでいたビールも口にしようとしなかった。持っていったスイカも一口しか食べなかった。もともと寝たきりに近かったのだから、食が細ってもどうということもなかったが、ちょっと昨日の清二の弱り方が気になって、今朝起きてすぐに、今日も行った方がいいかなと思ったのだった。

痴呆症《ちほうしょう》の進んでいる清二を自宅へ引き取るのは、物理的に可能か否《いな》か。もし条件さえ整えば、自分はほんとうに清二を引き取るのか否か。物井一人が決めることであって、誰に急《せ》かされているわけではなかったが、もうあまり時間はないと茶漬けを啜《すす》りながら考えた。

物井はボストンバッグに、商店街のセールで買い込んだ夏ものの開襟シャツ、洗濯した下着やタオルなどを詰めた。自分もシャツだけ着替えて日除《ひよ》けの帽子を被《かぶ》ると、夕方に朝顔に水だけやってくれと小母さんに頼み、店の前にあるバス停から蒲田《かまた》行きの路線バスに乗った。

岡村清二が、秋川市郊外にあるその老人ホームに入ったのは平成二年だということだった。そのとき清二は七十五歳で、興信所の調査で分かった限りでは、昭和二十五年から二十八年まで杉並区の私立高校で代用教員をし、学校の都合でそこを辞めた後は、小さい印刷会社、倉庫会社、食品問屋などを転々として、最後の十年間は墨田区で社員寮の住み込み管理人をしていたらしかった。調査が難航したのは、教員を辞めた後の清二が本名を名乗っておらず、住民票も移していなかったからで、おかげで物井が興信所に支払った金は三〇万近いものになった。

清二はずっと病院通いだったらしく、昭和六十年、近所の通報で駆けつけた警察の手で保護されて都立墨東《ぼくとう》病院に収容されたときには、社員寮の自室の窓から数百冊の本を道路に放り投げていたという話だった。その後、都立松沢病院や東京武蔵野《むさしの》病院を転々とし、福祉事務所の世話でやっと秋川市にある老人ホームに入ったのだが、それから四年。去年辺りまでは、一人で散歩もしていたらしいが、物井が今年五月に会ったときはもうほとんど寝たきり状態で、六人部屋のベッドの一つに転がっていた。物井でも担《かつ》げそうなほど痩《や》せた小さい男で、少し伸びかけた丸刈りの頭が真っ白だった。皺《しわ》のせいか、表情のせいか、そのときは、昔八戸で何度か会ったときの顔をもう思い出せず、まったく知らない人物に会ったような気がしたものだ。

初めに「清二さん。物井清三です。戸来の清三です」と呼びかけると、清二は「ああ、はい、はい、清三さんですか、そうですか、清三さんですか」と何度もうなずいて応《こた》えた。しかし、その目は物井を見つめてはいたが、動きも表情もなく、戸来村の物井清三をほんとうに見分けたのかどうかは分からなかった。その状況は、いまも同じだった。

ホームの職員の説明では、痴呆もしくは仮性痴呆が進んでおり、軽い意識障害や進行麻痺《まひ》などがあって、かろうじて自分の名前や、今日は何日かといったことは分かるが、自分の居る場所や、かつて居た場所、就いていた仕事、生まれた土地、家族の名前などは分からないようだということだった。しかし、頭の中身がどうであれ、寝巻姿でごろんと横たわっている男は、生きものというよりは物に近い静けさで、おむつの臭《にお》いのほかには体臭すらなく、性別も、市井《しせい》の悲哀もすでに消えてしまっていた。同室のほかの老人たちもおおむねそうだったが、なかでも清二は、よくまあこれだけ枯れてしまったものだと思うほど、かさかさに乾いて軽く、それは一種、清涼な感じさえした。ああ、ここへ来るのは厭《いや》ではないなと物井が最初に思ったのは、何か、そんな静けさのせいだった。

一日おきに訪ねるたびに、物井は「清二さん、戸来の清三です」と語りかけ、清二は そのうち「ああ、清三さん、こんにちは」と応えるようになったが、それだけのことだった。スプーンを差し出すと口を開け、吸い口に移したビールも呑《の》み、シャツとズボンに着替えさせて車椅子《くるまいす》で散歩に連れ出すと、おとなしく従う。物井は妻の芳枝を入院させたときも、スプーンを口に運び、おむつを替えたりしたが、清二の世話については、これは父母を看取《みと》らなかった代わりだと自分を納得させている部分もあった。

　ホームに足を運ぶようになってから、物井は物言わぬ清二相手に、いろいろな話をした。主に戸来や八戸の思い出話だったが、いざ話し出すと、これまで埋もれていた事細かな事柄が、次から次へと出てきて自分でも際限がないと思うほどだった。物井が金本鋳造所に奉公にあがった年には、清二はすでに日之出に入っていたが、その年の夏、盆休みに帰省した清二が鋳造所へ訪ねてきたことがあった。自分の兄だという感じもない、上等なスーツ姿だった清二は、鋳造所の戸口で帽子を脱いで工場長に一礼をし、「清三がいつもお世話になっております」と丁重に挨拶をした後、緊張している物井を呼んで、「元気か。困ったことはないか」と話しかけてきた。優しい顔だったが、物言いはいつも少し一方的で、血がつながっているとはいえ、生まれたときから一緒に暮らしたこともない相手への遠慮や、共有するものが何もない戸惑いを、年長者の立場で取り繕おうとしているようにも感じられた。

　そのとき清二は、物井に何円か小遣いを渡し、「鋳物《いもの》はビール工場の装置にも使われているのだよ。物を作るのは尊い仕事だから、君もしっかりやりなさい」というふうな、型通りの言葉を残していった。

岡村商会は後妻が跡継ぎの男子を産んでいたので、そのせいか清二はあまり八戸へは帰って来ず、その次に会ったのは昭和十七年に応召で帰省してきたときだった。工場の金本社長が噂《うわさ》を聞いてきて、岡村の兄さんが出征だから見送りに行けと言い、物井は作業服のまま本八戸駅へ行ったが、すでに駅は見送りの小旗で埋まっており、物井は人垣ごしに、武運長久のたすきをかけて立っている清二を見たのだった。出征する五、六人の男たちのなかでも、一番小さく青白い兄の姿を見つめていると、向こうが物井を見つけて小さく笑いかけてきたので、物井も照れ笑いを返した。あのときは、汽車が行ってしまってから、散会した見送りの人垣のなかに戸来の父母の姿を見つけたが、母は人目をはばかるように終始うつむいていた。

物井がそうした話をする間、清二はいつも聞こえているようないないような素振りで、とくに表情が変わることもなかったが、あるとき物井が「日之出ビールを知っているか」と尋ねると、何分もかかって、突然思い出したように「日之出のビールは美味《うま》かった」と清二は応えた。昭和二十二年に本人が書き綴《つづ》ったという手紙を元にした怪テープのなかで、清二は何度も『日之出のビールは美味かった』と繰り返していたが、まるでそのときの思いがまた甦《よみがえ》ったような、述懐の口調だった。もっとも、「神奈川工場を覚えているか」と物井がもう一言尋ねると、その後の返事はなかった。

物井は、訪ねるたびに日之出の缶ビールを持参し、それを吸い口に移して清二に呑ませてきた。昨日は、ビールのほうはもう呑まなかったが、物井がプルトップを開けて机に置いた缶を、清二は長い間じっと見つめていた。ビールは日之出ラガーで、半世紀前と同じ金色の鳳凰《ほうおう》がラベルに翔《と》んでいる缶だった。あんまり長い間見ているので、物井が「日之出の商標は懐《なつ》かしいね」と声をかけると、清二はしばらくしてまた、「日之出のビールは美味かった」とだけ呟《つぶや》いた。

五日市線の秋川駅で電車を降り、駅前の店で缶ビールと、清二の好きな水羊羹《みずようかん》を買って、物井はバスに乗った。滝山街道を川沿いに十五分ほど登ってゆくと、丘陵地に広がる西多摩霊園の隣に老人ホーム緑風苑はあった。

物井はバス停から五分ほど坂道を歩き、汗だくになってホームの玄関に辿《たど》り着いた。ひとまず汗を拭《ぬぐ》っていると、事務局の窓口から「あら、いらっしゃい。岡村のおじいちゃん、お昼寝の時間だから、起きているかなあ」と女子職員の明るい声が飛んできた。ここでは入所者も訪問者も、年寄りはみな幼稚園児以下の言葉をかけられる。物井はそれに馴染《なじ》めなかったが、腹立たしい思いとは裏腹に「すみません。お世話になります」

という従順な言葉が出、身体は自然に前かがみになった。物井は、二度三度と事務局の窓口へ頭を下げてからスリッパに履きかえ、寝たきり老人ばかり集められている棟へ向かった。

午後二時前という時刻は、たしかに入所者の大半が昼寝をしているときで、娯楽の催物や職員の巡回もない。殺風景なほど清潔なリノリウムの床を、網戸ごしの外の熱気がゆるゆる流れてゆき、どこかで風鈴が鳴っていた。部屋のドアはみな開けっ放しだ。その一つを覗いて、物井は首を伸ばした。

六台並んでいるうちの、一番端のベッドに清二はいた。午後のこのぐらいの時刻には西日が射《さ》し始めるその場所で、清二は仰向けの頭を枕《まくら》に載せ、目を見開いていた。「清二さん」と呼びかけるいつもの声が出ないまま、物井はその顔を凝視した。流れている時間が突然止まり、物井ははるか昔、村のバス道を荷車で運ばれてゆく牛馬の屍《しかばね》を見たときの、その牛馬の顔のいくつかを思い出して放心した。

清二の半開きの口は左右に裂けてねじれるように歪《ゆが》んでおり、天井を睨《にら》む目は白目をむき、引きつった頬は頬骨の下で陥没していた。そこにはもう岡村清二はおらず、死んだ牛馬と同じ形相をした屍が一つ、あるだけだった。物井の瞼《まぶた》で、土埃《つちぼこり》の光るバス道や、草の臭いと蟬《せみ》の声、荷車の上の屍の、奇怪な眼球などが入り乱れて点滅した。

ひと呼吸置いて、物井は清二を引き取って平穏に余生を暮らすという予定がこれで消えたことを思い、続いて、人の一生とは何だという漠とした自問がよぎった。死ぬときは人間も牛馬も一緒、というのは、芳枝のときにも味わったことだった。芳枝は、こと切れる直前に昏睡《こんすい》から覚めて苦しげな一声を上げ、同じように口を引きつらせ、醜く目をむいたのだ。

緊急呼出し用の赤いボタンを押してから、人が駆けつけてくるまでの間、物井は鳴り続ける風鈴と一緒に、数分も待たされた。同室の老人たちは声も上げず、一人はうちわをゆっくり上下させながら、物井と死人を眺めていた。ほかの四人は、それぞれのベッドに転がったまま身じろぎもせず、低い鼾《いびき》が一つ聞こえた。それから医師や職員が入ってきて、形ばかり瞳孔《どうこう》を調べたり脈を取ったりした後、医師は「もうお年だったから」と言い、職員の女は「静かな最期《さいご》でよかったわねえ――」と、誰に向かって言っているのか分からない言葉を吐いた。

そのとき物井は、いまや軀《むくろ》と化した一人の男を眺めながら、どこから湧《わ》いてきたのか分からない言い知れぬ感情の渦のなかにいた。目の前の死はたんに、かつて見たいくつもの牛馬の屍や、頭を垂れて馬喰《ばくろう》に引かれていった駒子《こまこ》の姿や、芳枝の醜い死に顔などと分かちがたく重なり合っていただけで、個人の悲哀さえ伴ってはいなかったが、突然、その軀の周りに自分自身の人生の全部がざわざわと引き寄せられて、ごうごう、ひゅうひゅうと騒がしく鳴り出したのだ。その中から〈人間なんてこの程度のものだ〉〈これが明日のお前だ〉といった自分の声が聞こえ、そのざわめきがやがて退《ひ》いてゆくと、代わりに降りてきた放心の隣で、物井は、今度は〈清二さん、仇《かたき》を討ってやるぞ〉という別の声を聞いた。物井は無意識にその声に耳をそばだて、半世紀前に一度だけ姿を現した悪鬼の声だと思ったが、その声を聞いたのも、それを悪鬼だと認めたのも、半世紀前とはだいぶん様子の違う、自分でも意外な冷静さのなかでのことだった。

物井は「日之出ビールだ」と独《ひと》りごち、その自分の声で我に返った。放心のトンネルを抜け出すと、物井の額には、駒子の眼差《まなざ》しが一つと、清二の半世紀に亘《わた》る失意の代償を日之出ビールに払わせるというアイデアが一つ、残っていた。物井は、たったいま思いついたそのアイデアを眺め直して、少々心外な気分は味わったが、本来ならやって来るべきためらいや疑念などは、自分のなかに半世紀ぶりに根を下ろした悪鬼があらかじめ取り除いてしまったに違いなかった。清二の亡骸《なきがら》を職員が拭《ふ》き清めている間、物井はそんなことを考えて過ごし、おかげでその後も、身内の死に伴う諸々《もろもろ》の雑事のわずらわしさのほうは、一度も思い出しもしなかった。

物井は、ホームの公衆電話から八戸の岡村商会へ電話を入れたが、代替わりした当主はいかにも当惑げに言葉を濁した。五月に清二の生存を知らせたときも迷惑そうだったので、予想は出来たことだった。当主は結局、「すぐには出向けないので、費用は支払うからそちらでよろしくお願いします」といった返事をよこした。ホームに聞けば、通夜《つ や》の読経《どきょう》と火葬だけなら費用は都が負担するということだったので、物井は五文字ぐらいの戒名だけ付けてもらえるよう寺への手配を頼み、葬儀は要らないと伝えた。

夕方には、清二は白装束でお棺に納まって遺体安置室に入った。歪んでいた顔は何とか寝顔に近いものに直され、目も閉じられていたが、見送る者は物井のほかにはなかった。清二に食べさせようと思って買ってきた水羊羹と缶ビールがお供えに化け、ホームが用意した菊と線香の隣に置かれた。どこかの寺から来たお坊さんが持参してきた白木の位牌《いはい》には、『清青蓮居士《こじ》』という簡素な戒名が墨書きされていた。それから十五分ほどお経を上げてもらった後、事前にホームの職員から「一文字三万円ぐらいで」と耳打ちされていた通り、秋川駅前の銀行へ走って引き出してきた十五万を紙に包んでお坊さんに渡した。芳枝のときは八文字で四〇万だったから、格安だった。

そうしたひと通りの用事が終わったのは午後七時過ぎで、明朝の火葬のためにまた羽田から出てくるより、物井はそのままホームでお通夜を過ごすことに決めた。小うるさい薬剤師の小母《おば》さんに電話を入れると、いつ亡《な》くなったの、お幾つだったの、式服どうするの、身内ならかたちだけでも喪中で店閉めなきゃと電話口でがなり立てられ、物井は「じゃあ明日は休んで下さい」と告げて早々に電話を切り、ああ朝顔が枯れてしまうなと思った。

続けて、もう三本電話をかけた。最初は東糀谷のオオタ製作所だった。工場は不況の上に盆前で動いていないはずだが、アパートより涼しいからという理由で、ヨウちゃんはいつも夜中まで一人でそこにいる。案の定電話はつながり、ヨウちゃんが出た。「何しているの」と尋ねると、《テレビ》という返事だった。

「ちょっと高克己に会いたいんだが、連絡をつけてくれるか」と物井は用件を伝えた。ヨウちゃんは何の用かと聞くこともなく、《携帯電話の番号、言うから》と言い、番号を告げた。

「で、君はお盆はどうするの」

《別に》

「明日の夜、ちょっと寄らせてくれ。何か欲しいもの、ある？」物井がそう尋ねると、ヨウちゃんは即座に《別の脳味噌《のうみそ》》と応えた。

続いて、いましがた聞いたばかりの番号に電話をかけてみた。夏のいまごろは、たまの日曜日に都内のウインズで顔を合わすだけの高克己が、いまどこで何をしているのかまったく想像もつかないまま、《はい、興和信金。高です》という相手の声を聞いた。競馬場で聞くのとはだいぶん趣の違う、事務的な硬い声だった。「薬局の物井ですが」と言うと、高は《いつもお世話になっております》と営業用の声を出し、《何か——》と尋ねてきた。

「高くん。四月に府中で君から聞いた話だが、爺《じい》さんはちょっと本気で考えることにした」

《何の話を——》

「大企業から金を搾《しぼ》り取る話だ」

それだけ言って、物井は電話を切った。続いて三本目の電話をかけた。これも携帯電話で相手の所在は分からなかったが、こちらのほうは十中八九、勤務で手が離せないような状況ではないと予想した通り、《半田です》と応えた声には賑《にぎ》やかなパチンコ台の騒音が混じっていた。

「今日、岡村清二が亡くなった。爺さんもいろいろ思うところがあるんだが、ところで半田さん。あんた、日之出ビールから金を搾り取る気はないかい？」

パチンコ台がじゃらじゃら鳴る間から、半田は《ええ？　何と言った？》と聞き返してきた。

「四月に府中で、あんたと高克己が話していただろう。あの通りだ。日之出ビールを脅してみないか」

物井がそう繰り返した時点で、半田はようやく返事に間を置き、数秒間、じゃらじゃら、じゃらじゃらと玉の流れ落ちる物音だけになった。それから、《俺、一応は刑事なんだぜ》と半田は返事をした。

「ああ、知っているよ」

物井はそこで受話器を置いた。思いついたばかりの話だとはいえ、何をするにしても我が身には何の能力もなく、手足となる仲間が必要だというのが、最初に考えたことだった。周囲を見渡して、真っ先に高克己と半田修平の顔が浮かんだのは、二人が企業を脅す話をしていた当人たちだからではなく、そこは物井なりの人を見る目の直感だった。高も半田も、乗るときは確信犯で乗ってくる。性格的にそんなところがある、と物井は見ていた。

物井は自分でも驚くほど事務的に必要な電話をすませた後、遺体安置室に戻って、夕方に駅前で買ってきたカップ酒一本を啜《すす》り、タバコを吸った。死んでいる清二を発見した直後の、急激な気分のうつろいはもう跡形もなく、日之出ビールをどうこうと考え始めたといっても、自分自身に何か格別な変化が訪れた様子もなかった。

実際、清二の軀が招き寄せたトンネルをくぐり抜けると、そこに日之出ビールがあったというのは、物井のなかでは飛躍というより、まさに人生の不確かさというやつだった。所詮《しょせん》、裕福な歯科医がある日突然電車に飛び込んでしまうような浮世で、あるいは東北帝大を出た秀才が誰に看取《みと》られることもなく一生を終えるような浮世で、もうすぐ七十になる元旋盤工が、ある日突然、大企業を恐喝することを思いついたというだけのことだった。

清二の仇を討つという、もっともらしい理由付けは早くも色あせてしまい、あらためて自分の周りを見渡してみると、金がそこにあるから取るという以外には、何もない。理屈も道理もない。しかし、それこそ自分らしいありようだと物井は思った。いつだったか、片や財を成した者どもがおり、片や営々とその元手を作ってきた者がいるといったこの世の仕組みを考えてみたこともあったが、それでもなお、何に目覚めたわけでもなかった男一人、ただ悪鬼になるのが似合っている、と思った。

「そういえば清二さん。貴方《あなた》も、労働者の権利などとは言わん人だったなあ。ぼくも、どうもそういう頭はないんですが、牛馬にもなり切れんのです」

お棺にそう声をかけて、物井はもう一本、カップ酒の蓋《ふた》を開けた。

「自分がどこへ行こうとしているのか、自分でも分かりませんが、まあ行き着いたところがどこであれ、所詮は我が身一つのことですから。自分のためなら、もう神仏も要らんなあ――。そう思っとります、はい」

物井は靴を脱いでソファに座り込み、二本目の冷や酒を飲みにかかった。こうしてお棺に納まってしまったいまは、当の清二の顔も遠のき、つい半日前まで清二を引き取ろうかと考えていたこともどこかへ流れ去ると、物井は相変わらずの閉塞感《へいそくかん》に包まれ、ゆるゆると濁りながら過ぎていく時間のなかにいた。いや、腹の奥に鎮座した悪鬼のおかげで、ほんの少し腫《は》れ物が熱をもっているような感じはあったかも知れない。

二本目のカップ酒を少し飲み残してまどろみながら、物井は戸来の祖父母や親兄弟の顔を一つ一つ思い出し、アルバムを繰るように瞼に並べた。不思議なことに、岡村清二も含めて、これまではおしなべて薄ぼんやりとしたおとなしげな風貌《ふうぼう》が揃《そろ》っていると思っていたのだが、よく見ると、一つ一つそれぞれに強張っていたり、陰鬱《いんうつ》であったり、少々険悪であったりで、総じて卑小な有象無象の印象だった。

そしてまた一枚、記憶のページを繰ると、物井の一族に特有の顎《あご》の小さい逆三角の顔の中に、ひときわ陰険な目一つを光らせている十七、八歳の清三がいた。その顔は、八戸の鋳造所で撮った記念写真の一枚にあったものだ。物井はそれを凝視し、少し驚きながら、なるほど、あのころすでに悪鬼の片鱗《へんりん》はあったのだと納得した。

翌日、物井は午前中に市の火葬場で清二を荼毘《だび》に付し、遺骨を入れた骨壺《こつつぼ》と位牌を風呂敷《ふろしき》に包んで、午後二時過ぎには羽田に戻った。薬局のガラス戸は、小母さんが貼《は》り出した臨時休業の貼り紙の上で、『喪中につき』の文句が麗々しく躍っていた。物井は取るものも取りあえず萎《しお》れた朝顔にバケツ一杯の水をやり、それから骨壺と位牌を仏壇に供えて線香を焚《た》き、鉦《かね》を鳴らして手を合わせた。あらためて眺めると、小さな仏壇はもうぎゅうぎゅう詰めで、まるで一家七人が折り重なって寝ていた戸来の生家の囲炉裏端のようだった。

昨夜あまり寝られなかったので、物井は一時間ほど昼寝をしたが、その後、近所の人たちが「また誰が亡くなったの」「ちょっとお参りを」と三々五々訪ねて来た。思うところあって、物井はそれなりに普段通りに応対し、ビールと冷や酒のコップ酒を肴《さかな》に、所詮はひまな年寄りばかりの昔話に花が咲いたが、物井は半分も聞いていなかった。

夕方、近所の料理屋がお参りに来たついでに、特上のうな重を二折り頼み、ころあいを見計らって自転車で薬局を抜け出したのは、まだ日の落ちきらない午後六時過ぎだった。『盆休み』と貼り出されたオオタ製作所の鉄扉《てっぴ》は開け放してあり、奥の作業机のそばに背中を丸めたヨウちゃんはいた。ハンドホーンで手研ぎをしている手元を覗《のぞ》くと、バイトの刃先とチップブレーカーの角の面取りだった。面取りの全長が百分の五ミリぐらいという微細な手仕事だ。バイトの刃こぼれを防ぐために、《時間があったらしておけばいい》と物井が十年も前にヨウちゃんに教えたのだが、現場の仕事に追われる日々、実際には物井自身滅多にやりもしなかった。

ヨウちゃんは顔も上げず「昼に高が来た」と言い、「物井さんをどう思うかって聞くから――」と続けて、小さく肩を揺すった。

「それで、君の返事は」と物井は尋ねたが、ヨウちゃんはとりあえず返事をする気がないのか、あるいはたったいま自分のほうから口を開いたことも忘れてしまったのか、油まみれの手で黙々と砥石《といし》を動かし続けた。ヨウちゃんは不景気で仕事の減ったいまでも、一日十二時間以上工場にいて、仕事がなければバイトやフライスを一つ一つ研ぎ上げるものだから、この工場の工具はみな、息苦しいほどにピカピカだった。

「手を洗っておいで。うなぎ、食おう」

「俺、ビール買ってくる」

ヨウちゃんは工場を出ていき、三分ほどで戻ってきて、日之出スープレムの缶ビール三缶とカップ酒二本を作業机に置いた。まだ温かいうな重を同じ机に広げて、物井は酒、ヨウちゃんはビールで乾杯し、食い始めた。開けっ放しの工場の扉の外は、やっと少し熱気の収まった宵の風だった。

　それにしても、昨夜の物井の電話を受けて、早速探りを入れに来たらしい高克己は、ヨウちゃんにいったい何をどう話したのか。「高に、この爺さんのことを何と言ったの」と、物井はあらためて尋ねた。ヨウちゃんは飯を口にほおばったまま、一言応《こた》えた。

「善人と悪人の間」

「そうかも知れない。君のいう善人って、どんな人間なんだ」

「施設にいた賄《まかな》いの小母さん、かな」

「へえ——」

「施設を卒業したみんなに、毎年欠かさずハガキをくれていたんだけど、先月、亡くなったみたいだ」

　ヨウちゃんは、作業ズボンのポケットから取り出したハガキ一枚を見せた。施設で開かれるお別れ会の案内で、故人の姓は《木村》、享年《きょうねん》六十九ということだった。自分と同い年の見知らぬ善人について、物井には思い浮かべることは何もなかったが、消印からみて昨日あたりに届いたはずのハガキ一枚を後生大事にポケットに入れている若者の精神構造は、さらに分からなかった。

　ハガキを返して、「実は昨日、爺さんの兄貴にあたる男が亡くなってな。今日、火葬してきたところだ」と物井は言った。するとヨウちゃんはちょっと箸《はし》を止め、こちらを見つめてきた。「なに、小さいころに養子に行って、もう顔も覚えていない人だ」と物井は急ぎつけ加えた。

しばらくして、「高のお祖母《ばあ》さんも、子宮癌《がん》であと数日らしい」とヨウちゃんは言い、さらに間を置いて思い出したように「喪中ばっかりだ」と呟《つぶや》いた。そんなふうに言われると、たしかに人がよく死ぬ夏だという気はした。

「――で、高はほかに何か言った？」

「今夜、仕事が終わったら来るって。物井さんに相談があるそうだ」

「へえ」

高がほんとうにそう言ったのなら、市井《しせい》の信金職員の反応としては少々早過ぎるかな、と物井は考えた。しかし一面では、最初から信金はほんの腰掛けか、仮面だろうと見てきたのだから、高が物井の出したサインに即座に反応したとしても、驚いてはいられないというほうが正しかった。問題は、仮面の下のどの面《つら》で、《企業から金を搾り取る》という物井の一言に反応したかだった。いや、その前に、高はいったいこのヨウちゃんに何か話したのか、否《いな》かだ。物井は気になり、それとなく金の話をした。

「ところで君、金があったら何をする？」

「広い墓地を買って、永代使用料を払って、頑丈な墓を作る。俺、先祖が分からねえから、墓がないし」とヨウちゃんは返事をした。本気なのか冗談なのか、やはり分からない、いつもの無表情だった。

「欲しいのは墓だけか」

「金で買えるものといったら、そうだな」

「爺さんには分からんよ、君の言うことは」

「物井さんは、金があったら何をするんだ」

「そうだな、もう墓はあるしな——」

「競馬に金をつぎ込むとか」

「そうだなあ」

「大企業から金を取るんだろ？　高から聞いた」

ヨウちゃんは、折り箱に残った飯粒を箸で拾いながら、世間話でもするような口調で核心を口にした。

「そんなことを考えている、というだけだ」

「それにしても、いきなりだ」

「深い意味はない。爺さんの人生が、たまたまそういうところへ来た、というだけで」

しばらく間を置いて、ヨウちゃんはまた一言いい、作業机の上のテレビをつけた。明るくなったブラウン管から、一オクターブずれたタレントたちの嬌声《きょうせい》が飛び出してきた。ヨウちゃんは目尻《めじり》も動かさず、笑い転げるタレントたちに見入り、物井は老眼鏡をずらせて、誰が誰だか分からない似たような顔を眺めた。

「これ、ダウンタウン？」

「とんねるず」

「似たようなもんだ」

「物井さん。ほんとうに企業から金を取るのか」

「高と相談して決めるさ」

「もう競馬もやめるの」

「いや。爺さんの生活は何も変わらんよ、多分」

「俺の頭、想像力ねえから」

想像力がないから、分からないと言いたかったのだろう。ヨウちゃんは折り箱や空き缶を片付けると、テレビをつけっ放しにしたまま、またバイトの手研ぎに戻った。

「俺、びっくりした──」

一方、物井は、企業云々《うんぬん》を思いついた際にヨウちゃんの存在が念頭になかったことを考え、当初の思惑には入っていなかった枝葉の問題に、少々気が重くなった。ヨウちゃんに早速話をばらした高も高だが、何かをやるためには、そうした人の口も含めて、片付けなければならない雑事が山ほどあることを、物井は忘れていたのだった。もっとも、所詮は善人がやることではないと思えば、人の身辺まで案じてどうする、という気もした。

「ヨウちゃん。これはあくまで爺《じい》さん個人の話だ」

「誰にも言わねえよ」と、砥石の上に垂れた頭の下から返事があった。「それより、高が来たら、話を聞いてもいいか？」

「聞いて、どうする」

「俺も考える」

「人生、潰《つぶ》すぞ」

ヨウちゃんは、聞こえないふりをして応えなかった。そして、しばらくしてから思い出したように、初盆の供物《くもつ》を送るときに熨斗《のし》には何と書くのかと尋ねてきたので、《御《ご》供《く》》だと教えてやった。

高克己がやって来たのは午後九時過ぎで、仕事帰りだと一目で分かる書類カバン持参のスーツ姿だった。競馬場で見るのとはまったく別人の風体だったが、「暑いな」と一言呟いて、入ってくるなりネクタイを引き剝《は》がしたらもう、いつもの何者か分からない高克己の顔になっていた。

「昨日は、物井さんから電話があったとき、会議中だったもんだから」と、高はまず言い訳をした。それからヨウちゃんに貰《もら》った缶ビールを呷《あお》り、作業机の引出しから自分でキープしている柿の種の袋を取り出すと、「夏は飯が食えなくて」と言いつつ、一摑《ひとつか》み口に放り込んだ。見ていると、いつもこんな生活のようだし、銀座辺りを飲み歩いている気配もなく、普段の夜はパソコンをいじっているか、本を読んでいるかだと自分で言っているのは嘘《うそ》ではないように感じられた。そして今夜も、そういう顔をして現れた高だったが、それはつまり、企業から金を取る話を、高はいまここにいる一サラリーマンの頭で聞いたということなのだろうか、と物井はひとまず考えた。

「突然の電話で、さぞかし驚いたと思うんだが」

「別に驚きゃしない。俺たち金貸しが毎日やっていることに比べたら、企業を脅すぐらい」

高は素っ気ない返事をした。その言葉通りの気だるい表情だった。

「へえ。そんなものかね」

きっちり合うし」

「どうせ道義もくそもないんなら、ストレートにかっぱらうのが一番だ。収支の勘定も

そういえば、以前に何度か高本人の口から、金融機関の金勘定は取り付け騒ぎでも起こって業務停止になるまで、最終的な収支は分からないのだと聞いたことがあった。仮に一億を融資した先が資金繰りにつまって金利の支払いに困ったら、金利分の追加融資をして、融資実績はさらに上積みになる。いよいよ元本の返済が滞ったときには担保物件を差し押さえるが、地価の下落で担保価値が下がってしまったいまは、清算する代わりに関連のノンバンクに融資を付けかえる。そうして、一億の貸借関係は分散したり迂《う》回《かい》を重ねたりしながら、誰も損失として計上しないまま、どこかがこけるまで回り続けるのだ、と。

金融機関は、金を貸さなければ儲《もう》からない。金あまりのころには都銀が信金などに数千億単位の資金を入れ込んでいて、高の勤め先の興和信金でいえば、いまでも預金の四割が都銀がらみの預金だということだった。見返りに、信金は都銀から紹介された企業に融資をつけてやり、預金を入れた都銀は利息できっちり儲かる。一方信金は、都銀の預金で融資を増やし、実績を積み上げる。そうして、どこの帳簿も貸方借方の計算が合っているように見えるが、合っているのは数字だけだ、という話だった。

そういう話をした高は、後ろめたさも他人事のようで、無責任よりも、社会そのものへの徹底した無関心さが漂っているのを、物井はあらためて感じた。その無関心は、折々に無味無臭の毒のように高の物言いを覆《おお》っているものであり、日曜日毎《ごと》に漂わせているその筋の印象もまた、その大部分は酷薄な無関心から来ているのだと思った。

とまれ、高は言下に「驚きゃしない」と言ったが、物井も驚きはしなかった。金融機関の不実に真剣に悩んでいるような御仁なら、初めからこんな話を持ちかけるまでもなかった。

「で、君んとこの興和は、近ごろどうなの」

「都銀が預金を引き揚げ始めている」

「へえ」

「それで、穴埋めのために、一般の大口定期を集めているんだけど。今度うちが付ける金利は、一〇〇〇万円以上の一年ものの定期で四・二パーセントさ。都銀の倍。昨日の営業会議もその話だった。四・二の餌《えさ》をばらまけって」

「四・二とは凄《すご》いね」

「公定歩合に調達コストを加えて利益が出るぎりぎりの線が二・五、だぜ。それ以上の金利をつけたら、集めれば集めるほど赤字が出るだけだ。それでも集めろってよ」

そんなことを言った後、高は「ビール買ってきて」と千円札二枚をヨウちゃんに渡し、自分はダンヒルのタバコを一本くわえた。初めて会ったときから、高のタバコはダンヒルだった。ライターはカルティエ。物井がそんな外国の名前を覚えたのは、娘の美津子が身につけていた腕時計やハンドバッグからで、初めはカルティエが〈軽い知恵〉と聞こえて首をかしげ、値段を聞いてため息が出たものだった。無関心の皮は被《かぶ》っていても、高もそれなりの給料は取っている以上、今夜のところはとりあえず、預金者へのいくばくかの罪の意識や、仕事内容に対する嫌気などが漫然と重なっているといったところかと、物井は判断した。

「ところで、昨日の電話の件だが――」

「驚きゃしないとは言ったが、いきなり企業をどうこうと言われてもな」

「理由というわけではないが、昨日、七十九になる兄が老人ホームで死んでね」

物井は、岡村清二と自分の関係、清二が日之出ビールにいたこと、戦後の混乱期に日之出から肩たたきにあったこと、それから職を転々として、最後は痴呆《ちほう》で一生を終えたことを、簡単且《か》つあいまいに話した。なに、ついていない人生が一つあったというだけの話だが、と。

それを聞いている間、高は机の上のビールの空き缶を慰みにいじっていたが、やがて

「堅い企業ほど、人を切り捨て、使い捨てて生き残ってきたのは確かだ」と言い、「だから、しっかり資本を蓄えている」と付け加えた。

「しかし、物井さんは金に困っていないだろうに、企業から金を取りたいというのは、またどうして」

「この爺さんの、六十九年の人生が行き着いたところだとしか言えない」と物井は言葉を選んで応えた。「君に声をかけたのは、企業の財務に詳しい立場から意見を聞きたかったからだ。君が無理だというのなら、考え直すまでだ」

「企業というのは、体面と信用に関わるところを突かれたら、よほど法外な額でない限り、基本的に金は出すところだ。無理だとは言わない」

「日之出ビールはどうだ」

「日之出、か──」高は、ちょっと指先のタバコの煙を見つめ、何事か頭のなかで計算するような顔になった。それから、「悪くはないな」と一言応え、また柿の種を一摑み口に放り込んだ。

「悪くない、というと」

「食品や飲料は、株価が比較的動きやすいんだ。機械や金属と違って消費者に直結した商売だから、脅しも二倍効くってやつだ」

高がどの頭でそんなことを考え、喋《しゃべ》っているのか、想像もつかないと思いながら、物井は耳をすませた。日々、金融の世界で脅しまがいの実態に触れているからか、あるいは実家の商売がらみでその筋の空気を吸っているからか、いずれにしろ平凡なサラリーマンの顔の下から、こうしてちらりとその中身が覗《のぞ》くと、そこに高克己という得体の知れない男が現れるのだった。

とはいえ、ときどき工場へやって来ては、作業机の上に缶ビールと柿の種を並べて、ヨウちゃんにパソコンを教えてやり、一緒にテレビゲームをやって笑い転げているのも高克己で、いまもまた、決して陰険な目を覗かせているわけではなかった。むしろ、何の裏もない子どもっぽい無防備さで、だらしなく足を投げ出しながら、いくらかは自分をさらけ出している結果がこれなのだった。

一面は危険で、一面は無害。両面を合わせたらどうなるのか分からない男だと、そのときも物井は考えた。しかし、そもそも企業から金を取るという話自体が尋常ではないのだから、危うさでは高克己と五分五分だった。

「なあ、高くん。確実に金が取れるような計画を、君は作る気があるか」

「計画を作るというのは、実行することだぜ」高は笑い、真顔に戻ると「その前に、物井さんの真意を聞かせてもらいたいな」と畳みかけてきた。なるほど、まっとうな意見だった。

「君は笑うかも知れんが、爺さんは財を成した連中の苦しむ顔が見たいだけだ。近ごろ、とくにそう思うようになった。爺さんが生まれたのは青森の小作農の家でね、思い出すといろいろあるんだが──」

高は黙って聞きながら、その夜初めて物井の目を正面から窺《うかが》っていた。それから、「別に笑いはしない。俺も在日だもん」とだけ応《こた》えた。

ヨウちゃんが戻ってきて、買ってきたビールと酒を作業机に置いた。自分も話を聞くと言った通り、ヨウちゃんは素知らぬ顔でそのまま作業机の端に座り込み、バイトを研ぐ作業に戻った。高はちらりと目をやっただけで、何も言わなかった。

物井は、結論を急ぐつもりはなかったので、高の決断を促すのは止《や》めて、話題を逸《そ》らした。

「ところで高くんは、金があったら何をしたいんだ」

「俺──？」

高は新しい缶ビールを傾けていた手を止めて、またちょっと物井のほうへ目を振り向けた。物井は高の一重瞼《まぶた》や三白眼をあらためて間近に眺め、そういえばこの三年半、あまりしげしげと見たこともなかったのだと思った。しかし、物井を見つめてきた高の目にはとくに表情もなく、奥座敷の襖《ふすま》がちらりと開いてまたすぐに閉じるように、逸れていった。

「俺の実家は、それこそ一千万、二千万の単位で日銭が転がり込んでくるような商売だからさ。俺自身は、金があったら、という発想は持ったことがない。持ちようがないだろ、金だけは腐るほどあるのに」

「爺さんは、そんな経験ないから分からんよ」

「でも、俺の親は違うぜ。戦後、どぶろくの密造や闇市《やみいち》で一日二十時間働いて金を貯《た》めて、事業を興《おこ》した人たちだから」

「へえ――」

「俺は何となく肌が合わんから、ずっと外で働いてきたけど。――いや、自分でもよく分からない」

自分で触れておきながら、一言では説明しきれないと思ったのか、それとも話す気を失ったのか、高は自分のほうから話題を切り上げた。高が何を言おうとしたのか、物井には正確なところは分からなかったが、意識のどこかで高が離れられないでいるらしい民族のわだかまりは、その夜も節々に感じられた。

「実は、俺の祖母《ばあ》ちゃんが死にかけていてさ」と、高は突然口調を変え、ビールのゲップを漏らしたついでに、ふわあと欠伸《あくび》をした。大口を開けると、子どものころから親の目が行き届いていたことの証《あかし》の、きれいに整った歯並びが見えた。そんなものが目につ いたのも、物井自身が働き盛りのころ、子どもの口のなかまで気をつかってやる余裕がなく、おかげで娘の美津子が虫歯だらけになって、ずいぶん恨まれた経験からだった。

「ああ、そうらしいね。ヨウちゃんから聞いた」

「うちの不動産の大半を持っているのは、祖母ちゃんでさ。会社はそれを借りて、賃料を払っているかたちになっているんだが、祖母ちゃんが死んだら、俺の親父《おやじ》を含めた六人兄弟で遺産を分割することになる。親父の兄弟全員が会社の経営権を狙《ねら》っているから、大変なんだ。いや、ほんとの話」

「へえ」

「これでも一応金融の世界にいるから、実家の商売とは何かと縁は切れないにしても、俺は総聯《そうれん》にも入ってないし、同胞との付き合いはないし。俺もそろそろ正念場だ。――というわけで、物井さんの話なんだけど」

話は大きく回り道をして、元の話へ戻ってきた。物井は高の言う〈正念場〉と、企業から金を取る話がどう結びつくのか、とっさには理解も出来なかった。

「日之出ビールから金を取る話が、どうかしたか」

「一つ、取引をしよう」

そう言って、高はちょっと身を乗り出してきた。いましがたの欠伸の延長のような物《もの》憂《う》い眼差《まなざ》しではあったが、続いてその口から出てきた言葉は、物憂いどころではない、明快なビジネスのそれだった。

「物井さんがほんとうにやるんなら、俺は、確実に金を取れる方法を、責任をもって考える。全面的に協力する。その代わり、たとえば日之出ビールを標的にする場合、確実に株価に影響を及ぼすような方法を取る。そういう条件で、どうだ」

「よく分からんのだが――」

「知り合いに日之出株で儲けさせてやりたいんだ。その代わり、物井さんの計画は必ず成功させる。もちろん、株のほうは証券会社を通じての売買だ」

「その筋の話、かい？」

「投機筋。まあ早い話、親族から親の会社を守るため、ってとこだ」

そうは言っても、やはりその筋に近い話なのだろうし、そうでなければ、わざわざこういうかたちでことわりを入れる必要もない話だった。物井は、当初の自分の計画に余計な色がつくことの是非を考えざるを得ず、とりあえず「うん、考えとくよ」と応えた。

「いまの話、他言するな」

高は一言いい、その一瞬たしかにサラリーマンではない目が走ったように見えたが、かと思うと「ヨウちゃん、来週、幕張《まくはり》へ行こうな」という普段の調子に変わっており、ヨウちゃんが作業机から顔も上げずに「ああ」と応えた。

「幕張で何があるの」

「最新のゲームソフトの展示会」

高は柿の種の袋の口を輪ゴムでくくり、それを作業机の引出しに入れた。それから、またふいに物井のほうへ顔を振り向けると、言ったものだった。

「そうだ、こうなったら半田は使えるぜ」

「しかし、一応は刑事だからな」

「だからだ。犯罪をやるのに、刑事を使わない手はない。それに、あいつは間違いなく乗ってくる」

「どうしてそう思う」

「第六感。先週もウインズで会ったが、サバの生き腐れみたいだった。何か一発やりたいという顔だったよ、あれは」

上着とカバンを手に腰を上げた高に、物井はあらためて一声かけた。

「この爺《じい》さんと何かやることについては、その筋は抜きだよ」

すると高は、一秒置いてハハッ！　と笑い声を噴き出させ、くるりと背を向けるともう疲れ果てた勤め人の後ろ姿になって、帰っていった。

「物井さんはそう言うけど、高はその筋の人間だよ」作業机のかたすみから顔を上げたヨウちゃんの声がした。

「爺さんもそう思うが――」

「高を信用するか、日之出ビールを諦《あきら》めるか。物井さん、決めてくれ。物井さんがやるんなら、俺もやる。こんな生活をしていても、退屈で死にそうだ」

ヨウちゃんは、それ以外にはない簡潔な結論を早々に出すと、何かの下になっていた競馬専門紙を引っ張り出して、その上に頭を垂れてしまった。

翌日、半田修平のほうから《仕事帰りに寄る》と連絡があった。半田は午後九時前に薬局に現れ、ガラス戸を開けるなり、「あの布川がさ。今朝、署へ電話をかけてきて、女房が布団《ふとん》に火をつけた、どうしようって言うんだ――」と言い出した。

物井も思わず「ええ？」と聞き返した。

「所轄《しょかつ》の築地《つきじ》署へ聞いてみたら、勝どきの日豊運輸の社員寮で、ボヤはたしかにあったらしいんだが、寝タバコだって言うから。布川には、いいから黙ってろって言ってやったよ。代わりに、女房を病院へ連れて行けって」

半田はほとんどひとりで喋り、店内に押し込んである洗剤やトイレットペーパーの棚を自分で押し退《の》けて、なかへ入ってきた。「まあ、お上がりよ」と、物井はともかく声をかけた。

布川は、すでに春ごろから切羽詰まった様子だったが、障害児を抱えた事情が事情だけに、たかが競馬仲間でしかない物井たちに出来ることは何もなかった。母親が病院通いになったら、レディの面倒はいったい誰がみるのかと一瞬考えてみたが、それも考えるだけ不毛だった。「消防に水をかけられたのなら後片付けが大変だ」物井はやっとそれだけ言い、半田は「俺、午後から手伝ってきた」と言った。「布団どころじゃない、畳から家財から全滅だ」

「へえ。それは大変だったなあ」

「午後は非番だったから」

居間に上がると、半田はまず仏壇に置かれた白木の位牌《いはい》や骨壷《こつつぼ》に目をやり、線香をあげて手を合わせた。それから、岡村清二の最期《さいご》の様子などを少し聞いた後、「一昨日は、俺も葬式だったんだ」と言った。「品川署の高橋という刑事を覚えているだろう？　あの刑事がよ――」

「ああ、あのときの――」

秦野浩之が自殺したとき、所轄の成城署に出向いた物井を別室に呼んで、岡村清二の手紙の件をしつこく尋ねた刑事がいた。品川署から来たその刑事は、秦野が物井にかけてきた最後の電話の件や、物井と清二の関係などを詳しく尋ねたほかに、物井の実家の話や、物井が八戸から上京した後の勤め先や家庭の事情を事細かに聞き出したが、それが高橋だった。歳《とし》のころ五十過ぎの、実に目立たない風采《ふうさい》の男で、眼光だけは絡《から》みつくような感じだった記憶がある。

半田が話したところでは、その高橋は九二年に品川署から小岩署の警務へ配転になり、春に癌《がん》で入院して、一昨日亡《な》くなったのだということだった。四年前、知能犯専門で長くやってきたベテラン刑事が秦野の件で物井に食い下がったのは、岡村の手紙を秦野に渡したとされる総会屋絡みの事情だったが、高橋はその後もしつこくその筋を追っていたらしい。それが警察内部の何かの事情で小岩へ飛ばされ、その後は警務の机で事務を執る毎日だったということで、現職で亡くなった人にしては、葬式はひどく寂しかったという半田の話だった。半田自身は、ほんの短い日数にしろ一応昔の上司だった人だからというので、ときどき病院へ見舞いにも行っていたようだ。

「一週間前、最後に見舞いに行ったときに、高橋が俺に、金本義也という男の犯歴を取ってくれと言うんだ。まあ、重病人のうわ言だから、気にするまでもなかったんだが、曰《いわ》く、金本は総会屋の西村真一とゴルフ仲間で、その金本が物井清三の家に月一回ぐらい寄っている、ということだった」

「金本鉄工所の社長の金本義也か」

「ああ、その金本だ。物井さん、知り合いだろ」

「義也は、爺さんが勤めていた八戸の鋳造所の社長の息子だ。よく遊んでやった。もう半世紀前の話だが」

「いまは、どういう付き合いだ」

「昔、爺さんになついていたもんで、いまでもときどきうちへ物を持ってくる。洋酒とか朝鮮人参《にんじん》とか」

「高橋は、金本と一緒に西村真一があんたの家に行っていると言っていた」

「西村というのは知らないよ、爺さんは」

「右の顎《あご》に直径一センチのホクロのある男だ。思い出せ」

いつの間にか刑事の口調と目つきになっている半田を眺めながら、物井は何やらばかばかしい気分になったが、「思い出せ」と言われて仕方なく、ときどき金本義也のベンツに乗っているホクロ男の顔を、記憶のなかから引きずり出した。

「うん——。ホクロ男なら見たことはある」

「それが西村真一だ。秦野に岡村清二の手紙を渡した男だ。大変な知り合いだぞ、物井さん」

「しかし、爺さんは口をきいたこともないよ」

「四年前、説明しただろう？　歯医者の件で問題になったのは、四十年も昔の岡村清二の手紙を、西村がどこから入手したのか、だった。岡村清二の兄弟で、なおかつ西村と面識がある人間がいたら、当然マークされる。そういうもんだ、世の中は」

半田はそう言って、向かいの酒屋の自販機で買ってきたらしい缶ビールにやっと手をつけ、飲み口のタブを沈めて一口啜《すす》った。

物井のほうは、思いがけない話を聞かされて、ちょっと異物を呑《の》み込んだような気分になった。金本義也はつい先月も、「にっちゃん、スイカ持ってきたぞ」と陽気な赤ら顔を覗《のぞ》かせていったが、そのときのほんの一、二分の立ち話まで警察に見張られていたのかと思うと、何てこったというところだった。

「しかし、秦野が日之出ビールに送ったテープの件は、捜査は終わったのだろう？」

「ああ。しつこく追及していた人間も死んじまったしな」

半田は、亡くなった高橋という男の葬儀がよほど腹立たしかったようだった。尋ねもしないのに、町田の小さい寺であったという葬儀の様子や、署から出向いてきた副署長や刑事課の連中の誰からも、故人の生前の仕事を偲《しの》ぶ言葉が出なかったことや、出棺を待つ間、まったく高橋に関係のない強盗事件の話に花が咲いていたことなどを話した。斯《か》く言う半田自身、高橋のことはほとんど知らないというのだから、会葬者の一人としての怒りのいくらかは、何かしら個人的な憤懣《ふんまん》のすり替えに違いなかった。

「男の人生なんてつまらんな。こつこつ働いても、出世出来なきゃ、死んでも窓際《まどぎわ》だ。出世したらしたで、心にもない弔辞で賑々《にぎにぎ》しく見送られる──」そんなありきたりの文句を吐いて、半田は珍しい苦笑いを見せた。

「死ぬときは一人がいいね、たしかに」

「だから女の連れ合いは年上がいいって」と、半田はこれも珍しい軽口を叩《たた》いた。

「あんたのとこ、姉さん女房か」

「十歳上。四十五にもなったら、化粧もしなくなる」

半田は、ビールのつまみに物井が出してやった糠漬《ぬかづ》けのナスビと胡瓜《きゅうり》を、「スーパーのやつと味が違う」と言いながら美味《うま》そうに食い、物井は焼酎《しょうちゅう》を啜った。

「ところで、金本が訪ねてくるのは不定期か？　夜か昼か、どっちだ？　店の薬剤師や近所の住人に見られている？」と、半田はさらに質《ただ》してきた。

物井は、金本の来訪は不定期で、呑んだ帰りの深夜、もしくはゴルフに行く日曜の早朝であること、妻の芳枝が生きていたころに金本は二、三度家に上がり込んで呑んでいったが、ここ十年ほどは金本自身の生活が変わってしまい、いつもベンツで立ち寄るだけであること、会ってもろくに話をするわけでもないことなどを話し、近所に見られているかどうかは知らないと応《こた》えた。

「よし、まずは金本を切ってくれ。急に付き合いをやめると不自然だから、徐々にな」

「金本の話は分かった。爺さんが不注意だった」

「一昨日、物井さんが電話で言った件があるから、こういうことを言うんだぜ」

とくに構えた様子もなく半田はそう言い、二缶目の缶ビールを開けた。ああ、こいつは乗ってきたなと物井は直感し、ゆるやかな高揚を感じながら、自分もコップに焼酎を注ぎ足した。

「ほんの思いつきだが、冗談のつもりはないんだ」物井は自分のほうから切り出した。

「爺さんは日之出ビールから金を搾《しぼ》り取る、と決めた。動機はと聞かれたら困るが、人生にはタイミングみたいなものがあるんだと思う」

「魔がさした、という説明しか出来ない犯行はたしかにあるが、その場合でも、下地は必ずあるもんだ」

「終戦直後に、ぼくは勤めていた工場の社長一家を殺しそうになったことがある。それが爺さんの地だ。一応おとなしく生きてきたつもりだが、歳を取るということ自体、何かしら穏やかでないものなんだよ」

「警察が一番困るタイプだ。動機がはっきりしないというのは」半田はいつになく軽い調子で笑った。

「しかし半田さん、あんたはどうなんだ」

「俺はな、妄想癖があるんだ。いやなことがあると、自分を救う妄想をめぐらせて埋め合わせる。ずっとそれをやって来たところへ、物井さんの電話だ」

「何か具体的なきっかけでもあったのかい」

「いや。俺も、積もり積もったものとしか言えない。しかし、俺は社会へ出るときに入口を間違ったことだけは確かだ。警察という組織も、警察官という職業も、俺には偉すぎる」

警察という組織で積み重なった大小の憤懣の層が、折々に半田の外貌《がいぼう》や素振りに現れるのを、物井はこの十年間、それなりに見てきたつもりだった。一つ一つの憤懣は単純でも、数多く重なると、そのうちもつれ合って解きほぐせない複雑な塊になるだけでなく、半田の場合、そこにはねじれた執着や誇りや功名心なども絡み合っているのだった。

しかし、物井自身が育《はぐく》んできたような悪鬼が半田にもいるのかどうかは、物井には分からなかった。一線を越えるときに、己の背を押す何かは、この男の場合何なのだろうと思いながら、物井はただ半田の顔に見入るほかなかった。

「そうそう、今朝なんか俺、何をしていたと思う？　夜勤明けで欠伸《あくび》をしていたら、午前六時に課長から電話がかかって、署長とゴルフに行くのに、パターを刑事部屋のロッカーに忘れたから至急届けてくれってさ。パター一本抱えて、狛江《こまえ》まで行ったよ、朝っぱらから」

「へえ」

「そいつは、署長と本庁のご機嫌とりしか頭にない課長だが、相手が下司《げす》であればあるほど、そいつの前で直立不動をやる愉快さってのがある。俺はめいっぱい慇懃《いんぎん》にやってやったぜ。はい課長、パターをお届けに上がりました、ってな」と、半田は頭を下げる身振りを加えて言い、嗤《わら》った。「だいいち、この俺が何を考えているか、相手が知らないってのが愉快だ」

「へえ」

「要は、俺の堪忍袋《かんにんぶくろ》の緒は、人一倍丈夫に出来ているってことだ。だから妄想の出番もある」

なるほど、屈辱を自虐《じぎゃく》にすり替え、憤懣を妄想にすり替えて事実を受け止めるのがこの男の生き方なのだ。そう物井は考えてみた。社会や組織や人間の一挙手一投足が、そのまま背を押すものになり、自虐や妄想の快感がそのまま日々の糧《かて》になるという、その在り方そのものがすでに十分にねじれている。要は、この男の悪鬼はそういう現れ方をしているのだ、と。直情径行の自分の悪鬼とはずいぶん違うが、ここにも確かに悪鬼はいる、と。

「しかし、日之出ビールをゆするという話は妄想ではないよ」

「現実の犯行は、ごく短い時間で終わってしまう。それよりも、その前後にあれこれ考えて興奮する時間が長いんだ。だからやるんだ、俺は」

「たしかに考えるのはタダだ」

「この俺が何をやっているか、周りの誰も知らないという快感、物井さんには分からんだろうな。本ものの社会の敵が、素知らぬ顔でお偉い警視庁の警察官をやっているという快感──」

半田はそれこそ妄想を味わうように、口のなかでそんな呟《つぶや》きを転がし、ビールと一緒に呑み下した。物井もまた、〈よし〉という思いを呑み下した。

「半田さん。やる、ということだな?」

「ああ」

「迷いはないのかい？」

「ない。ところで、布川を誘ってもいいか。あいつ、家の片付けをしながら、ぶつぶつ独《ひと》り言《ごと》を言ってやがるんだ。俺はもう消える、って――」

「消える？」

「他人がどうこう言うことではないが、どうせ女房子どもを捨てて消えるつもりなら、その前に一発やらかしてもいいんじゃないか？　布川だって、金が入ったら、少しは気分も変わるかも知れない」

物井自身は、レディを抱えている布川を誘うという発想は元からなかったし、どう応えたものかと迷った。金が入ったら、というのは一面の事実かも知れないが、つい先週も水道橋のウインズで機嫌よく頭を振っていたレディの顔を思い出すと何とも言えず、結局、「爺《じい》さんには、その辺の判断は出来ない」と核心を迂回《うかい》した。

「なに、最後は布川が決めたらいいことだ。あいつは、自衛隊で鍛えられたついでに、自分の頭でものを考える習慣を取っ払われているからな。この辺で一度ぐらい、自分の意思ってものをよく考えたほうがいいんだ」

いちいち、そうかも知れないと思いながら、物井は布川の茫洋《ぼうよう》として表情のない横顔を瞼に浮かべた。いつも競馬場で眺めてきたその横顔には、たしかに意思らしい意思が現れたためしはなく、ひたすら辛抱強く黙然と座り続けているばかりだった。そんな男の家族や未来のことを、誰が決められるというのだ。

「布川のことは、半田さんに任せるよ」

「俺から話してみる。使えるという意味では、あいつは最高だぞ。だてに自衛隊にいたわけじゃない」

半田は二缶目のビールを空けてしまい、物井は焼酎をすすめた。半田は「一杯だけ」と応えてコップを差し出し、「いただきます」と律儀《りちぎ》にことわって口をつけた。

「ところで爺さんは昨日、高と話したんだが――」

「あいつ、どうだ？　企業を狙《ねら》うんなら、高の悪知恵を生かさない手はない」

「高は全面的に協力すると言ったが、どうやら日之出の株価を操って儲《もう》けることを考えているようだ。半田さんはどう思う」

物井がそう言うと、半田は「あいつらしいなあ」と軽く笑い出した。「どうせ、知り合いの仕手筋か証券マンと組むんだろう。こっちとは完全に別枠だという条件付きなら、好きにさせるさ。むしろ、動機がはっきりしていて分かりやすいや」

「高は、別枠だとは言ってるが、その筋がらみだと問題があるだろう」

「それは逆だ。その筋の連中は口が堅いから、むしろ話が漏れる心配はなくなるよ。それに、連中が株をどう売買しようが、絶対に表には漏れてこない話になる。それだけは間違いない」

「あんたがそう言うのなら、爺さんも異議はない」

「ただし、高の親父《おやじ》さんが朝鮮総聯《そうれん》幹部だということを、俺の頭から抜くのは無理だ。高とはビジネスで付き合うだけだ。それは了解してくれ」

「高のほうもそのつもりだろう。ところで高が、ヨウちゃんに話してしまって、ヨウちゃんもやると言い出しているんだ。そういうわけで――」

「いつもの競馬仲間が集まっただけか」半田は首をすくめ、「すげえな。鬼退治に行く桃太郎の話みたいだ」とまた一つ笑った。

「やめるなら、いまだ」

「なに、悪くはない組み合わせだ。関係者同士の地理的社会的つながりを警察の用語では鑑《かん》と言うんだが、俺たちにはその鑑がほとんどない。鑑がないと、捜査する側は犯行グループを辿《たど》りにくい」

「これからは、府中やウインズへ全員揃《そろ》うのもやめないとな」

「そういうことだ。俺と物井さんの住所が近いのも問題だから、俺はこれからこの薬局には近寄らないようにする。物井さんとヨウちゃんの間は、いまのままでいいが、高がヨウちゃんの工場へ行くのはやめさせよう」

「ほかには」

「全員、借金の有無を自己申告する」

半田曰《いわ》く、企業から金を脅し取るには、準備期間を含めて数カ月から一年はかかるので、借金取りに追われている身では無理がくる、ということだった。また、警察はまず金目当ての犯行と見て、市中の金融機関、とくにサラ金業者の顧客から洗い出しを始めるから、一人でも借金を抱えているのなら、話は全部なかったことにするほかない、とも言った。

「それから、いよいよ計画だ」

「爺さんは、絶対に成功させたい」

「俺だって」

物井からは、これ以上半田に言うことはなかった。互いのコップに焼酎を注ぎ足し、黙って乾杯をした。

「そういえば日之出ビールだが――」と、半田はまたちょっと思い出したように口を開いた。

「日之出と物井さんは、縁があり過ぎると思う。岡村清二の手紙の件、お孫さんの件。日之出が狙われたら、警察が即座に洗い出す名前のなかに、間違いなく物井さんの名前も入ってくる」

「爺さんには、日之出ビールしか思いつかない。それに、動くのは若い者に任せて、爺さんはここで朝顔の水やりでもしているし、君たちとは鑑とやらもない。動機もない。警察に事情を聞かれても、爺さんは大丈夫だ」

「その辺はもう一度、考えさせてくれ」と半田は言い、それから「日之出といえば——」と呟きながら、ちょっとタンスの上の家族の写真を眺めたりしていたが、間もなくぽんと自分の膝《ひざ》を叩《たた》いて「そうだ」と向き直った。

「話は飛ぶが、お孫さんが戸籍を理由に結婚を断られたとかいう、あの相手の名前は」

「名前？　うーん、何だったかな——」

「物井さん、娘さんに聞いたって言っていた。相手は東大の同級生で——」

「——スギハラ。そうだ、スギハラヨシコ、だった」

「ヨシコの字は？」

「そこまでは知らんが」

半田は取り出した手帳に一行何かを書きつけ、またポケットにしまった。

「孫の交際相手が、どうかしたのか」

「なに、四年前あの高橋とちょっと話したことがあるんだ。お孫さんが亡《な》くなった後で、そのヨシコの親が秦野の家にお参りに来たのだろう？　なぜ葬儀のときに来なかったのだろう、ってな」

「後ろめたい気持ちもあったんだろう」

「どうだかな──。だいいち、いくら結婚を断られてショックを受けたからといって、一人前の大学生が、それだけで大事な就職の面接を途中で退席したというのも、ちょっと理解に苦しむ話だ」

半田はいつの間にかまた、何かの感知器の針が振れたような刑事の目になっていた。

「ひょっとしたら、ひょっとする──。調べて、結果は電話するよ」

それだけ言うと半田は腕時計を覗《のぞ》き、「もうこんな時間か」と独りごちて腰を上げた。共働きの嫁さんが夕飯の用意をして待っているのだとか何とか、うわのそらの言い訳をして、午後十時半に半田は帰っていった。

それからわずか三日後の夜、物井は半田の結果報告を受け取った。雑踏の物音がうるさいどこかの公衆電話から電話を入れてきた半田は《当たり、だ》と言った。

《杉原佳子の父親は杉原武郎という。日之出ビールのビール事業本部副本部長兼取締役だ。その杉原武郎の妻の晴子は、日之出ビール社長城山恭介の実妹。杉原佳子は城山社長の姪《めい》になる。――物井さん、聞いている？》

「秦野が日之出宛《あ》てに手紙やテープを送りつけたとき、日之出は、杉原の家庭の醜聞が外に漏れないよう、必死だったということか」

《そういうことだ。日之出はいける》と半田は言った。《そんな醜聞をネタにする気はないが、日之出は絶対に外に漏らせない傷を負っているということだ。こっちが黙っていても、日之出は勝手に傷を庇《かば》って防御に回る。こんな好条件はまたとない》

「警察が杉原の娘とうちの孫の経緯を嗅《か》ぎつけたら、どうする」

《その話は、日之出側からは絶対に漏れはしない。仮に警察が嗅ぎつけたら、その時点で警察は捜査の道筋を誤るということだ。――分かるか？　犯行を怨恨《えんこん》の線で辿る限り、出てくる関係者は物井さんと娘さんしかいない。物井さんは、朝顔に水をやって、テレビを見ながら昼寝して、日曜は競馬だ。どこをつついても、何も出てこない》

公衆電話なのに、半田はテレホンカードの度数が減ってゆくのを気にする様子もなく、一つ一つの言葉をゆっくり選んでいた。物井に聞かせるというより、自分自身に言い聞かせているような口調だった。

　物井は物井で、それを聞きながら、あらためて日之出という企業一つに対する因縁を、電話口でゆっくり発酵させた。杉原某という日之出の取締役さえいなければ、孫の孝之も秦野浩之も死ぬことはなかっただろう、とか、日之出という企業に誠意のかけらでもあれば、秦野も脅迫まがいの手紙やテープを送りつけたりしなかっただろう、とか。
「日之出はいける、というんだな？」
《そのとおりだ。あ、それから、昨日発売の週刊東邦の〈日本の顔〉のグラビアに、城山恭介が載っている。品のいい地味なサマーセーターと、洗いざらしのチノクロスパンツの普段着で。足元が、履き古したリーボックの白いスニーカーでさ、なかなかセンスがいい。撮影場所は小さい神社の境内のようなところだ。どっかで見た風景だと思って、念のために現場へ行ってみたら、思った通りだった。大森の駅前に石段があるだろう？あれを上がったところにある天祖神社》
「ああ、知っている。日之出の社長は山王の住人か。なるほど、高級住宅地だ」
《山王二丁目だ。住所を調べて覗いてきたぜ。立派な家だ。庭が広くて、大きな木が涼しげに繁《しげ》っていて、ガラスの温室がある。犬はいない》
　半田は一つ一つ思い出すように並べた後に、《こいつは誘拐コースかもな》と呟き、軽く鼻先で笑う気配がした。

誘拐という一語を耳にしながら、物井は漠然と〈身代金《みのしろきん》だな〉と思ったが、悪鬼の麻酔が効き続けている頭には、当否の判断もやっては来なかった。計画が少しずつ動き出しているという、小さな実感があっただけだった。

《なに、いま思いついただけだ。山王の所轄《しょかつ》は大森署で、北が大井、品川。南が蒲田《かまた》。どこも俺のシマだ。緊配の無線も筒抜けになるし――。面白いかも知れない》

半田は何事か思いめぐらせるようにそう言った後、事務口調に戻った。

《ところで昨日、布川と話し合った。感触はいい。いまは盆休みだから、明日か明後日には物井さんに電話をしてくると思う。ああそれから、例の杉原佳子は九二年に結婚して、糸井という姓にかわっている。ちょっと現況を当たってみるつもりだ》

半田の電話はそこまでだった。

布川淳一からの電話は、翌日の午後にあった。これも公衆電話からで、近くに児童公園があるのか、電話には幼児たちの歓声が混じっていた。

毎年、中央競馬が地方へ行く七月と八月のころ、レディの通っている施設も夏休みで、布川の夫婦は娘の世話に追われるのだった。電話口で布川の声を聞いたとき、物井はまず、ちょうどいまごろの時期だったなと思い出した。

《昨日、うちのあれを重度の施設へ移した》と布川は言った。《そこだと、土日に引き取る必要もないし、家内の具合が悪いんで、俺一人ではもう、どうにもならないもんだから》

そうか。レディは家に帰っていないのか。そう聞くと、レディがちょっと可哀相《かわいそう》だという思いと、これで布川も少し楽になるという思いの両方がやって来て、物井は言葉に窮した。「そうか──」と、やっと一言応《こた》えた。

布川もまた、長い間を置いた。電話をかけてみたものの、用件の整理がついていなかったのか、次に聞こえてきたのは《暑いな》というぶつ切れの一言だった。いつもそうだが、そうと分かる感情も抑揚もない布川の声は、百ある事柄のうちの一つか二つをやっと伝えてくるだけだ。

「ああ、暑いね」

《ところで、半田さんから聞いた。仲間に入れてほしい》

「理由は何だ」

《理由が要るのか》

「そういうわけではないが、君もいろいろ考えていることがあるだろう」

《人生に踏ん切りをつけたいだけだ》

「何のための踏ん切りだ」

《俺の人生を見たら、分かるだろう》

「君の人生か。腕のいいドライバーで、月に六、七〇万の稼ぎがあって、嫁さんが病気で、娘が障害児だ。それがどうした。そんな人生は世間にごまんとある」

物井は、布川が気分を害して電話を切ってしまうだろうと思ったが、電話は切れなかった。代わりに、全身から噴き出したような、ほとんど悲鳴のような《ああ――》という息が聞こえ、また沈黙になった。野球のボールを打つカーンという音、走れ、走れと叫ぶ子どもの笑い声が電話の向こうで響いた。

理屈ではなく、幸不幸でもなく、弱い人生が一つあるというだけのことだった。布川は以前から、娘が十八歳未満のうちは施設に預けられるが、それ以降、三十や四十になっていく娘の面倒をどうやって見ていけばいいのか分からないと言っていた。多くの親が現に障害を抱えた子どもの面倒を見ているからといって、ほかの誰でもない、当の布川が出来ないと言う以上、出来ないものは出来ないのではないだろうか。

半田の言う通り、布川はひょっとしたら蒸発する可能性があり、そのための〈踏ん切り〉かも知れないことは、物井にも察しはついた。だからこそ、物井としては余計に念を押さなければというところだった。自暴自棄でやられては、仲間全員が迷惑をする。

「布川さん。奥さんと温泉でも行ってといで。こっちは今日明日の話じゃないから、返事は急がない」

《俺の引いたジョーカーが消えない限り、答えは変わらんと思う》

「ジョーカーというのは、レディのことか」

《ほかに誰がいる。俺たち夫婦は、千人の赤ん坊に一人か二人混じっているジョーカーを引いたんだ。ほかに言いようがあるか》

障害をもって生まれてきた子どもも、時速百キロで首都高の側壁に突っ込んで死ぬ子どもも、精神を病んだ岡村清二も、老いて悪鬼と化した自分も、少なくとも親にとっては天から降ってきた運命だという意味でなら、ジョーカーというのは物井にも受け入れられない形容ではなかった。

「レディ・ジョーカー、だね」と物井が言うと、電話の向こうで布川はたがが外れたような笑い声を噴き出させ、それはしばらく続いて、そのまま電話は切れた。

そして、長電話が終わるのを待ち構えていたように、店のほうから薬剤師の小母《おば》さんが「スイカ、切りましょか！」と大声を張り上げ、「一切れ、お供え用に！」と物井は怒鳴り返した。間もなく、小母さんはスイカ三切れを載せた盆を手に居間に上がってきて、「よいしょ」と畳に座り込み、「長電話だったわねえ」などと言った。

「耳が遠くなるとね、いちいち聞き返すもんだから」

「あら、物井さん、耳が遠いの？」

「あんたの声は大きいから、ちゃんと聞こえているよ」

物井はスイカ一切れを仏壇に供えて、チンと鉦《かね》を鳴らし、手を合わせた。岡村清二の骨壺《こつつぼ》も位牌《いはい》もそのままだが、八戸の岡村商会からは通夜《つや》の日以降、何の連絡もない。彼岸まで待って音沙汰《おとさた》がなければ、戸来の実家の墓に納めようと物井は決めていた。

物井は、小母さんが商店街のセールで買ってきたスイカの一切れをぺろりと平らげた後、夕方の打ち水をするために腰を上げた。先に店へ立った小母さんは、店先で近所の主婦と五分近くも喋《しゃべ》り込んでいて、あらあら、ふっふっと笑っていた。主婦はもう十年来の客だが、買うのはいつも同じ胃薬と総合感冒剤と決まっており、たまにスーパーで買い忘れた喉飴《のどあめ》、殺虫剤、蚊取り線香、天花粉《てんかふん》、洗剤、トイレットペーパーなども買ってゆく。

物井薬局の客はおおむね、似たようなものだった。商売の才覚がない店主の下で、薬剤師の小母さんはよく頑張ってくれていて、客にはなるべくリベートの多いメーカーの薬をすすめ、問屋のセールスマンからは商品券やビール券をしっかりせしめ、まとめて金券ショップで換金して「はい、今日の儲《もう》けよ。半々ね」と山分けしてくれる。場末の小さな薬局の儲けなど知れているが、薬剤師の給料と諸経費を差し引いても、年間三〇〇万円前後の利益は出ており、年金と合わせたら、六十九歳の男一人が暮らしてゆくのに何の不自由もないのだった。

主婦は、店に出てきた物井に「あらぁ、この間、喪中の貼《は》り紙出ていたから」などと気さくに話しかけてきた。物井は「はあ、私らの年代になるともう、送るばっかりで」と適当に照れ笑いで応え、二度三度下げた頭を亀《かめ》のようにすくめて、店の外に出た。

よしずの下で、朝顔の萎《しお》れた花茎の先の種がふくらみ始めていた。物井は無意識に顔の右半分をそれに向け、右目一つでじっと種を見つめた。あと一週間ぐらいしたら種を取ることを、頭のカレンダーに書き入れながら、ふと、来年またこの青い朝顔が咲くころに、自分はどこで何を考えているだろうか、と物井は思った。大金を手に入れたところで、豪遊も贅沢《ぜいたく》も、七十になった人間にはどれもこれも無用な上に、一番必要な心の平穏をさらに遠のけて、来年のいまごろ、俺はいまよりさらに悪鬼の塊になっている、といったところか。

物井は少し考え込み、少なくとも牛馬の人生はもうないということだと思うと、〈それで十分だ〉と自分に呟《つぶや》いた。

4

彼岸過ぎ、珍しく強行事犯の発生が少なかった時期があり、それを契機に「いましか歯の治療をする機会はないから」と周囲に言い訳をして、半田修平は蒲田駅近くのなじみの歯医者に通い始めた。ちょうど署が改築中で、本羽田の仮庁舎に移転しているために、歯医者通いは勤務先から目の届かないところへ抜け出すいい口実になり、そのころから、半田は行き帰りに時間を捻出《ねんしゅつ》して、少しずつ仲間に接触するようになった。

九月末、少し話が具体化してきたころ、半田はそうした歯医者通いの途中にちょっと高克己に会った。外回りの営業に出ている高は、昼間はいつも、いかにも銀行屋と一目で分かる黒カバンと単車とヘルメットの三点セットになる。それが目立つというので、高はバイクをちょっと離れたところに置いてくるのだった。

蒲田駅西側のこみいった商店街にあるコーヒーショップで高に会ったそのとき、話はずばり、相手からいくら取るか、というところから始まった。赤い福神漬の載ったカレーライスを食いながら、高はまず「いくらでも」と言った。「日之出にはいくらでも金はある、どこからでも金は出てくる」

「なるほど。日之出にはいくらでも金はある、どこからでも金は出てくる、か。どうして分かる」

「これを見たら、一目瞭然《りょうぜん》だ」そう言って、高は手元の週刊誌にはさんであった上場企業の市販の有価証券報告書を、半田のほうへ押しやった。オレンジ色の薄い冊子で、《日之出麦酒株式会社》とあった。

「貸借対照表の資産の部の一番上、〈現金及び預金〉という項目を見てごらん」

「一六三二億——」

「隣に前期の数字があるだろ。比べると、三〇〇億ぐらい増えている。一〇〇億単位で出たり入ったり、ということだ。その現預金てのは、期末の十二月三十一日の一瞬の数字だから、一月一日にその額が口座にあるというわけじゃない。日之出ぐらい資産があると、動く金も桁違《けたちが》いだってのが、財務諸表を見ているとよく分かる」

「動く金が大きいから金が取れる、というふうに見るわけか」

「まあ、そういうことだ。たとえば、同じ項目の下の方に〈その他の流動資産〉てのがあるだろう？〈その他〉だから、いろんな種類の勘定がそこにぶち込んである。短期の貸付金とか立替えとか、交通費や出張費の仮払い、不渡り手形、手付金——。具体的にどういう金なのかは元帳を見なければ分からんが、要するに、外には内容のつかめない金がそこに集まっていると思えばいい。それが一七〇億もあるってのは、桁違いだ」

「あんた、どこからでも金は出てくると言ったが、たとえば、どういうところから出てくるんだ」

「そんなことは、日之出が考えたらいい」

「しかし、もしあんたが日之出の財務担当者だったら、どこからどうやって、金を出す？　犯人の要求を呑《の》んで金を出したことが世間や警察に知れたら、信用にかかわる問題だから、絶対に外から分からないように裏金を作る必要がある。さあ、どうする」

「額にもよるが、二億や三億なら、俺なら適当な費目をつけて、いま言った仮払いで落とすだろうな。あとの精算は、ほとぼりが冷めてから、少しずつ損金で落とせばいい」

いとも簡単なことだというふうに高は言い、「そうだな、ほかには——」と、有価証券報告書の冊子を自分の手元に引き寄せた。「よくある裏金の巣といえば、固定資産の〈建設仮勘定〉。日之出の今期は五〇〇億ある。でかいだろう？　工場とか建物とかを建てるときに、業者とつるんで、たとえば一〇億水増しした金額を、工事着手金としてこの科目に挙げてしまえば、それでおしまいだ。ほかには、そうだな——」

高の指先は貸借対照表の上を軽く移動し、「これもいいな」と負債の部の真ん中辺りで止まった。「この〈預り金〉という科目も使える。ここはほら、ビール会社ってのは出荷ベースで税金を払ってしまうから、決済の前に取引先が倒産したときに備えて、保証金を取るんだが、その保証金なんかを計上する科目だ。で、たとえば、日之出には六十からの子会社関連会社があるだろう？　広告協賛金の名目で、一社五〇〇〇万ずつ出させたことにしたら、それで三〇億だ。一億ずつなら、六〇億。その金はこの〈預り金〉で処理出来る。帳簿上、何の問題もない。いま言ったような方法を合わせて、一〇〇億ぐらいはすぐに作れる」

金融の現場にいる男の、金勘定の感覚はこういうものかとあらためて感心しながら、半田は聞いていた。いや、大企業の財務のどんぶり勘定には、もっと感心したというところだった。

「で、半田さん。いくら取りたいんだ。それが先だ」

「いくらと言われてもな――。とりあえず二〇億でどうだ」と半田が応えると、高は「そんなちょっとか」と間の抜けた顔を上げた。

「あのな、高さん。これは犯罪なんだ。取る金は、現金か金塊だ。それが、足がつかないための鉄則だ」

「いつの時代の話をしているんだ」と、高はもう一度呆《あき》れた顔をしてくれた。「金の受渡しなんか、海外の子会社を使ってドルで決済したら済む話だ。いまどき、違法な送金はみんなその手口でやっている」

「いや、現金だ。物井さんや布川やヨウちゃんのことを考えろ。誰が、海外の口座に振り込まれたドルを使えるというんだ」

半田がそう言うと、高は社会常識でも問われていると思ったのか、「そうだな」と素直に引き下がった。

「よし。現金となると、物理的な限界がある。あんたらのところで使う、あのジュラルミンケース。あれ一個に入る一千万の札束、いくつだ?」

「二十一。たしかに半端な重さじゃないな、あれは」

「とりあえず二〇億でどうだ」と半田は数字を出した。

高は、金額には大して興味もない様子で「ああ」と応え、「それより、金を出させるネタだ」と話題を先へ進めた。

「ネタ? ネタは企業の生命線に決まっている。ビールの売上が人質だ」

「そいつはいいな」

高は初めてちらりと嗤《わら》い、目も上げずに皿の上でぐちゃぐちゃにしたカレーライスを口に運び続けた。

「たしかに売上を減らしてやったら、日之出は一も二もなく、二〇億ぐらい即金で出すよ。賭《か》けてもいい」高はカレーライスをほおばった口で言った。

「ビールの売上なんか、簡単に減らせる。高さん、そうだろ？」

「日本じゅうどこでも誰でも自販機で買えるビールに、青酸でも入れりゃあ一発だ」

「アホ。誰が毒物なんか入れるか。俺は、これでも一応刑事だぞ」

半田が言うと、高は口から飯粒を噴き出す哄笑《こうしょう》で応じ、「だったら、塩でも砂糖でもいいさ、結果は同じだ」と言って、食い散らかした皿を脇《わき》へ押しやった。

「汚ねえな、拭《ふ》けよ」半田は紙ナプキンを投げ、高は肩を揺すって笑い続けながら、テーブルに飛び散った飯粒を払った。

「さて、こんなところでだいたいあんたの思い通りだろ」と、半田は声をかけた。高はちらりと目を上げたが、すぐにそれを逸《そ》らして「ああ」と応じただけだった。ビールに異物が混入されるような事態になれば、株価の下落は間違いなく、信用取引での利益は保証されたようなものだったが、それについては、計画外のおまけとして、互いに見て見ぬふりをする約束だ、という高の目だった。

半田は「コーヒー二つ」とウェートレスに声をかけ、話を本題へ引き戻した。

「ところで攻撃開始の時期だが、売上に響く時期は、やっぱり春から夏か」

「そうだな。商戦の本番に入るのは四月。日之出は今年新商品を出していないから、来年春は間違いなく出してくる。膨大な宣伝費をかけて広告を打って、出荷が本格化したときに、スタートするのがいい。それが三月末だ」

「よし、三月末のスタートだ。ところで、売上でいえば、おおよそどのくらいのマイナスで、日之出は音を上げるだろう」

「持ちこたえるという意味なら、仮に一年分の売上が消し飛んでも、これだけの資産があったら潰《つぶ》れはしない。ただし、経営陣の責任問題があるから、もっと少ない数字で悲鳴は上げるだろう」

「では、あんたはまず、日之出の損益分岐点を出してくれ」

「財務諸表に挙がっている数字では、正確な計算は無理だ。大雑把な計算は出来るが」

「それでいい。次に、月毎《ごと》の平均的な出荷量の資料は手に入るだろう？　そこから、月次毎の採算割れのラインを出してくれ。どれだけ出荷が減ったら、どれだけ損をして、どの辺で日之出の経営陣が青ざめるか——。そのシミュレーションを作ってほしい」

「お安い御用だ」と、高は一言で応《こた》えた。

運ばれてきたコーヒーは、いつも通りの煮出したような不味《まず》さだった。半田にとっては、ほぼ一日おきにこの薄汚れた椅子《いす》に腰を下ろし、毎回三百五十円を払って飲んできたコーヒーだった。それを啜《すす》りながら、半田はまたちょっと、自虐《じぎゃく》的な思いを巡らせた。

この世にも不味い代物《しろもの》を一滴も残さず飲む儀式が、いつの間にか刑事を作り、不味さを不味さとも感じない神経を作ってきて、実に今日もまたこうして飲んでいる。つまり俺は、この味が嫌いではなかったということなのだ、と半田は考えてみる。一日一杯のコーヒーで妄想を育《はぐく》むことも出来た警察での十三年間は、実はそれほど悪いものではなかったのだ、と。にもかかわらず、それを自分で叩《たた》き潰そうという男の自虐傾向は、ついに来るところまで来て、もう自分でも抑えられないというのが正直なところだ、と。

そしてこれは、いわばタコが自分の足を食うような終わり方なのだと、半田はさらに冷静に考えた。長年、妄想や快感の温床だった警察を自分で食ってしまったら、その後自分はどこへ行くのか。多分、また同じように、もっと不味いコーヒーを探し出すだけのことだろう。そう思うと、半田は一転して白けきった気分に陥りかけた。

要は、まだ何かが足らないのだ。タコが自分の足を食うのなら、これで死んでもいいと思うほどの、強烈な何かが要る。誘拐も、異物混入ビールもいいが、まだ何かが足らない。半田は火急の課題にせき立てられるようにして、突然当てもなく〈何か〉を探し始め、我を忘れた。

布川淳一との接触は、相手が京阪神まで行って戻ってきたところを、日豊運輸のトラックターミナルがある八潮三丁目の野鳥公園で捕まえることが多かった。京阪神との路線便を持っている布川は、毎日午後八時前にターミナルを出発し、六時間ほどで大阪に着いた後に、荷物の積み替えの間一時間ほど休憩して、今度は帰路につく。そして、午前十時過ぎに東京へ戻ってくると、それからしばらくして勝どき一丁目にある社員住宅へ自分のワゴン車を運転して戻るのだが、半田が野鳥公園の正門前に立っていると、布川はワゴン車で公園を半周して南側のパーキングに車を回し、そこで半田を拾う。話はいつも、布川の帰路に合わせて海岸通りを北向きに走る間に手短に片づけるようにしていた。京阪神まで五百五十キロを往復してきた後のトラック運転手は、傍目にも疲れているのが分かるからだった。実際、布川は口を開くのも億劫《おっくう》そうで、寝る前の最後の仕事だというふうに、眠たげな目をこじあけてじっと半田の話を聞いているだけだった。いつか「二〇億だぜ」と半田が告げたときも、鈍い目をよこしただけで何も言わなかった。

十月半ばに布川に会ったとき、布川は半田が頼んでいたものを「これでいいか？」と車中で手渡した。半田は渡された茶封筒から、サービスサイズのスナップ写真三枚を取り出し、内容を確かめて「上出来だ」と応えた。

日之出の役員の一人、杉原武郎の娘佳子が、いまは結婚して糸井という姓に変わり、高輪《たかなわ》二丁目の高台にある高級マンションに住んでいる。住所は、大学の同窓会名簿に載っていたし、住所が分かると亭主の氏名が分かり、適当な理由をつけて所轄《しょかつ》の交番で生業を聞くと、医師だということだった。数回、ぶらりと近所へ立ち寄ったついでに見たところでは、佳子はまだおむつの取れない乳児一人の母になっていて、午前中に乳母車を押してマンションを出、魚籃坂《ぎょらんざか》を下ったところにあるピーコックへ買物に行く。高輪公園へ乳児を連れてゆくこともある。布川が、日を変えて三回、レンタカーのヴァンで魚籃坂を走りながら、コンパクトカメラで写してきたのは、その母子《おやこ》のスナップだった。布川は、三十六枚撮りのフィルム一本に、見ても場所の特定出来ない雑多なスナップを混ぜ、港区からは遠く離れたどこかの写真屋で、スピード仕上げで現像とプリントをしてきたはずだ。

すれ違いざまに、ヴァンの運転席から撮ったそれは、三枚とも佳子と乳児の顔がはっきり写っていた。乳児をのせた乳母車を押して朝の買物に行く若い女は、まさに裕福と隣り合わせの平穏な面差しをしており、乳児のほうはいかにも健康そうに丸々としているが、ただそれだけのことで、とくに目を引くようなものは何もないスナップだった。布川は、自分の目で見たはずのその幸福な母子について、感想めいた一言も漏らさず、半田も尋ねるのは控えた。

「ところで布川さん。車は盗めるか」

「盗むのは簡単だが、自由に使い回すのなら、キーが要る」

「キーはヨウちゃんが削る。年が明けたら、都内でもどこでもいいから、駐車場でほこりを被《かぶ》っているヴァンを、十台ぐらい目星をつけておいてほしい。色は濃いほうがいい。車が決まったら、全部の型式とメーカーを知らせてくれ。その型式のキーの原型を渡すから、それを車のキー穴に差し込んで数回回したものを、こっちに返してほしい。そうしたら、それでヨウちゃんは鍵山《かぎやま》を削り出すから」

「差し込んで、回して、鍵山のキズをつけるんだろう？　分かった」

呑み込みが早く、言われたことは確実にこなし、余計なことは一切言わないという面では、布川は実に使いでがあった。自衛隊で身につけた特殊技能や運動能力も、トラックの運転席の肥しにしておくのはもったいなく、いろいろな場面で使わない手はなかった。

「車の次は、道路選びだ。あんた、Ｎシステムというのを知っているか？」

「大きな交差点の上についている、速度監視カメラみたいなかたちのやつ」

「ああ、それだ。それのついている交差点とか、高速道路の料金所は分かっているか」

「ああ」

「それを全部外して、首都圏からの逃走路をいくつか検討してほしい。行く先は丹沢、奥秩父《おくちちぶ》、富士周辺、奥日光、どこでもいいが山は深いほうがいい。隠れ家とは言わんが、二日ないし三日ぐらい山中で過ごせる場所があれば、なおいい」

「走るのは昼か、夜か」

「深夜」

「季節は」

「来年三月末」

「凍結していない道路を探さなきゃな」

布川は、日々の仕事と大して差はないといったふうな抑揚のない声で、言葉少なに応えた。布川は、これでも自分から話に乗ってきたのだが、頭のなかでは依然、蒸発を考えているようなふしもあり、半田にしてみれば、布川のこの無頓着《むとんちゃく》は扱いやすいような、気がかりのような、だった。

「なあ──。あんた、なんで自衛隊に入ったんだ」

「郵便局の壁に自衛官募集のポスターが貼《は》ってあって、何となく応募した。もし自衛隊に入ってなかったら、いまごろ実家の畑で大根でも干しているよ」

「あんたの人生は全部、〈何となく〉だろう。何となく自衛隊に入って、何となく結婚して、何となく子どもを作って、何となく育ててきて、気がついたらどうにもならないところまで来ていて、初めて自分の頭で物を考えた結果が、蒸発だ。違うか」

何を言っても、抽象的な話になると布川は半分も聞いていないのは分かっていた。案の定、布川は「そうかも知れない」と呟《つぶや》いただけだった。半田は、どかんと一発、気合を入れてやりたいような気分で、「ともかく、〈何となく〉はやめろよ」と念を押した。

「で、嫁さんの具合は」

「寝たり、起きたりだ」

「手が足りないときは言ってくれ。何でもするから」

半田がそう言うと、布川は、横でも縦でもなくあいまいに首を振って応えた。

汐路《しおじ》橋の交差点が近づいてきたところで、半田は布川のワゴン車を降りることにした。降りるときに、自分のポーチに入っていたマムシエキス入りの滋養強壮剤を一本、運転席の布川の太股《ふともも》の間に突っ込んでやると、布川は初めて半田のほうへ顔を振り向け、何か言いたげな目でわずかに笑ってみせた。

半田には、〈何か〉が足らないという思いが一つ、依然として残ってはいた。それでも、計画を練り上げてゆく精神的物理的なエンジンは、ほぼ一定の回転数を保って着々と回り続け、十一月半ばの日曜日の午後には、半田は仲間をつかまえるために府中の東京競馬場にいた。

最終レースを残すだけとなった時刻、馬券売場の通路は帰路に着く足、自動払戻機に殺到する足、最後の馬券を買うためにうろうろしている足でごった返していた。半田がいつもの柱のそばに座っていると、やがてどこからかヨウちゃんのスニーカーが現れ、柱を一発蹴飛《けと》ばしてから、隣へ座り込んだ。

「いくら負けたんだ」と尋ねると、「五千円」と返事が返ってきた。

「次、買うのか」

「いや、もういい」

ヨウちゃんは最近になって、丸刈りをやめて髪を普通に伸ばし始めたが、おかげで、ますます競馬場の群衆に溶け合う風体になっていた。馬券売場の床にぺたりと座り込んで、下に広げた新聞に目を落としている姿も、以前と変わりはなかった。それでも、ともかくこの男も、自ら「やる」と言った一人だ。動機については「みんながやるから」というだけで、それ以上尋ねても無駄だったが、布川と同じく、いまのところ指示したことは過不足なくやっており、半田としてはとくに不安を抱く理由も見当たらなかった。

半田は、持参してきたティッシュペーパーの包み一つを、ヨウちゃんの掌《てのひら》に載せた。

ヨウちゃんは包みを開いて、小指ほどの大きさの薄い鋼板を指先でつまみ、ちょっと目を近づけた。鋼板は先日、布川のワゴン車のキーを元にして、ヨウちゃんが表裏についている凹凸だけを先に削り出したものだった。それを半田が実際にワゴン車のキー穴に差して回し、鋼《はがね》にシリンダーの鍵山の傷をつけてきたのだった。

「傷、分かるか?」

「分かる」

「それで、試しに鍵山を削ってみろ」

「こんなものなら、半時間もあれば」ヨウちゃんは応え、鋼板をするりと自分のポケットに入れた。日々、誤差が千分の一ミリという精度の金型を削っているヨウちゃんには、車のキーぐらい何ということもないはずだった。

「さて、キーの次は、これ」

半田は、場外の自販機で買ってきた缶ビール一缶を逆さに握り、手のなかで素早く缶の裏に押しピンをつき立てて見せた。あいた穴から一瞬、液体がぴゅうと噴き出し、半田はそれを指の腹で押さえた。

「君が物井さんにやって見せたのは、普通のジュースだろ? 炭酸ガスが入っていると、こうなる。この穴をうまく塞《ふさ》ぐことは出来るか」

ヨウちゃんは、径一ミリに満たない穴から絶えまなく泡が滲《し》み出す缶を自分の手に取った。しばし旋盤工の目になって一分ほどそれを眺めた後、「難しいな」と言った。「アルミ缶の厚みは〇・二ミリあるかないかだから。炭酸ガスの圧力があったら、塞いだ穴はもたないと思う」

「缶は難しいか──」

「瓶ならいける。瓶の王冠なら」ヨウちゃんは言い、手にしていた缶をクズカゴに投げいれた。

「よし、瓶でいこう。最後に、これ」

半田は行きずりの本屋で買ってきた新書本一冊をヨウちゃんの手に載せ、腰を上げた。ヨウちゃんは背表紙を返す返す眺め、「うそつけ」と独《ひと》りごちて早速ページを繰り始めると、もう顔を上げようとはしなかった。『競馬新聞、読み方を変えれば8割当たる』という怪しげな本だった。

晩秋の薄い日差しの翳《かげ》り始めたパドックを、最終レースに出る馬が手綱を引かれて歩いていた。たてがみを洗う風は冷たさを増し、残り少なくなった見物の人垣は、鈍色《にびいろ》の塊と化してざわめきもなかった。それを見下ろす木立の下のベンチに物井清三はいて、所在なげに背を丸め、膝《ひざ》に置いた競馬新聞に目を落としていた。半田はパドックを半周してそのベンチに近づき、隣に腰を下ろした。

「寒くなったね」と物井は話しかけてきた。

「もうすぐ師走《しわす》だもんな」

半田は、懐《ふところ》の手帳にはさんであったスナップ写真一枚を物井の手に載せた。物井は右目一つから五十センチ離して写真をかざし、かつて孫の同級生だった女とその子どもの姿を眺めた。感想は一言「昔の美智子妃殿下に似ている」だった。顔立ちは違うが、上品でおっとりした感じは、似ているといえば似ているかも知れなかった。

半田は続いてもう一枚、雑誌の切り抜きを渡した。物井はまた五十センチ離して目を細めた。経済誌の経営者探訪といったシリーズ物の小欄で、今月号は日之出ビールの城山恭介社長を取り上げている、その切り抜きだった。これまで出来る限り城山の記事を集めるようにしてきたが、どうやら公私ともにかなり地味な人物らしく、名前が出てくるのは大半が堅い経済記事のなかで、私生活はほとんど分からない。そのなかで、切り抜いたその記事は、珍しく城山の個人生活の一端がちらりと覗《のぞ》いている一件だった。

「へえ——。激務をこなすために健康維持を何より心がけ——、夕食は簡素にすませ、アルコールはビールとウィスキーをたしなむ——。基本的に酒席は出ても週に一回。毎晩必ず午前零時までには就寝し、朝早く起きて読書をする——か」

「午前零時までに寝るんなら、帰宅時間が午後十一時を越えることはないだろう。これまで俺が十回見張った限りでは、十回とも午後十時前後に帰ってきた。運転手付きの黒のプレジデントで」

「やっぱり、この御仁でいくのかい？」

「一応な」

半田は写真と切り抜きを手帳にしまい、「いまのところ順調だ」と付け加えた。物井はそれ以上、尋ねてはこなかった。

「みんな、それぞれ金も要るだろう。爺《じい》さんの定期が一つ満期になったから、あんたがこれを適当に分けてくれ」物井は言い、ジャンパーのポケットから取り出した茶封筒を、半田の手に握らせた。半田はそれを自分のジャケットの内ポケットに入れた。指の感触で五〇万円ほどだと分かった。

「そのうち八百倍にして返すから、待っていてくれ。いまは、とりあえずこの金で布川にレンタカー代を払ってやるよ。これから、小道具も少しずつ揃《そろ》えていくつもりだ」

「あんたも布川も、嫁さんには十分気をつけろよ。女は勘がいいから」

「その点は大丈夫だ。ヨウちゃんも高もそうだが、俺たち誰ひとり、興奮している奴《やつ》はいないからな。つくづく変わったグループだぜ」

パドックの馬はすでに馬場へ出ていき、観衆も散ってしまっていた。日はさらに翳り、空気の灰色が濃くなってゆく。

「爺さんは少し興奮しているよ――。生活に変わりはないが、気分が少しずつ波立ってゆくのが分かる。いや、初めから平穏な生活とおさらばするつもりでやったことだから、予定通りというところだ」

ほとんど独り言《ひとごと》に近い物井の声は、ときどき六十九年分の分厚い埃《ほこり》の下から聞こえてくるような遠い響きになる。と半田は思った。パドックを眺めるその横顔も、半田自身のおよそ倍の年月の間、営々と使い古して硬くなった皮革のようだった。

「ところで半田さん。グループに名前をつけよう」と物井は言った。「レディ・ジョーカーというのは、どうだろう」

「なんだ、そのカタカナは――」

「布川が先日、娘のことを、ジョーカーを引いたと言ったんだ。そのとき、ふと思いついた。人が望まないものをジョーカーと言うんなら、爺さんたちこそジョーカーだ」

「ジョーカーを引き当てるのが、日之出ビールってことか」

「そういうことだ。それに、レディがいなかったら、こんなふうに皆が知り合うことはなかっただろうし」

そう言われるとたしかに感慨深かった。ついこの間まで日曜日のスタンドで機嫌よく首を振っていたレディの姿を思い出して、半田はうなずいた。

「いいとも。気に入った。レディ・ジョーカーだ」

物井と別れた後、半田は京王線とJRを乗り継いで、午後六時前に蒲田《かまた》駅に辿《たど》り着いた。その日はイトーヨーカ堂に勤めている妻が早番で、久しぶりに駅の西口前のパチンコ店で待ち合わせをしていたからだった。駅ビルを出てロータリーの横断歩道を渡り始めたとき、正面のパチンコ店わきの路地から飛び出してくる自転車があった。

半田の足は止まり、自転車のペダルを漕ぐスニーカーの足も止まった。実際のところ、半田の目に飛び込んできたのはただ、その白いスニーカーだけだったかも知れない。半田はスニーカーを見、洗いざらしのジーパンの脚を見、黒っぽい色のセーターを見、最後にその上に載っている相手の顔を見た。

相手の男も半田を見ており、同じようにこちらを凝視したが、次の瞬間、凍った水面が裂けるようにして唇が左右に開き、白い歯がこぼれた。

「半田さん、でしたっけ」と、男は先に口を開いた。声の質は昔と同じように硬かったが、昔聞いたのとは違って、すかっと抜ける響きがあった。いや、高性能の旋盤で削り出されたようなつくりものの響きが。

「そちらは合田主任——」

「合田です。その節は品川署でお世話になりました。半田さんは、いまはどちらの署ですか」

「蒲田です」

「そうですか。私は二月に大森署に移りまして。じゃあ、お隣ですね」

じゃあ、お隣ですねと言うその唇が、またきれいな弧を描いた。

そうだ、合田という名前だったと、半田はしっかり思い出した。四年前、品川署に立った殺しの特捜本部に本庁から出てきた第三強行犯捜査の警部補だったが、しかし、記憶にあるひんやりした爬虫類《はちゅうるい》の顔とは違い、目の前にあるのは、しっとりと艶《つや》やかな肌色をして、別世界の鮮やかな笑みをこぼれさせ、短く刈った髪も清々《すがすが》しく端正な、ロボットのような別人だった。半田は、我を忘れてその顔に見入り、自分の目がおかしいのかと一つ考えた。

あらためて眺めると、合田が跨《また》がっているのは私物らしい普通の自転車で、前のカゴに入っているのは、シャンプーと石鹼《せっけん》箱などが入った洗面器が一つと、ヴァイオリンのケースだった。半田がそのカゴに目をやると、合田はすかさず照れ笑いをつくり、「今日は休みなので、バッティングセンターへ行って、銭湯へ行って、これから地元の集まりに顔を出して」などと言った。

「そいつは健康的ですな。私なんか、休みの日は競馬か、パチンコか、そこのパレス座がいいところです。昼間っから団地妻、熟女妻、浴衣《ゆかた》妻——ハハ！」

半田は自分でも予定になかった無駄口を叩《たた》きながら、目の前のつくりもの顔一つを注視したつもりだったが、相手の守りも鉄壁だった。

「私のように、そのへんの銭湯で水虫のおっさんとケンカしているより、18禁三本立てのほうがマシです。それで半田さんも、今日は非番ですか」

水虫のおっさんとケンカ。その清々しい口から漏れる言葉の一つ一つが、まるで自爆しているような感じだった。どの言葉も、実体もなく白々しく響いては、半田の理解の彼方《かなた》へ飛び去った。

「合田さん、ヴァイオリンを弾くんですか——」

「そこの蒲田教会で、いまからクリスマス会の合奏の練習があるんですが。子どものころ習っていただけですから、全然ついてゆけません」そんなことをさらりと言いながら合田は自分の腕時計を覗き、「あ、お時間を取らせました、すみません。失礼します」と軽く頭を下げた。ただの習慣で、半田の頭も自動的に「こちらこそ」と下がった。

半田は歩道を漕ぎ去ってゆく男の後ろ姿を凝視し、そのまま数分も歩道に立ち尽くしていた。いつぞや、品川署の階段で出くわしたときに噴き出した生理の塊や、そのときその周りにあった空気や状況のすべてが一気に立ち戻ってくると、自分がどこにいるのか急に分からなくなったような幻惑にとらわれ、時間が止まってしまった。喉《のど》が絞まるような性急な思いで、〈大森署?〉と半田は自問した。本庁から所轄《しょかつ》へ来たということは、昇進したのか。いや、大森署の刑事課長も課長代理も別の男だ。警部補のまま移ってきたのなら、要は左遷《させん》か。四年前、肩で風を切って歩いていた本庁の切れ者が、左遷。こいつは愉快だと思ったのも束《つか》の間《ま》で、それにしてはあのガラスのような面《つら》は何だと、半田はさらに自問した。しかし、それもまた半田には想像もつかなかった。

半田はしばし、自分がかつての品川署の階段に立っているような錯覚にとらわれながら、茫々《ぼうぼう》とした自問を繰り返した。あいつは何者だ。突然目の前に現れ、お風呂《ふろ》セットとヴァイオリンを自転車のカゴに入れて、クリスマス会の練習に行くと言って消えてしまったあいつは、何者だ。まるで面を切ってゆくように、いきなり横っ面を張り飛ばしてゆくように、一瞬ほくそ笑むように、俺の前をかすめてゆきやがったあいつは——。そこまで考えたとき、半田は待ち合わせの時間も念頭になく、男が去っていった環八方向へ走り出していた。

蒲田教会は、蒲田陸橋を越えて三百メートルほど行ったところを左に入った路地にある。たしかここだったと思いながら、駐車場のある角から細い路地へ駆け込み、さらに走ると、右側に開け放たれた教会の門扉《もんぴ》があった。

前庭の正面に、質素な木造の礼拝堂が建っていた。その左隣の、集会所らしい木造平屋のあばら家の前にさっきの自転車が置いてあり、なかから弦楽器の鳴り響く音が聞こえてきた。

半田は考える前に建物に近づき、窓からなかを覗いた。電灯一つに照らされた粗末な板張りの部屋に譜面台を置いて、大人の男女八人がヴァイオリンやチェロを手に半円をつくって座っており、その一隅に合田の顔があった。いったい、少し前まで銭湯で水虫のおっさんとケンカをしていたという話が嘘《うそ》だったのか、それとも世界の桁《けた》のほうが外れているのか。弓を操るその右手と右肘《ひじ》も、楽器のネックを滑る左手も、謎《なぞ》めいたしなやかさで動き、譜面に向けられた横顔は、いまそこにある音符に集中して、それ以外の世界は完全に消えているという感じだった。所轄に飛ばされた失意さえ消えている顔。否《いな》、警察の世界だけでなく、じめじめした銭湯も、水虫のおっさんも、少し前に会ったばかりの他署の刑事も、近くの工場の煤煙《ばいえん》も、一切が消えた顔。そういう顔が目の前にあるということ自体に深く傷つけられながら、半田はただそれに見入り、その間、耳のほうはほとんど停止していた。署の近くのコーヒーショップでときどき流れているモーツァルトの、何とかという曲だということぐらいは分かったが、巧《うま》いのか下手なのか、ちゃんと合奏になっているのかいないのか、意識にも上らなかった。

半田はただ、ガラス窓一つで隔てられた二つの世界が決定的に遠いのを感じ、理由もなく鳥肌を立てて放心した。ここにあるのは、壮大なばかばかしさ、あるいは設計図が根本的に間違っている世界だ——。そう思ってみたが、実際には何かの思いがやってくる前に膝《ひざ》が震えだし、自分の足元が地割れを起こして滑り落ちていくような虚脱感に襲われながら、その場を離れた。

路地を戻り、環八に出てから、ようやく鈍く動き始めた頭に少しずつ血が戻ってきた。計画がいまのまま進むと、特捜本部が立つのは日之出ビール本社のある品川ではなく、社長の自宅のある山王二丁目を管内にかかえる大森署になる。あの合田が大森にいるのなら、いずれ顔を合わせることになるのは必至だと、ゆっくり考えた。

そうか。俺はいずれ、あの男に苦汁をなめさせることになるのか。あの顔が青ざめるのを見るのか。

よし。ついに〈何か〉が見つかった、と半田は思った。警察という妄想よりさらに大きな〈何か〉が、四年ぶりに顔を合わせた刑事一名だったというのは、予想もしなかった結果だったが、運命とはこういうものだろう。もはや一つ一つは意味をもたなくなっている憎悪《ぞうお》や鬱屈《うっくつ》の巨大な靄《もや》が、たったいま自分の前を横切っていった一人の男に向かって急激に収斂《しゅうれん》し始めるなか、半田はこれまでにない生々しい気分を味わっていた。警察にしろ企業にしろ、個々の顔がないものをいくら苦しめても、得るのは抽象的な自己満足だけだが、苦しむ人間の顔が目の前にあるというのは、何よりの御馳走《ごちそう》だった。間もなく、左遷された先の小さな所轄署の刑事部屋で、いかにもすっきりとした顔をした優等生の男が一人、挫折《ざせつ》と屈辱と敗北感にまみれてすすり泣くのだ。

今日まで積み上げてきた企業襲撃計画の一つ一つに、そうして合田某という血肉がつき、肌に張りつくような生身の感覚を伴って息づいているのを感じながら、半田は悶絶《もんぜつ》した。これだ。この俺が犯罪をやるのは、この感覚を味わいたいからなのだ、と思った。

第三章　一九九五年春——事件

I

三月二十日月曜日には、朝の通勤時間帯の地下鉄で五千人が死傷する毒ガステロがあった。新興宗教団体の名前が飛び交う管轄《かんかつ》外の事件だったが、翌日から都下全域で始まった化学薬品取り扱い業者の総点検が大森署管内でも続き、三月二十四日金曜日も、足を棒にして合田雄一郎の一日は終わった。

午後九時過ぎに八潮五丁目アパートの自宅に戻り、すぐにまたヴァイオリンを持って外へ出た。毎日、たとえ半時間でも楽器に触れるのは、所轄署に移ってからの一年の間に身につけた生活の小さなリズムだったが、それがジョギングでも竹刀《しない》の素振りでもなく、ヴァイオリンになった理由は自分でも不明のままで、考えようとしたこともなかった。欲しいのは生活のリズムですらなく、ただ何も考えない時間なのだということが分かっているだけだった。

合田は近くの八潮公園のベンチで、子どものころから何万回も繰り返し弾いてきたマイヤバンクの教則本どおりに運指《うんし》の練習を始めた。一つ一つの音程を聞いているのは聴覚野ではない、小脳あたりの運動神経に違いなく、いつもどおり何も考えない時間が少しの間やって来た。否《いな》、自分がこうして執心しているのは、必然性がないこと、そのことなのだという自覚を固めるために、その日もただひたすら機械になろうとしている自分がいるのを感じた。もっとも身体《からだ》のほうは正直で、あまりの冷え込みに指はすぐに動かなくなり、合田はヴァイオリンを置いて手をこすり合わせた。この冷え方だと、山は春先の大雪だ、と思った。

ダスターコートの男が一人、人けもない夜の公園を横切って歩いてゆく。合田は旧知の加納祐介《かのうゆうすけ》だろうかと思い、ちょっとそれを目で追った。

東京地検の検事をやっている加納は、妹の貴代子が合田と別れて八年も経《た》つが、検察庁の自室で書証を日々整理するようには、元義兄という微妙な自身の立場を整理できないようだった。いまでも、気が向くと、世田谷の官舎に帰るより近い八潮の元義弟のアパートにふらりと現れ、世間話をし、ウィスキーを一、二杯空け、勝手に布団《ふとん》を敷いて寝てゆき、朝にはまたいなくなる。学生時代には登山のパートナーでもあったが、どちらも多忙になったいまは山も遠くなり、ここ数年はずっとそんな間柄だった。

公園を横切ってゆく男は、別棟の方向へ歩き去った。合田はヴァイオリンをケースにしまって腰を上げた。そういえば加納は一昨日寄っていったばかりだとやっと思い出し、俺は何をぼんやりしているのだろう、と思った。

合田は午後九時四十五分に団地へ引き返し、洗濯機を回した。次にテレビをつけ、冷蔵庫を開け、しなびた小松菜一束と、賞味期限の過ぎた豆腐をゴミ袋に捨てた後、台《だい》秤《ばかり》にのせたグラスにウィスキーを百五十グラム注いで、キッチンの明かりを消した。

東向きの六畳間のベランダの向こうは、高速湾岸線の高架が横たわっており、その向こうは品川操車場の広大な闇《やみ》が落ち込んでいた。聞こえるのは、埋立地を渡る風の音と首都高の車の走行音と、通路のどこかで開閉する鉄のドアの音、散漫に響いてくる子どもの泣き声といったものだ。

去年の誕生日に加納がくれたテレビは、CS放送のアンテナとチューナーが付いていたが、どのチャンネルも視聴料がかかるので、スポーツ専門のチャンネルとBBCの二つしか契約していなかった。何もやる気がないのなら、せめて英語ぐらい忘れないようにしろと加納に言われたからではなく、ただ退屈に負けてスイッチを入れ、大して興味もない海の向こうのニュースを聞き流し、職場での世間話のために、Jリーグの試合を観《み》たりする。

合田はウィスキーを左手に、畳に座り込んでしばらくぼんやり画面を眺め、右手で文机《ふづくえ》の上に散らかっている本を数冊引き寄せ、どれを開こうかと少し迷った。グレン・グールド著作集第一巻の『フーガの技法』の章は寝る前の睡眠薬に。『商行為法講義』はまた今度。付き合い上の必要に迫られて買ってみた『あなたも歌えるカラオケ百選』は、一曲も歌えない。続いて目についた日経サイエンスの三月号を引きずり出したら、本の山が総崩れになった。それをうっちゃって、また少しテレビが流しているワールドビジネスレポートに見入り、雑誌の余白に squabble と、耳に入ってきた単語を一つ書きつけた。次いで、崩れ落ちた本のなかから辞書を引っ張りだし、単語一つの意味を確認した後、雑誌を開いて『はくちょう座新星V1974の誕生と死』という記事を読み始めたのが、午後十時二十分だった。

三年前に爆発したV1974は、天文学史上、誕生と消滅の双方を観測することが出来た唯一《ゆいいつ》の新星で、質量の違う二つの星の連星系のなかで発生する新星爆発の理論が、観測によってかなりの部分裏付けられたという。浮世離れした質量と高温と高速のなかで起こる核融合の話を読む間、合田の頭は空っぽになり、グラスのウィスキーは三分の一ほど減った。

所轄署へ異動になったとき、合田は精神的にも物理的にも新しい生活を考えたが、将来に備えて資格を取るといった積極的な勉強には、ついに手が出なかった。代わりに、車を買うつもりで置いてあった金で新しいヴァイオリンを買い、離婚して以来触っていなかった楽器を触り始めたが、所詮《しょせん》はそれも、一日のうちの半時間か一時間を潰《つぶ》すことが出来る余技に過ぎなかった。そして、一日の終わりに近づくと、しばしば何も考えることがない空白に陥り、気がつくとぼんやりしているのだった。

いまもまた、合田は頭のなかに何もないのに気づき、何かないのかと探したあげくに、一昨日会ったばかりの加納の顔を思い浮かべたが、相変わらず仕事に追われているだけで、とくに急ぎの用件もなさそうだったと思い直すと、それもすぐに遠ざけた。

合田は日経サイエンスを放り出し、またちょっとテレビの画面を眺めた。イギリスの、電力会社の民営化に伴う原発の管理の問題。gridという一語を手近な雑誌の裏に書きつけ、辞書に手を伸ばしたところで、電話が鳴った。

受話器を取り上げるとき、習慣で時刻を確かめた。午後十時五十五分だった。

署の刑事課の当直の声が、《五分ほど前に、家人が帰宅しないという一一〇番があり――》と喋《しゃべ》り出すのを耳にしながら、合田はリモコンでテレビを消した。

《大森駅前交番から一人走らせましたが、ちょっと様子がおかしいので、現場へ行っていただけますか》

「相方はどうした」

《ついさっき、大森南で強盗があって、そっちのほうへ行っています。よろしいですか、住所を言います。山王二丁目一六番。一戸建て。帰宅していないのは世帯主で、氏名はシロヤマキョウスケ。一一〇番してきたのは、息子のシロヤマミツアキ》

合田は、日経サイエンスの裏に機械的に『二―一六。シロヤマ』と書きつけ、目で靴下を探した。近くに脱ぎ散らかしてあったそれを引っ張りよせて、片手で裸足《はだし》に被《かぶ》せた。二丁目一六番というのはどの辺りだったか。イトーヨーカ堂の横を上がっていって、突き当たりを右へ入った辺りか。

その間に、受話器の向こうでは別の電話の呼出し音が重なり、《あ、ちょっと》と電話を置いた当直は、三秒待たせて、《本庁の指令台から、状況を把握して報告しろとのことです。シロヤマキョウスケは日之出ビールの社長だそうです》と言ってきた。

そういえばそうだった、と思い出した。管内に住む要人の住所氏名はだいたい把握しているが、山王二丁目の住人には日之出の社長が含まれている。

「了解。十分で着く。連絡は受令機を鳴らすだけにして、無線は使うな。こちらから連絡するまで、とりあえず誰にも何も言うな。すぐ行く」

懐中電灯一つを手に、ダウンジャケットをひっかけてから、合田は洗面所へ走ってリステリンで口をすすぎ、ウィスキーの臭《にお》いを消した。部屋の外に置いてある自転車を押してエレベーターに乗り、一階に降りて外へ漕ぎ出したのは、午後十時五十八分だった。点々と明かりの散る団地内の道路は海風が唸《うな》っており、霙《みぞれ》が混じっていた。合田はまず〈寒いな〉と思い、続いて山王二丁目まで第一京浜を下るか池上通りに出るかと思案しながら、ようやく〈何かあったかな〉と思った。日之出の社長なら、運転手付きの送迎のはずだから、帰って来ないと家人が一一〇番してくるというのは、黄信号だった。何かあったか。

山王の高台は、袋小路だらけの迷路に守られるようにして緑深い屋敷の敷地が折り重なっていた。深夜には通る車もなく、門を閉ざした塀の並ぶ路地はひたすら暗く、自転車を走らせていると、まるで深海を泳いでいるようだった。二丁目一六番の辺りまで来ると、鉄平石張りの塀を巡らせた敷地の門扉《もんぴ》の前に、交番の単車が一台置いてあった。付近は静かで、住人の気配はなかった。

合田はその前で自転車を止め、まず時刻をたしかめた。午後十一時七分。

次に、敷地をざっと外から眺めた。塀の高さは約百六十センチ。二百坪ほどの広さがある敷地は大きな木立が生い茂り、温室のガラス屋根が見えた。その奥に建つ二階建ての古い洋館は、二階に一つ、消し忘れたように白熱灯の明かりが灯《とも》り、あとは玄関灯が一つ。木々でさえぎられた一階の窓に明かりが一つ。見渡せば、両隣も向かいも、似たような家並みで、どこも木が茂り過ぎて見通しがきかなかった。

門扉は、幅と高さがともに百八十センチの頑丈な鋳物《いもの》製で、暗証番号でしか開かない電子錠の鍵《かぎ》がついていた。門扉の飾り格子《ごうし》は細かい唐草模様になっていて、外から手や腕を差し入れる余裕はない。門柱のインターホンの下には、真っ赤な蛍光色も鮮やかなセコムのシールが貼《は》ってある。門扉から玄関までのアプローチは直線で、約十メートル。アプローチの両側は人の背丈ほどに茂った植え込みになっていて、深々と暗かった。

インターホンに手を伸ばそうとしたそのとき、路地に入ってきた乗用車が一台、路肩に止まった。降りてきた男の年恰好《かっこう》と急《せ》いた足取りから、合田は息子だなと判断し、「城山光明さんですか」と先に声をかけた。「そうです」という返事を受けて、「大森署の合田です」と名乗り、手帳を見せた。

三十前かと思われる城山光明は、しごく地味なセーターとスラックスの恰好で、表情に乏しい堅い風貌《ふうぼう》をしていた。「一〇番なさったのは貴方《あなた》ですか。ちょっとなかで話を伺わせて下さい」合田が声を低くしてそう言うと、光明は肩で息をしながら、口ぶりだけは沈着に「いま開けますから」と応《こた》え、門扉の電子錠の蓋《ふた》を開けて四桁《けた》の番号を押した。その間に、合田は「ご自宅はどちらですか」と尋ねた。

「東雪谷《ゆきがや》の大蔵省寮です。母から、父が帰らないと電話がありまして」

施錠の解けた門扉を開けてなかへ入ると、門扉は後ろで自動的に閉まり、鋳物がぶつかり合う低い物音が響いた。その音が聞こえたのか、玄関ドアが開き、顔見知りの地域課の巡査長が顔を覗《のぞ》かせた。合田は手で〈出てこなくていい〉と巡査長を制し、光明を促して足早に玄関に滑り込んだ。

薄暗い玄関ホールの三和土《たたき》に巡査長は立っており、上がり框《かまち》に膝《ひざ》をついて、年配の女性が座り込んでいた。化粧気もなく、質素なカーディガンをはおった骨格の華奢《きゃしゃ》な小さい女性だった。その女性に向かって、息子の光明が真っ先に「母さん、大丈夫か」と声をかけた。女性はいくらかのんびりした表情で、「ええまあ、私は――」と呟《つぶや》いた。その端で、巡査長は無線のマイクを口に、「合田係長が到着しました、どうぞ」と連絡をしており、ガーガーという雑音ごしに《了解》という通信室の声が返ってきた。

城山の妻らしい女性は、合田に向かって「夜分お騒がせして、申し訳ございません」とゆっくり頭を下げた。「息子が警察に電話をしたほうがいいと申すものですから――」

「失礼」とそれを遮って、合田は巡査長のほうへ目をやった。巡査長は手帳を手に、「いま事情を伺ったところでは」と声を低くした。「午後十時半ごろ、会社の倉田という副社長から仕事の電話が入り、奥さんは、主人はまだ帰ってないと返事をなさったそうです。それからすぐに、また倉田副社長から電話があって、運転手に確認したところ、運転手は城山社長を乗せて午後九時四十八分に会社を出、間違いなく午後十時五分に自宅前に着いて、しかも社長が門扉をくぐってなかに入るのを見届けたということで、いったいどうなっているのだというふうな問い合わせだったそうです。それから奥さんは息子さんに電話をなさり、事情をお聞きになった息子さんが一一〇番をなさったのが、午後十時五十分。私は五十三分に来ました」

報告を聞く間に、腕時計の長針はまた一目盛り進んだ。十一時十分。車が着いたという十時五分から、経過すること六十五分、と合田は頭に刻んだ。

「奥さん、ご主人の年齢、身長、体重、今日の服装を教えて下さい」

「五十八歳です。身長は百七十三。体重は六十三キロぐらいでしょうか、少し痩《や》せております。服装は、濃紺の上下とウールのベスト、靴は黒、コートは持って行きませんでした。ネクタイは、青色と銀色の模様だったと思います」

合田は手帳にメモを取った。

「ところで、午後十時五分ごろ、門扉の辺りで物音はしませんでしたか」

「いいえ」

「車が止まった物音は」

「したかも知れませんけれど、家のなかにおりますと、外の物音はあまり聞こえませんものですから」

「ここのところ企業幹部を狙《ねら》った事件が相次いでいますから、父は、夜は外に出ないよう母に言っていたんです。セコムも入れて、鍵も全部二重にして――」と光明が補足した。

「社長は毎晩、ご自分で門扉の錠を開けてなかに入られるんですか」

「そうです」

「そのとき、セコムは解除されているわけですか」

「そうです。父は帰宅したときに、自分の手で夜間用のスイッチを入れていました」

合田は巡査長へ目を戻した。「倉田という人の連絡先は」

「まだ本社だそうで、夜間直通の番号はここに。さっきから何度も電話が入っています」

巡査長が差し出した手帳に書きなぐられた八桁の数字に目をやり、合田は「電話をお借りしたいのですが」と、息子のほうに告げた。光明はすぐに自分の携帯電話を差し出してきたが、それを断って、階段ホールの脇《わき》にある有線の電話に手を伸ばした。

巡査長の手帳の番号にかけると、すぐに相手は出、《倉田です。社長はお帰りになりましたか》と、息を殺すようにして低く囁《ささや》く声が聞こえた。
「いいえ、まだです。こちらは、大森署の合田と申します。ところで、今日は社長のご様子はどうでしたか」
《普段とまったく同じです。私どもは今夜、新商品の発表会がございまして、盛会だったものですから、社長も大変喜んでおりました。九時五十分前に、私は地下駐車場で社長を見送ったばかりなのです》
冷静に言葉を選んでいる物言いの端々に疑心暗鬼が覗き、押し殺した動揺が伝わってきた。この状況で明るい声が出せるはずはないが、それにしても際立《きわだ》って暗い声だと合田は感じた。
「運転手の方、勤続年数はどのぐらいですか」
《もう二十年、ずっとうちの役員の運転手をしています》
「運転手の方の住所氏名、連絡先をお願いします」
《山崎達夫です。連絡先は私には分からないので、追ってお伝えします。ともかく、いますぐ捜索にかかっていただきたい。社長を捜して下さい！》
冷静だった声がついに怒鳴り声に変わった。これで普通だった。

「全力を尽くしますので、いまから申し上げることをよく聞いて下さい。そちらはまず警察との窓口を一つ決めて、その人が必ず電話に出るようにして下さい。次に、とりあえず本社の役員全員と支社長クラスの方には、自宅にかかってくる電話に気をつけるようお伝え下さい」

《社長は誘拐されたのですか――》

「いまの時点では、何も分かりません。事件の可能性もありますので、盗聴されないよう携帯電話と車載電話は使わないで下さい。では、追って警察から連絡をさせていただきますので、窓口の手配をよろしくお願いします」

合田は先に電話を切り、続けて署の番号へかけた。「合田です。刑事課へ」と交換に告げる間、頭の芯《しん》でいくつかの映像が閃光を放って回り出していた。さっき見たばかりの静まりかえった路地。鉄平石の塀。電子錠のついた門扉。玄関までの十メートルのアプローチと、両脇に生い茂った植え込みの山。

《はい、刑事課です》と当直が応えた。

「合田だ。社長は帰ってこない。社長は、午後十時五分ごろに自宅に社用車で送り届けられ、門扉からなかに入ったところまでは運転手が確認しているが、その後行方不明。以上、署長に連絡して、刑事課全員に呼集をかけろ。紺野と井沢は直接、こっちへ来るよう言ってくれ。無線、携帯電話は禁止。残りは署で待機。行動は秘匿《ひとく》。次に本庁への連絡は――」

すぐ傍で息をのむ城山光明の目線を感じながら、合田はさらに声を低くして受話器に口を近づけた。「一応、連れ去りの可能性があるから、関係各部署の出動を要請したいと、一課長宛《あ》てに伝えること。特殊班、機捜、鑑識、NTT対策、全部だ。本庁が到着するまで、俺はここにいる。それから、この城山宅の電話はあけておきたいから、いまから一切ここへは電話はしないこと。連絡は、大森駅前交番の沢口巡査長宛てに有線でかけること。そうだ、坂上さん、その辺の机の上に企業人名鑑があるだろう？　管内に住んでいる日之出の役員がいないか、確認してくれ。あとは本庁の指示待ち。以上質問はあるか？」

《あ、待て！》と当直の坂上は怒鳴り、保留音に変わって五秒待たされた。

《一課の当直からだ。行方不明で間違いないか、って――》

「間違いない」

合田は電話を切り、何か言いかけた城山光明に背を向けて、巡査長のほうへ「沢口さん、ちょっと外へ」と声をかけた。巡査長は、玄関ドアについている電子錠のスイッチを回してドアを開け、先に合田を外へ出して、ドアが閉まらないように傘立てをはさんだ。ドアをそうやって少し開けたまま、アプローチに出た。

「あの門扉も、内側からはスイッチ一つで開くんですか」

「そうです。玄関ドアと同じです。さっき奥さんから伺いました」と巡査長は応えた。

「沢口さん。この辺りは要人が多いから、警らの重点区域になっているはずですが」

巡査長に手短に質《ただ》しながら、合田は懐中電灯の明かりをアプローチ両脇の植え込みに当て始めた。木は枝の柔らかいスギ科のコニファーだった。五十センチ間隔に植えられており、地面から円錐《えんすい》状に密生した葉の壁が、懐中電灯の光を浴びて青みがかった銀色に光った。

「そうです。日之出の社長は毎晩、十時前後に帰宅なさるんで、九時四十五分から十時十五分の間は、この付近を中心に巡回しています。社長の車はいつも、交番前の路地を真《ま》っ直《す》ぐここまで入ってくるんです」

「今夜の十時前後は、貴方はどの辺にいましたか」

「なにせぐるぐる回っているもんですから。しかし、五分から十分に一回は、この前の道路を見渡せるよう走っていました」

「道順はその日によって変わるということですか」

「そうです。あそこへ行け、ここへ行けと無線も始終入りますし——」

たしかにそうだった。約五万八千世帯の管内に交番が十一。一つの交番が担当する区域の世帯数は平均五千。盗犯や粗暴犯の発生件数だけを言うのなら、山王の夜は概して静かだが、署活系の無線は隣接する区域の事件発生を絶えずがなり立てている。隣の大森北で何かあれば、山王の大森駅前交番にも警戒の指示は飛んでくるし、そうなると巡回の道順は即変更になる。また、高額納税者の多い地区ではあるが、数千世帯もあれば、やれ家人の帰りが遅い、隣の犬がうるさい、見かけない車が止まっている、といった一一〇番は引きも切らない。

「今夜、十時前後には何か入りました?」

「あの馬込《まごめ》二丁目の陸橋の下で、バイクの自損事故が一件」

「そちらのほうへ行っておられた」

「そうです。ほんの五分ぐらいの処理でしたが。そのあとすぐ、池上通りで違法駐車が一件。それから職質を一件やって——」

巡査長の話を耳にしながら、合田はそのとき、ちらりと何かにひっかかったのだが、植え込みを調べながら聞いていたせいか、そのときは、何がどうだというのか、突き詰める頭が働かなかった。

「あとで交番へ寄りますんで、日誌を見せて下さい。で、今夜は結局、社長の車は見かけなかったのですね」

「そうです」

「今夜はたまたま、十時前後には貴方はこの付近にいなかったということですね」

「そうです──」

合田はアプローチの真ん中辺りで足を止めた。足元の敷石に当てた光のなかに、コニファーの細かい葉がいくつか散っていた。幅一ミリ、長さ一センチほどの銀青色の葉と一緒に踏みつけられた土くれの塊が、敷石にいくつかこびりついているのを確認した。門扉からの距離、約五メートル。

左右の植え込みに光を当て直したとき、門扉《もんぴ》に向かって右側の植え込みの奥に、何かが見えた。敷石の上に屈《かが》み、植え込みの根元の奥へ手を突っ込んで拾い上げると、直径三センチほどに軽く丸められた紙だった。白手袋の手でそれを開き、懐中電灯を当てると、ボールペン書きの文字が目に飛び込んできた。

合田はそのとき、なぜか突然クシャミが出、巡査長のほうは短いうめき声を上げた。定規で引かれた上下左右二センチの文字は、明快に『社長ヲアズカッタ』とあった。

合田は、いましがた紙を拾い上げた植え込みの下を見、植え込み越しに木の生い茂った庭を仰ぎ、塀と門扉を見渡して、外から投げ込まれた可能性は少ないと、それだけをその場で判断した。それからまた、かすかに何かがひっかかったのだが、やはり頭はそれ以上働かなかった。

「では、そちらは交番へ戻って、メモを発見したと有線で連絡を入れて下さい。連絡事項があったら、こっちへ知らせに来て。出入りはなるべく静かに」

巡査長は、返事もそこそこに門扉を開けて外へ飛び出していった。合田は、再び自動的に閉まる門扉が大きな音を立てないよう手を添えたが、それでも重い鋳物《いもの》は鈍い音を響かせた。頭上で、寒風にあおられた木々の枝が鳴るほかは、路地も家々も物音ひとつなかった。

一人になると、合田は巻尺でメモを回収した位置と門扉までの距離などを手早く測り、手帳に書きつけた。自分が検証調書を書くわけではなかったが、犯行現場に一番に臨場した刑事なら当然するだろうことを、したまでだった。しかし、一人でそんな作業をしている間も、久々に冷気の底を這《は》うような感じに包まれ、大変な事件が起こったのだという思いを、刻々新たにさせられた。

時刻は午後十一時二十一分。事件が発生したと思われる時刻から、七十六分が経過。もう緊急配備は無理だった。

合田はメモを手に玄関へ戻り、「庭で発見しました。すみませんが、手を触れないで下さい」と断って、上がり框《かまち》に座り込んでいる夫人と息子にくしゃくしゃの紙一枚をかざして見せた。二人はうつろな目をしばたたき、声も出ない様子ですぐに目を逸《そ》らした。

「母さん、まだ何も分からないんだから心配するな。ぼくは祥子《しょうこ》に電話する」

電話に手を伸ばした光明に、合田は「ご家族以外に漏れないようお願いします」と声をかけた。光明は「分かっています」と苛立《いらだ》った返事をして、携帯電話をかけ始めた。

夫人のほうはしょんぼり肩を落とし、こんな事態になったら、どんな顔をしたらいいのか分からないというふうに、かすかな微笑《ほほえ》みさえ浮かべて、独《ひと》り言《ごと》に近い言葉を口にした。

「主人は普段から、何かあったら周囲に迷惑がかかるからと申しまして、安全には気を遣っていたほうですけれども――。周囲にとても気を遣う人なものですから、ご近所をお騒がせするのはいやだと申しまして、会社がせっかく派遣して下すったガードマンも、今年になってお断りしてしまいまして。ほんとうにどうしたらよろしいんでしょう――。来週は株主総会ですのに。いまごろきっとどこかで、会社のことを心配しておりますでしょう。このごろ、新商品の受注が順調だとかで、上機嫌でしたのに。これで総会が無事に終わったらやっと一息つけると、今朝も出がけに申しておりました」

「ご主人は、持病などはお持ちですか」

「いいえ、とくにございません」

「お身体《からだ》は、丈夫でらっしゃいますか」

「ええ。頑健というほどではございませんけれど」

合田は『持病なし。身体丈夫』と手帳に書き加えた。

十一時三十分。インターホンが鳴り、玄関から顔を出すと、門扉の外にジーパンとスニーカー姿の男二人が立っていた。合田は外へ出て門扉を開け、二人をなかへ入れた。

どちらも二十代の若い巡査で、名を井沢、紺野といった。地域課から刑事課へ移ってきて半年にもならない刑事の卵には、頭が真っ白になるような事態に違いなく、どちらの顔も引きつっていた。合田は、一から噛《か》んで砕いて教えるつもりで、若い二人の目を見た。「いいか。どんな場合にも、被害者の身の安全を何より優先する。そのためには徹底保秘だ。上の指示なしには、誰に何を聞かれても、何もありません、何も聞いていませんと白を切ること」

「はい」

「機捜が来るまで、君らはとりあえず、通行を止めろ。井沢はあそこのT字路の角、紺野はこっちのT字路の角だ。通行人は住所氏名を確認して、自宅へ帰る人間以外は通すな。車もだ。とくに新聞記者とテレビには気をつけろ。よし、性根を入れて行け」

二人が、それぞれ七十メートルほど離れた左右のT字路へ駆け去るのを見送って、合田は音を立てないようにそっと門扉を閉ざした。午後十一時三十二分。

いったん玄関に戻り、まだそこに座り込んでいる夫人と息子に、不審な電話が入っていないことを確認し、「冷えますから、居間でお待ちになって下さい」と声をかけると、とたんに息子の光明は「もう一時間半にもなる！　早く父を捜して下さい！」と呻《うめ》いて頭を抱えた。

被害者を連れ去った犯人は、捜索の手が及びやすい都内に留まるより、すでに近隣他県へ出てしまっていると合田は推測した。しかも、一刻も早い保護を願う家族の思いとは逆に、警察の捜査では、被害者が無事保護されるまで、都内各署はもちろん、近隣他県への正式な事件手配は行われないのが通例だった。またさらに、被害者が被害者だということで、この先、本庁幹部がなお一層慎重になってゆくだろうことも、合田には予測がついた。

合田は、いまの自分の無力と将来の無力を考えながら、自分の足元に目を落とした。所轄《しょかつ》の一刑事には、右のものを左へ動かす権限はない。捜査情報は、ほんの一部を知らされたらいいほうで、事態がどうなっているのか、明日にはもう分からなくなっているだろう。そう思うと、自分の身体一つが無用な棒切れのように感じられた。

午後十一時三十五分に鳴ったインターホンは、やっと機捜の到着を告げた。インターホンが鳴ると同時に合田は外へ飛び出し、内側から門扉を開けた。

やって来たのは、蒲田《かまた》分駐所から四人、一機捜の本隊から班長が一人、機動鑑識が四人。全員、捜査メガの入るコードレス・イヤホンを耳に入れ、それぞれ手に膨らんだ紙袋を提げ、あるいは道具箱を抱え、足音もなく敷地内に滑り込んできた。事件判断に手間取ったのか、無線車両の手配が遅れたのか、到着に半時間もかかった理由は不明だった。

最初に入ってきた一人は、合田に目をやるなり「NTTは来たか」と言い、合田は「まだです」と応《こた》えた。そう応えてしまってから、分駐所の顔見知りの巡査部長だと気づいたが、殺気だった顔つきの相手は気にも留めていなかった。

二番目に入ってきた隊本部の班長は、分駐所の隊員に「承諾書のサインを先にもらってこい、それからガイシャの写真！」と指示を飛ばしながら、ひょいと合田のほうを見た。

「メモが発見された場所は」

「そこです」合田は懐中電灯でアプローチを照らした。班長は敷石の上の光の輪をひと睨《にら》みし、すぐに後ろの鑑識に「頼みます」と声をかけると、鑑識の二人はただちにシートを広げて保全の作業に取りかかった。「で、そのメモは」と班長は手を突き出し、合田は紙一枚を渡した。

班長が無言でメモを覗《のぞ》き込む後ろでは、鑑識が、門扉の内側に外から覗かれないためのシートを手早く張っていた。班長は顔を上げ、「犯人からの電話は入っていませんね？」と念を押してきた。

「入っていません」

「家人の話は聞きましたか」

「はい」合田は自分の手帳から五枚ほどちぎって渡した。班長は懐中電灯の明かりで素早く目を通し、「持病なし。身体丈夫、か。よし」と呟《つぶや》いた。

「あとはこっちでやります。外で立ち番をやっている二名は、こっちが指示するまで残しておいて下さい。署のほうは全員待機で頼みます」

班長は、寸暇を惜しむようにそれだけ言い、急ぎ足で玄関へ入っていった。続いて、何番目かに入ってきた分駐所の隊員に「ちょっと」と合田は呼ばれた。

「この門扉、なかからはどうやって開けるんですか」

「こうです」と合田は内側のスイッチを回してみせた。隊員はそれを確認し、「なかからは簡単に開くとなると、〈出〉はここか。車がいたはずだな――」と独りごちると、

「大村！」と仲間を呼んだ。その場ですぐに地図が開かれ、そこに懐中電灯の明かりが当たった。「まず、十時五分前後に物音か、車の発進音を聞いた者の有無。それから、不審車両を見た者の有無——」

「この一六番地周辺は袋小路が多いので注意して下さい」合田は、隊員の地図に自分のボールペンで印を入れた。

「了解。よし大村、お前は右。俺は左だ。半時間後にいったんここへ戻ろう。連絡は一〇〇A（携帯無線）で」

分駐所の二人は足早に路地へ出ていき、入れ代わりに新たな顔が二つ、門扉のシートをくぐって入ってきた。合田が顔も名前も知っている本庁の第一特殊犯捜査二係の主任と巡査部長だったが、相手のほうからはとりあえず何の会釈《えしゃく》もなかった。

二人はアプローチの鑑識作業に目をやり、屋敷の全景をざっと見渡してから、平瀬悟という名の主任が「合田さん？」と声をかけてきた。

「合田です」

「隊本部は」

「来ています」

「今夜は冷えるな——。ガイシャ、コートは着ているって？」

「いいえ」

「そうか――」

大企業の社長が連れ去られるという事態を受けた特殊犯捜査の精鋭なエンジンは、まだようやくアイドリングに入ったばかり、といったところだった。事件現場となった敷地内を数回見回した後、その二人も玄関へ消えた。アプローチの上では、鑑識の四人が這い回っており、標識はすでに五つ立っていた。それを見収めて、合田はシートをくぐり、門扉の外へ出た。

置いてあった自転車に跨《また》がりながら、合田はもう一度、真っ黒な樹影におおわれた屋敷を仰ぎ、犯人は最低三人はいるかな、と慰みに想像してみた。二人が塀から侵入してアプローチ脇《わき》の植え込みで被害者の帰宅を待ち、素早く被害者を捕捉《ほそく》して門扉から外へ連れ出し、そこへ別の仲間が車を横付けして、被害者を乗せた車は走り去る。そんな犯行の一部始終は容易に想像出来たが、それを現に実行した犯人像のほうは、何重にも靄《もや》がかかっていた。

入念な下見をした上であっても、いつ現れるか分からない警らの隙《すき》をついての犯行が、どうして可能だったのか。偶然うまくいったというのでなければ、犯人には、実行のための数分間に警らが戻って来ないという確信があったことになるが、そんな確信はいったいどこから来たのか。警らの巡査長と話しているときにちらりとひっかかった疑問一つは、まだ合田の頭のすみで疼《うず》いていた。

とはいえ現実には、明日の自分はどこで何をしているだろうと思いながら、合田は自転車を漕《こ》ぎ出した。この近辺で地どりをしているかも知れないし、不審車両を洗っているかも知れないし、あるいは特捜本部にさえ加えられることもなく、普段通りに刑事部屋で捜査書類を書いているかも知れない。いずれにしろ、どこかで推移している事態や、犯人と被害者の状況の変化などからは、遠いところにいるのは間違いなかった。

午後十一時四十二分。路地は半時間前と同じように沈黙していた。本庁が記者発表をするまで、いましばらく時間がかかるだろうが、いまのところまだ、世間には漏れていないようだった。立ち番をさせている部下二人に、指示があるまで動かないように声をかけてから、合田は現場をあとにして、目と鼻の先にある大森駅前交番に向かった。路地のいくつかで、暗がりに止められた鑑識や特殊の覆面車両を三台、見た。

*

東邦新聞社会部のデスク席で、番デスクの田部がビリッと自分専用の日めくりをちぎる音がし、次いでその腕が大きく円弧を描いたかと思うと、ちぎり取られた紙一枚はぴゅうとどこかへ飛んでいった。

午前零時になって日付が変わると、田部はいつもそれをやる。番の机はひときわ大きなデスクトップのパソコンが載っているので、少し離れた遊軍席にいる根来史彰《ねごろふみあき》に見えたのは、そのCRTの向こうの田部の腕と、飛んでいった紙だけだった。

時計は午前零時一分を指していた。三月二十五日、土曜日だ。

根来も、手元の小さい日めくりを片手で破り捨て、書きかけの原稿に戻った。六回シリーズの『ゴミか、資源か』の明日の掲載分で、ほんの少し手があいたのを見計らって取りかかったのだった。半時間前に朝刊の十三版は出稿し終わり、残る十四版の最終締切りまで一時間半。編集局は、満員御礼とまでは行かずともそこそこ席は埋まる芝居の、開演前のロビーといったところで、ぽつぽつ出稿前の確認や手直しの指示の声が飛び、出先の記者からの電話があっちで鳴り、こっちで鳴り、していた。しかしどの声も低く、どの言葉も短く、少し離れるともう聞き取れない。

社会部は、番デスクの田部のほか、同じく番のサブデスクが一人、泊まりの記者が四人残っていた。遊軍のほうは、長である根来が一人いるだけだ。半時間前まで三人ほど、資料を整理したりしていたが、田部から最終版用の追加取材の指示が入り、灰皿に吸殻の山を残して、どこかへ消えてしまった。

一月に起こった阪神大震災のときは、総勢十八人いる遊軍記者はあらかた震災取材班に組み入れられたが、震災直後の混乱も少し落ちついてきたと思ったら、三月に入って、四日前にはカルト集団による犯罪史上類を見ない毒ガステロと無差別殺人、続けて都内の信用組合二つの経営破綻《はたん》と大事件が相次いだ。ほかにもいじめを苦に自殺する子どもたち、多発する銃器犯罪、都市博覧会、ゴミ問題、都市防災、戦後五十年決議と、遊軍は席が温まるひまもない。こんなに賑《にぎ》やかな年も珍しいが、おかげで春を待たずして、根来は今年もまた〈一人遊軍〉になってしまい、腰に根が生えるかと思うほど遊軍席に座りっ放しで、原稿、原稿、と追いまくられているのだった。

年がら年中時計を睨みながら、遊軍記者からばらばらに入ってくる原稿を一本にまとめ、手を入れ、書き直して、社会面を埋める軟派の記事を作り、番デスクのパソコンに送り込む。その合間に連載物の原稿に手を入れ、ときには予定稿を書き、出稿前になると見出しのチェックをし、特ダネの割り込みがあれば、番デスクの指示で即座に記事の差換えや加筆、訂正をやる。大半は機械的な作業だし、入社二十三年の慣れもあり、こんなものだと身体のほうは納得しているが、午前零時を過ぎるころには、四年前に交通事故で傷《いた》めた腰椎《ようつい》がずっしり重くなってくる。加えて昨日の朝は、寝なければと思いながらつい本を読んでしまったので、そのツケが回ってきて、根来はいま、パソコンの画面を見る目がちょっと辛《つら》かった。

「吉田君、このPL法案、消費者の声が多過ぎる」と、デスクパソコンの向こうで田部の声がした。「企業の声を入れるか、消費者団体の意見を削るか、どっちにする？」

電話片手の通産省担当の泊まりが「削って下さい」と返事をする。田部の隣では、同じくデスクパソコンを前にしたサブデスクの高野が、肩と耳の間にはさんだ電話の受話器を手でふさぎながら「板橋の火事、放火ですって。どうします？」と田部に声をかけ、田部の声は「いいよ、ベタで」と一蹴《いっしゅう》した。社会部に六人いるデスクのなかで、田部は一番言葉が荒い。その声色を聞いている限りでは、今夜はいまのところ最終版から入れるような一級の特ダネはなさそうだった。そう頭のすみに入れて、根来は自分の原稿をぼつぼつ打ち続けた。

統一地方選挙を控えた隣の政治部のほうは少し賑やかで、官邸や平河の記者クラブからの電話が引きも切らず入ってきていた。つい先ほど、その政治部の番デスクが通路一つ隔てた整理部のほうへ飛んでいったが、いまはそちらの方向から、「ただでさえ盛り上がらん選挙なのに、見出しぐらい一発、青島氏優位、と打って下さいよ！」「一面なんだから、節度ってもんがあるでしょう」とやり合う声が聞こえてくる。

政治部の向こうの外信部は五、六人いるようだが、少し前に「ニューヨークへ電話入れて！」という番デスクの甲高い声が一つ響いた後は、目立った雑音はなかった。その向こうの経済部は、相次ぐ金融不祥事や円高や株価の低迷などのおかげで、近ごろはこの時間帯もまだ記者の出入りがあり、インターネットに接続しっ放しのコンピューターはこの時間、海外市場の数字を流し続けていた。

その向こうの地方部、文化部、運動部のデスクが並んでいる辺りは、まだ何人か残っているようだが、デスクパソコンやファイルの山の彼方《かなた》からは、今夜はとくに声は上がってこない。さらにその向こうには、衝立《ついたて》で仕切られた写真部の部屋があり、泊まりのカメラマンが数人いるはずだが、いまのところどこかへ飛び出していったような気配はないので、居眠りをしているか、コーヒーでも飲んでいるか。

ざっと千三百平方メートルの広さがある編集局のフロアは、照明は昼間と同じだが、見た目には少し暗く感じられ、そうして百人近い人間がそこここに残っているといっても、賑やかなような静かなような、深夜独特の少し気だるい靄がかかっていた。見渡すと、各部毎《ごと》に一台か二台置いてあるテレビの画面で、色鮮やかな映像だけが音もなく躍っており、何だか龍宮城の幻のようだった。

自分の目のせいかと、根来が目をこすったところで、田部の声が遊軍席のほうへ飛んできた。「根来君、そっちの連載分。図表をカットして、本文五行増やして調整してくれる？　信組の組合員の談話が取れたから、そっちを入れたいんで」

根来は片手を挙げて「ＯＫ」だと応え、手を入れかけていた明日分の原稿を保存して、代わりに本日分の原稿を呼び出した。リサイクリング・プロセスの図表をカットすると、五行七十字以内で、言葉による説明を入れなければならない。

『産業廃棄物の生産・排出から最終処分までの過程では、自家処理→再利用→再資源化の順に、処理技術やコストが高くつくものになる』と書き足してみて、行数を数え直していると、「根来さん、電話」と泊まりの厚生省担当から声がかかった。根来は外線電話に手を伸ばしながら、習慣で時計を見た。午前零時五分。

電話の主は、十五年来の付き合いになる世田谷署の刑事課長だった。根来は三十で警視庁詰めをやったが、ネタ元を作るのも苦手なら、付き合いも下手で苦労した。警察という組織にどうしても馴染《なじ》めず、その分努力もそこそこだった結果だが、時間をかけて気ごころを通じた何人かの刑事たちとは、いまも仕事抜きの友だち付き合いが続いている、その一人だった。

《根来さん？　明日のバラ展、行けないかも知れないな》と、相手は言った。

柔道五段の偉丈夫が、十年前から狛江《こまえ》の自宅の庭にバラを植え始め、以来交配で新種のバラを作っては海外の品評会に出している。根来のほうはマンション住まいで庭もないが、ふと、花の一つでも愛《め》でる余裕を自分に与えてみようかという出来心に襲われて、明日の午後、神代《じんだい》植物公園でやっているバラ展を覗きに行こうと、約束していたのだった。

「どうしました?」と聞き返しながら、根来は相手の声が自宅の電話のものでないと気づき、この時間に署からかけているのなら、事件かなと、ちらりと考えた。

《山王のほうで何かあったみたいだ。ちょっと覗いてみろよ》

「大田区の山王?」

《署活系が変だ》

短い言葉で、電話は切れた。久々に、ネタ元がネタを流してくれた瞬間の緊張が、二秒ほどかけて鳥肌に変わった。昔なら、瞬時に総毛立っていたはずだった。根来はすぐに警視庁のボックスにつながる直通回線の受話器に手を伸ばした。

「根来です。大田区の山王で何かありました?」

《いや》と、即座に応《こた》えた声はキャップの菅野哲夫《すがのてつお》だった。《こっちは静かだが》

「いま知り合いから電話が入って、署活系が変だと言うんですが」

《無線が変――? ほかには》

「それだけです」

《山王か。ちょっと夜回りに出ている奴《やつ》に聞いてみる》
その電話も短く切れた。菅野は公安記者が長かった切れ者で、口数が少ない上に、人が一つのことを考える間に、三つぐらい考えてしまうからか、若手とも同期とも、あまり会話が成立しない。根来自身は不思議に付き合いは長いが、何年付き合っても、どうやって解くのか分からないが正解だけは載っている問題集のようだと、声を聞くたびに感じさせられる。ほんとうは、百人体制の東邦社会部のなかで一、二を争う酒豪なのだが、本人から言わないし、知っている者は少ない。そういう男だった。
受話器を置いたとたんに、耳聡《みみざと》い田部デスクから「何かあった？」と声がかかった。根来は「いいえ、まだ」とだけ応え、あまり集中も出来ないと思いながら、自分の原稿に戻った。五行加筆した連載の原稿を取りあえず印字し、加筆箇所を赤で囲って、「これ、デスクに」と泊まりの記者へ手渡す。菅野に下駄《げた》を預けた以上、万事ぬかりなく事が運ぶという安心感はあったが、同時に自分自身の手はあいてしまい、いましがた立ったはずの鳥肌も分からなくなって、根来は少し所在がなかった。
元の原稿に戻って、『都市ゴミの熱利用の――』と書き続けながら、根来は時計を見た。午前零時十分。いまごろ、菅野キャップにポケットベルで呼び出された一課担の記者が、大森署と山王へハイヤーを飛ばしているだろう。十五、六年前、自分がそうして走り回っていたころのことを、根来は一瞬思い出そうとしたが、とっさには何一つ浮かんで来ず、三流記者の脳細胞の末路はこんなものかと思ったりしているうちに、指のほうは『熱利用の末路は――』と打っていた。それを消し、『熱利用の現状は――』と打ち直す。

時計は午前零時十三分を回った。デスク席のほうで、リンと一つ直通電話の呼出し音が鳴り、すぐにサブの高野の手が受話器を取った。電話は数秒で終わって、高野は隣の田部に何か声をかけた。とたんに、生え際《ぎわ》が五センチ後退した田部の頭が初めてデスクパソコンの向こうから起き上がったかと思うと、通路一つはさんだ整理部のほうへ「一面、社会面、記事を差し換えるかも知れないから！」という一声が飛んだ。

それから田部は、「山王二丁目に覆面のＰＣ。大森署の裏庭に捜査車両が入っているって」と、社会部に響き渡る声を上げた。即座に「何かあった――？」と泊まりの記者たちの顔が上がる。

「まだ分からん。とにかく、一課長も鑑識課長も公舎へ帰って来てないらしい。二方面の各署は揃《そろ》ってだんまり。ボックスは放送待ちだ。土井君、山王の住宅地図、用意して。写真部の泊まり、待機してもらっとけ」

そう言いながら、田部の目は壁の大時計へ流れた。根来も時計を見た。零時十六分。締切りまで、延ばしに延ばしても一時間半。何があったにしろ、書けることは多くはなかった。

「根来君、念のために山王二丁目と大森署の近くに前線を二つ、目星をつけておいて」

田部の指示に、根来は片手を挙げて応えた。書きかけの原稿を置いて、機械的に引出しのファイルから、都内全域の新聞販売店五百店舗のリストを取り出した。事件のたびに利用してきたので、もうぼろぼろになっている。それを開きながら、山王のほうは、山王交差点の郵便局の隣にある販売店が一つ、すぐに頭に浮かんだが、大森署のほうは、それが建っている場所を思い出すのに少し時間がかかった。

場所は、京浜急行の大森町駅の東側。第一京浜が産業道路と分かれて二股《ふたまた》になっている、そのY字路の先端にファミリーレストランのデニーズがあり、そのカラフルな屋根とくっつくように四階建ての小さい庁舎がひっそり建っている。気を付けていなければ見過ごしてしまうようなその庁舎の並びには、民間のマンションや倉庫と、雑多な小さい事業所ビル。署は玄関が第一京浜、裏口が産業道路に面しており、どちらの入口も、前に横たわった陸橋の高架が視界をふさいでいる。そうだ、まるで谷底で、昼間でも日の差さないような場所だったと、やっと鮮明に思い出しながら、根来はリストから一店を探し出し、電話番号をメモに取った。場所は、署から三百メートル離れた第一京浜沿いだが、双眼鏡を使えば、捜査員の出入りを見張ることの出来る距離だった。

リストを引出しにしまい、根来は気が散って書けないと諦《あきら》めた原稿を保存して終了した。それから、引出しから最近はもうあまり使わない鉛筆一本を取り出して、肥後守《ひごのかみ》で芯《しん》を削り始めた。いつも、何かを待っているときに、根来はそれをやるのだった。デスク席で、田部が直通電話に出ていた。「放送、まだ入りません？　他社の動きは？」

二本目の鉛筆を削り始めたとき、何度目かの呼出し音が鳴り、根来は肥後守の手を止めて、壁の時計を確かめた。午前零時十八分。

直通電話の受話器を取った田部は、中腰になっており、デスクパソコン越しに屈《かが》んだ頭が光っていた。「あ、そう――。分かった。内容、すぐ知らせて。部長を呼ぶ」とひとりうなずき、受話器を置いたと同時にその上体が伸びたが、言葉が出てきたのは、さらに一呼吸置いてからだった。

「誘拐だ。日之出ビールの社長がやられた――！」

その一声はあまり大きな声ではなかったが、千三百平方メートルのフロアの隅々へ一瞬のうちに届き、そこかしこで一秒か二秒、時間が止まったかのようだった。

続いて、「日之出ビールの社長が誘拐された！　日之出の社長！　誘拐！」という高野サブデスクの絶叫が轟《とどろ》いた。その叫びの終わりのほうは、一斉に噴き出したざわめきと、立ち上がる記者たちの動かした椅子《いす》の音、社会部めがけて駆け寄ってくる靴音などにかき消された。

「選挙、潰《つぶ》れるな――」と隣の政治部の番デスクが天井を仰ぎ、「日之出ビールか、ビールに間違いないか！」と怒鳴りながら、経済部の番デスクが飛んでくる。「紙面、どうする！とりあえず何段あける！」と、整理部からも番が走ってくる。「誘拐で間違いなければ、どうせ協定になるだろうが――」という声は、交番の編集局次長だった。たちまち出来上がった人だかりのなかで、田部の早口がとりあえずの現況を手短にまくし立てた。警視庁の広報は各社キャップを集めており、菅野キャップはいま、そちらへ行っている。仮協定の申入れがあるのは間違いない感触だと、まずはそれだけだった。誰もが一斉に時計を見た。報道協定が出たら、一切の取材活動が出来なくなる。各社の部長が集まっての本協定締結の話し合いが長引いたとしても、限度はある。協定が正式に発効するまで一時間あるか、二時間あるか。ともかく、取材は時間との競争だった。

百メートル走のスタートを切るように、いったん集まった人垣が散った。「本社に上げられる奴は、全員上げるぞ！」という田部の一声が飛んだ。「土井、原田は、兄弟親戚《しんせき》に日之出の社員がいる奴をまず探せ。根来君は、配置表を頼む。吉田は写真部の泊まり、全員呼んできて。それから日之出の資料、資料室にあるだけ全部取ってこい！　麦酒労連の資料も。新井さん、財界と酒類販売業界のほう、頼みます！」

経済部の新井デスクのほうから「あ！」というすっとん狂な声が上がった。「あそこ、三月末が株主総会だな――」

「じゃあ、株主のほうの取材も！　くれぐれも事件は伏せて、景気とか業界とか、その辺の話で」

根来は、出払っている遊軍記者たちのうち、こちらへ回せる面々を順にポケットベルで呼び出しながら、配置表を作るために、創刊百周年記念のポスター一枚を裏返して遊軍の机の上に広げた。

後ろでは、サブデスクの高野がクラブからの直通電話を受けながら、メモ用紙にボールペンを走らせており、すぐにそれを読み上げる声がフロアに響いた。

「被害者氏名、城山恭介、五十八歳。日之出ビール社長。二十三日午後十時五分ごろ、山王二丁目一六番の自宅に社用車で帰宅した後、門扉《もんぴ》を入った辺りで待ち伏せていた何者かに拉致《らち》された。前庭の植え込みで、犯人が残したと見られる便箋《びんせん》一枚を丸めたものが発見され、『社長ヲアズカッタ』と書いてあったため、本件を逮捕監禁と判断した。午前零時二十分現在、犯人からの連絡はなし。社長専属運転手の氏名は、山崎達夫、六十歳。勤続二十年。次回のレクは午前二時。――記者発表は、それだけ！」

根来は直通電話の受話器を取り上げた。半時間前とは打って変わった怒鳴り声が《はい、菅野！》と応えた。

「遊軍から、走らせるところはありますか」

《日之出の役員のほうを頼む。どの電話も見事になしのつぶてだ。直接自宅へ行って、戸を叩《たた》いてみてくれ》

根来は電話を切り、資料室から駆け戻ってきた吉田に「役員の名前と住所、調べて」と声をかけた。

時計は午前零時半を回った。根来は、ポケットベルに応えて遊軍席に電話を入れてくる記者たちに菅野の指示を伝えながら、片方では田部と一緒に配置表作りに取りかかった。ポスターの裏に、縦横十センチの大きな字で、まず項目を立て、そこへ記者の名前を書き込んでいく。警視庁詰めと、地検・裁判所担当と、方面記者を除いた持駒《もちごま》は、当面約五十。

項目は頭に①統括、②副統括を立て、次に③硬派、④軟派、⑤被害者周辺、⑥日之出本社、⑦日之出役員、⑧日之出社員、⑨日之出関連企業、⑩特約店、⑪同業他社・労連、⑫酒類販売店、⑬国税庁、⑭大森前線本部、⑮山王前線本部、⑯待機班などだった。

社会部長を統括に置き、副統括には副部長。硬派と軟派の原稿差換えチームは、それぞれデスク一名とまとめのキャップに、記者三名ずつを配置する。各取材班と二つの前線本部には、キャップと記者数名。去年、日之出とライムライトの合弁問題を取材した泊まりの吉田努の名は⑩と⑬へ書き込まれ、田部敬一は自ら硬派デスクに、根来自身は軟派のまとめキャップに就いた。

泊まりのカメラマンたちはすでに、被害者宅と品川の日之出本社めがけて飛び出していった。フロアは、電話をかける声、呼出し音、出入りの足音、飛び交う声の渦だった。配置表にマジックを走らせながら、田部はいくらか興奮をかくせない声で「当分、泊まりになるな——」と呟《つぶや》いた。

一、二時間のうちに部長やデスクたちが顔を揃えたら、あとはミーティング、ミーティング、ミーティング。その合間になだれ込んでくる原稿をまとめ、時計とにらめっこで完成稿を作ったと思ったら、時間ぎりぎりまで差換え、書換えに追われる。そうして自分を含めた本社詰めの全員が人間原稿処理機と化す一方、取材に走る一線の記者たちはドッグレースの始まりだった。根来は、ちょっと回転の上がり方が鈍い自分のエンジンに不安を感じながら、寝不足の目をしばたたいた拍子に、またふとバラ展のことを思い出した。ひょっとしたら人生の小さな変化になるかと密《ひそ》かに期待していたきっかけを、これでまたしばらく逃してしまったなと思った。

＊

前夜の一課長公舎の夜回りは、本庁幹部職員の歓送迎会が半蔵門会館で行われていた関係で、午後十一時からの受付と決まっていたのだった。警視庁詰め二年目の久保晴久《くぼはるひさ》は、当夜は十一時十分過ぎに目黒区碑文谷《ひもんや》の公舎前に着き、民放各社、NHK、朝日、共同に次ぐ九番目の順番になった。それから三々五々他社もやってきて、路地には、携帯ラジオのイヤホンを耳に入れ、黙々と身をひそめて立つ記者たちの列が出来た。その夜の一課関係の関心事は、各社おおむね、毒ガス製造の殺人予備容疑で逮捕状が出ているカルト教団の指導者の行方や、すでに逮捕されている教団幹部の取調べの進展状況などだった。公式発表が少ない分、各社とも、ひたすら一課長の腹を探ることに終始する日が続いており、久保も他社の持ちネタを気にしながら、毎晩欠かせない胃薬と滋養強壮剤を飲んで、その夜も夜回りに臨んだのだった。そのわりには体重は減らず、学生時代から大柄だったが、社会部記者になってから、不規則な生活のせいでさらに十キロも体重が増え、社内検診では脂肪肝寸前だと言われていた。

小雨が降ったり止《や》んだりで、春先にしてはひどく寒い夜だった。午後十一時二十五分になって、民放の記者たちのなかから、「遅いな」という小さな声が上がった。一課長の公用車の到着が予定の時刻より遅れているからだったが、たまに半時間ほど遅れることもあるので、久保はあまり気にしなかった。他社の記者たちも同じ判断をしたに違いなく、その場はそれ以上の声は上がらなかった。

再度「遅いな」という呟きが漏れたとき、それは今度は次々に伝染して「遅いな」「遅いな」と重なった。時刻は午前零時三分になっていた。「何かあったか」「変だな」といった呟きに混じって、どこからか「お隣も帰ってない」という声が上がった。一課長公舎の隣は鑑識課長の公舎で、下戸の鑑識課長は二次会の付き合いなどで遅くなることはまずない。それが一課長とともに零時を過ぎても戻って来ないとなると、路地に並んだ十数人の記者たちの頭に、何かあったという注意信号が点滅するのに、数秒もかからなかった。

指名手配中のカルト教団信者が見つかったか。新たな事件か。それぞれ疑心暗鬼の目を交わし、ひと呼吸置いたとたん、気の早い何人かは足音もなく路地から姿を消した。久保は、何かあるのならクラブのほうから呼出しがかかるはずだと自分に言い聞かせてその場を動かなかったが、一、二分じっとしている間にも、他社に抜かれるのではないかという不安や焦《あせ》りの針は、ちくちく肌を刺し続けた。その針がいきなりぐさりと刺さって、ポケットベルが鳴り出したのは、零時六分。

液晶表示の番号は、本庁のクラブだった。「何かあった？」「何か抜いてんの」とすぐに他紙から声が飛んできた。「さあ、分からん」と嘘《うそ》ではない返事を返して、やっと路地を小走りに駆け出した。久保は目黒通りから一本入った路地に置いてきたハイヤーまで五十メートルほど走る間、ジャケットの下で腹の肉がたっぷり揺れ、ワイシャツのボタンが軋《きし》んでちぎれそうになった。

車載電話から入れた電話に応《こた》えたのは菅野キャップで、年中同じドスの利《き》いた声が《山王へ回れる？》と尋ねてきた。山王で何かあるというあいまいな話ではあったが、何かあると聞けば、頭より先に心臓が跳ねる。跳ねた心臓から送り出された血が身体《からだ》に充満する。「山王へ回って下さい」と運転手に告げて、久保は早速地図を開きながら、未《いま》だ形もない何かに期待した。新しい事件が起こり、目先が変わるたびに胸に膨らむのは、自分の前に新しい地平が開けるのではないか、少なくともいま這《は》い回っている場所ではないどこかへ、抜け出せるのではないかという幻だった。

柿の木坂の交差点から環七へ出て、山王までは十二、三分の距離だが、やっと東急池上線の線路を越えたところで、今度はサブキャップから《大森署の裏庭に秘匿《ひとく》車両だそうだ。山王をぐるっと回ってみて》と最初の連絡が入った。一課担の相棒の栗山《くりやま》裕一が、一足早く所轄《しょかつ》へ回って知らせてきたのだが、事件の現場は分からないという。秘匿車両と聞いただけで、新たな地平への久保の期待は、いきなり特ダネの野心とすり替わって火がついた。零時十七分を指している腕時計の針と、ハイヤーの前方に連なる赤いテールランプの列を睨《にら》みながら、山王の路地のどこから回るか考えていると、馬《ま》込《ごめ》の交差点の手前で二回目の連絡が入った。

《北品川の日之出ビール本社へ回ってくれ! 日之出の社長が誘拐された》と、電話はがなり立てた。

いきなり聞こえてきた日之出ビールの名と、社長誘拐という一報は、久保の頭のなかですぐに反応したわけではなく、当座の具体的な指示内容を、久保は機械的に耳に入れただけだった。このまま日之出本社へ直行して、社員の出入りの様子を確認すること。出来れば、社員か幹部の第一声を取ること。協定締結まで時間がないこと。

誘拐ならば、何を取材しても当面は書けない代わりに、他紙に抜かれることもない、という場違いな安堵《あんど》が、続いてちらりと頭をよぎった。特ダネの野心は、いつの間にか報道協定解除後の原稿でいかに他紙と差をつけるかという思惑と入れ替わったが、それもほんの一瞬のことで、久保は運転手に行き先の変更を告げるやいなや、はっと気がついて座席から身を乗り出した。山王一帯の高台の黒い樹影が、車窓の外を流れ去る。それを見送りながら、誘拐という実感のない一語に、疑問符が三つも四つも連なった。

午前零時三十五分。日之出の社長が自宅から連れ去られたという、簡単且《か》つ信じがたい内容を三度目の電話で聞いて、ハイヤーを北品川四丁目の日之出本社ビル前に着けたとき、八ツ山通り沿いは空っぽだった。久保はまず、他紙やテレビの姿がないのに驚き、一番乗りと知って、心臓がまた小さく跳ねた。次いで、四十階建ての豪奢《ごうしゃ》な高層ビルを見上げ、ここの主《あるじ》が誘拐されたという事実を頭に刻もうとしたが、それは再度あいまいに終わった。

ビルは、下から四分の三ぐらいの階にわずかに明かりが見えるだけで、真っ暗だった。残り四分の一は低く垂れ込めた靄《もや》に覆《おお》われており、屋上の四隅についているらしい赤い灯火が、その靄のなかでぼおっと点滅していた。地上へ目を戻すと、歩道から二十メートル後退している建物の入口も明かりはなく、人の気配もなかった。

歩道に面したところに立っている案内標示板には、《日之出オペラホール》《日之出現代美術館》《日之出スカイビヤレストラン》といった金文字と矢印が光っているが、その先に見える一般用入口はシャッターが下り、アプローチは通行止めの柵《さく》で遮断されていた。地下駐車場の入口は西側にあったが、そこも、スロープを下った先はシャッターが下りていた。

八ツ山通り沿いに止めたハイヤーへ走って、久保はとりあえずクラブへ電話を入れ、日之出の夜間用の番号へ電話を入れてみてくれと伝えた。電話に出たのは泊まりの二課担当で日之出の電話は本社も東京支社も横浜支社も、すべて《本日の業務は終了いたしました》というテープしか流れないという。いま、全国の各支社支店営業所に片っ端から電話を入れているが、どこも同じ。役員宅はすべて留守番電話になっており、どこかに役員や担当者が集まっているのは間違いないが、場所がどこなのか分からないということだった。さらに、各社のキャップが広報課長に呼ばれているとのことで、仮協定の申入れの話になるのは間違いなかった。

時間がないと焦りながら受話器を置いたときには、久保のハイヤーの前後に他社のハイヤーが三々五々連なっていた。時刻は零時四十一分。ビデオカメラ持参の、テレビのクルーも来ていた。最初久保がそうしたように、他社の記者たちもどこにも明かりのないビルの周囲を走り回り、諦《あきら》めて歩道に集まり、次いで顔見知りの読売の記者がこちらへ走ってきたかと思うと、久保のハイヤーの車窓を叩いた。

久保がドアを開けると、「あんた、一番乗りだろ？　ここ、どこか開いていた？」と相手は首を突っ込んできた。

「開いていたら、こんなところにいないよ。何かいい知恵ある？」久保は言い返し、後ろに集まってきていた他社の記者たちが一斉にため息をついた。各社とも、日之出側のどことも連絡が取れていないのは間違いなかった。その上でなお、路上に集まった誰もが、日之出の幹部たちがどこかに集まっているはずだと考え、その場所がどこなのか、頭を忙しく巡らせている狐《きつね》の目をしていた。

「先が思いやられるな、こいつは――」

そう誰かが言ったところで、十五メートル離れた路肩に止まっている民放のワゴン車の傍から、クルーの一人が両腕で×印を作って、こちらに合図を送ってきた。時刻は、午前零時四十五分。仮協定が出たのだった。

久保たちは顔を見合わせ、民放のクルーへOKのサインを送り返した。それから、どこからともなく噴き出た「ちくしょう」や「くそ」があり、「じゃあ」という力ない会《え》釈《しゃく》を交わして、その場にいた記者たちはそれぞれのハイヤーに散った。車窓から見送った日之出本社ビルは、十分前よりさらに堅固にそびえ立ち、これから先の取材の困難さを見せつけているかのようでもあったが、その一方で、三十階の辺りに灯《とも》るわずかの明かりは靄にかすみ、不測の事態に怯《おび》えているように弱々しかった。それを見上げながら、久保はこれで三度目ながら、あの城の主が誘拐されたのだ、と自分に言い聞かせてみた。

久保が桜田門の警視庁に戻ったのは午前一時十八分だった。仮協定の発効を受けて、あちこちから一斉に引き揚げてきた他社の記者数人と、エレベーターで一緒になり、何となく顔を見合わせ、相手の表情を探り合った上で、「どう？」「取れた？」「お宅は？」といった短い挨拶《あいさつ》になった。答えはわざわざ聞かずとも、どの顔も、日之出との接触は出来なかったと言っていた。

九階には記者クラブが三つあり、そのうち、全国紙六紙が入っている『七社会』に東邦のボックスはあった。『七社会』はドア口からすでに一杯で、久保は、自社のボックスへ入るのに身体を斜めにして、右往左往する人間をすり抜けなければならなかった。各社、クラブ担当のほか方面記者を全員上げているのだ。東邦のボックスの入口に垂れているカーテンを開けると、まず見慣れない背中にぶつかり、「ごめん、通して」となかへ分け入って自分の机まで数歩進む間に、普段の数倍の量の整髪料とタバコの臭気に吐きそうになった。普段なら、昼間でも机に向かっているのは多くて四人か五人、残りは取材で外にいるか、備えつけの二段ベッドで寝ているかという鰻《うなぎ》の寝床の狭いボックスに、方面の記者を含めたフルメンバーの十七、八人が入ったら、足の踏み場もない。そこへ、リン、リンと直通電話の呼出し音が鳴り続け、ファックスから吐き出される用紙は奪い合いで、手から手へ渡っていた。

その人垣の一番奥の席で、菅野キャップが、何があっても顔の筋肉ひとつ揺るがない無表情で、片手に外線電話の受話器、片手で胡麻塩《ごましお》の頭に櫛《くし》を入れていた。緊急時に限って、ところ構わず櫛を取り出すのが菅野の癖だ。その傍から、「日之出の役員が集まっている場所、紀尾井《きおい》町の日之出クラブだって」と声をかけてきたのは、サブキャップの香川だった。そう言われてみれば、なるほどというところで、久保もすぐに紀尾井町のニューオータニの近くにある、古びた石造りの洋館の姿を思い出した。企業が接待に使うゲストハウスで、表通りから奥まった玄関前の車寄せには、ときどき送迎の高級車が入っている。

「誰か覗《のぞ》いてきたんですか」久保が周りを見渡すと、「いま、お隣から聞こえてきた」と、同じ一課担の栗山裕一が隣のボックスとの仕切り壁を拳《こぶし》でこんこん叩《たた》いてみせた。その拳の下では、もう一人の一課担の近藤と、二・四課担当の牧、金井が鳴り続ける電話の受話器を取っていた。すでに配置表を作って動き出している社会部の遊軍から、「資料室の資料を全部複写して送った」「データベースで引き出した日之出関連の記事を送った」といった連絡や、「何か取れたか」「動きはないか」というネタの催促だった。

いつの間にか電話を終えた菅野キャップの声が、「おい、みんな」とボックスに流れ、久保たちの耳は一斉に緊張した。

「予定稿は、社長の身柄を無事救出出来た場合と、最悪の事態になった場合の両方を用意する。身柄が確保された時点で、犯人像や動機が明らかになっていない場合は、最初の原稿は、拉致《らち》から救出までの状況をタイムテーブル式に埋めて、そこから手堅く疑問点を浮き彫りにするやり方でいこう。凶悪事犯としての側面を、まずきっちり押さえたい。これは、久保んとこでやれよ」

「はい」

「牧、金井、桃井《ももい》は、総会屋と右翼の動きだ。田沢と小川は検問関係と、レンタカー会社に車両の手配が入っていないかどうかを探れ。方面は三交代で、協定解除まで日之出本社、東京支社、日之出クラブの近くで張り番。幹部や秘匿車両の出入りを見張れ。日之出は企業防衛の面では手ごわいと思うから、無理はするな。香川は、方面の配置表を作って」

「はい」

「方面は、配置表が出来たら順次出かけてくれ。みんな、日之出の資料には目を通しとけよ。最後に、このヤマ、長引くかも知れんから、全員そのつもりで。俺からは以上」

菅野の話はそこまでだった。いつも具体的な指示しかないが、久保の知る限り、菅野が判断を誤ったことは、これまで一度もなかった。

そうしてまた櫛を取り出した菅野は、久保には及びもつかない情報網を持っているのだった。誰もがその前では黙ってしまうしかない、その恐るべき財産を、菅野はいったい、どのような手管と時間と努力の末に築いてきたのかと感嘆するたびに、複雑な羨望《せんぼう》と疑念がやって来て、久保は新聞記者としての能力ということを考えざるを得なかった。いまもまた、菅野の弁をあれこれ反芻《はんすう》しながら、久保は、結局のところ地下金融絡《がら》みの右翼の動きを睨んで公安が動き出しており、その公安の情報を菅野は摑《つか》んでいるのだなと想像した。右翼とくれば上は政治家、下は暴力団と総会屋。自分のネタ元の顔ぶれをざっと思い浮かべてみたが、そちらの方面のネタが入りそうな人物は一人もいなかった。

そんなことを考えていると、隣から「はい、日之出ウーロン茶」という栗山の声がして、目の前に缶入りウーロン茶が出てきた。二秒考えて、久保はやっと、自分の左手がつまんでいる月餅《げっぺい》に気づき、驚いた。知らない間に食っていたらしい月餅は、すでに三日月状態だった。多分、机の上にあったのだろうが、手が伸びたのも覚えていなかった。自分の胃が空腹を訴えたという記憶もなく、これでまた、焼魚定食で我慢した昼飯の努力がパアだと思いながら、仕方なくウーロン茶で月餅の残りを流し込んで、久保はそそくさと自分のパソコンの電源を入れた。

すかさず、栗山が「一回目の要旨です。キャップからの聞き書き」と記者会見のメモを差し出してきた。よく気がつくというか、余裕があるというか、栗山はまだ一課担一年目の三十歳だが、肌はつやつや、笑顔はぴかぴかで、〈懲役〉だと言われる警視庁詰めも、本人の気持ちの持ち方や才覚一つで、こんなふうに飄々《ひょうひょう》と泳いでいけるのだという新型事件記者の見本だった。しかも、それなりにネタ元を持ち、記事も書けるし、久保の目には少し詰めが甘いのが気になるが、それも許容範囲に収まってはいる。栗山を見るにつけ、またぞろ自分との差はどこにあるのだろうと思いながら、久保は「どうも」とメモを受け取った。

午前零時十五分にあったという第一回目の記者発表の内容は、『城山恭介（58）山王二―一六。／22：05　社用車で帰宅。運転手山崎達夫（60）雑司《ぞうし》が谷《や》二―一三。／山崎、城山が門扉《もんぴ》をくぐるのを見届け、発車。／22：50　一一〇番受理。当主帰らない。／23：16　事件と認知。門扉から玄関までの間で略取、連れ去り。／玄関アプローチ脇《わき》植え込みで、メモ発見。丸めた便箋《びんせん》様の紙一枚。白。手書き、片仮名。〈社長ヲアズカッタ〉。／逮捕監禁と判断。／委細不明。／次回、二時』とあった。

「刑事部長、手が震えていたそうですよ」と栗山が言った。

「へえ――」

「さっき、刑事総務の広田さんが怒鳴りまくっていましたしね」

「へえ――」

先般の毒ガステロの一報のときも沈着だった温厚な広田課長が、今夜どんな声を出していたのか、久保には想像がつかなかった。もう一度メモを睨み、午前一時二十五分という時刻をたしかめてから、三十五分後に迫った第二回目の記者会見に備えて、気がついた点を書き出し始めた。

帰宅の道順はいつも通りか。運転手が見届けたのは正確にどこまでか。家人は物音を聞いていないのか。一一〇番通報まで四十五分かかった理由は何か。家人の様子。社長の当日の行動。服装。発見されたメモの文字の様態。犯人からの連絡の有無。不審者、車両の目撃証言の有無。鑑識作業の進展状況。靴痕跡《こんせき》。遺留品。

『大胆な犯行。手際《てぎわ》がいい。プロか?』

久保がパソコンの上に屈《かが》んでいる後ろでは、資料をやり取りする仲間の手が行き来し、香川サブの作った配置表に従って、方面記者が次々にボックスをあとにしていた。電話は鳴り続け、「何もない」「まだ」「そっちは」と短い話し声が飛ぶ。菅野キャップは、誰をどこへと協定解除後の配置を電話で話していた。久保はさらに一行、『日之出に対する恐喝、脅迫、いやがらせ等は事前にあったのか否《いな》か』と書き足しながら、手元の机に置いてある日之出ウーロン茶の缶を見た。

普段、ゆっくり眺めたこともなかった金色の鳳凰《ほうおう》の商標をあらためて目でなぞると、やっと、大変な事件が起こったのだという実感がじわりと湧《わ》いてきた。

＊

午前零時半過ぎには、現場で立ち番をしている二名と、応援に出ていった鑑識三名と、刑事課長と課長代理を除いた刑事課二十三名が大森署三階の刑事部屋に揃《そろ》ったが、本庁からの指示で、全紙大の現場付近見取り図と、被害者宅の敷地を含む現況図を作ったあとは、やることがなくなった。裏庭には一〇三（多重無線車）が入っており、なかに二人ほど陣取っているが、現場でどんな動きがあるのか、どこで誰が何をしているのか、捜査メガに乗ってくる情報は少なく、三階では現場の状況はほとんど摑めなかった。それは署長や副署長も同じで、袴田《はかまだ》刑事課長と土肥《どひ》課長代理は、ひたすら当惑げな顔をして署長室と刑事部屋と通信室を行ったり来たりだった。

午前零時四十分段階で、目撃者なし、不審車両なし、遺留品なし、犯人の動きなし、連絡なし。

合田は初めに、現場に一番に臨場した者としてみんなに状況の説明をしたが、そんなものは五分とかからなかった。続いて、知能犯担当の安西係長が、戸棚のすみから前年度分の日之出ビールの有価証券報告書総覧をひっぱり出してきて、会社の概況が載っているーページ目からざっとかいつまんで読み上げ始めたが、十二工場十五支社と研究所などを列挙した事業所別設備の概況まで進んだところで、「要は、資産も売上も経常利益も自己資本も、この辺りの事業所とは三桁《けた》違うと思えばいい」と括《くく》って、冊子を投げ出してしまった。

その冊子を誰かが手にとってぱらぱらめくり、それは数人の手に渡ったが、いつの間にかそれも途切れ、無駄口の一つも聞こえないまま、沈黙がぶり返した。誰もが、明日一日の仕事を考えて少しでも寝ていたいという気持ちが半分、よりにもよって自分たちの管内で要人が誘拐された不運にげっそりする気持ちが半分の、憂鬱《ゆううつ》な顔をしていた。

刑事部屋は、もともと全員が揃ったときのことなど考えて設けられてはいない。椅子《いす》さえ足りず、身を置く自分の場所というのもない。窓際に課長席と課長代理の席があるほかは、誰のものでもないスチール机が四列、五個ずつくっつけて並べてあり、壁際は同じくスチールのファイルキャビネットと戸棚と黒板、雑多な貼《は》り紙で埋まっている。そこに二十三人からの大の男が入ると、ほとんど馬券売場と変わらない狭苦しさと陰気さだった。日々、捜査書類だけは山ほど書かなければならない職場にこの環境はないと合田は思うが、見いだした解決方法は、いまも昔も出来るだけ外に出ることと、書類はあいている調べ室で書くことだけだった。

スチール机には、警電八本と加入電話四本、照会センターとつながった端末が四台、汚れて変色しているワープロが二台置いてある。紐《ひも》付きの警視庁電話番号簿が数冊。ぼろぼろのハローページ。ボールペンに鉛筆。通達などの書類や新聞のチラシを裏返したメモ用紙。灰皿。茶しぶのこびりついた湯飲みがいくつか。

合田は、出入口に近い場所に、壁を背にして座り込んでいた。懐《ふところ》には、署に入る前に大森駅前交番で仕入れてきた事件発生前の警ら の細かい記録が入っていたが、分単位で記録された一一〇番通報や署からの指令の一つ一つが何かを指し示しているという直感は、まだはっきりしたかたちもなかった。その直感の周りを、現場に臨場したばかりの鈍い興奮がゆるゆると回っていた。狙《ねら》われたのは個人か、企業か。なぜ日之出ビールなのか。日之出の内部に、犯行を誘うようなトラブルがあったのか。総会屋や暴力団とのつながりは、あるのかないのか。電話で話した副社長の、語気の強さと慎重さのアンバランスは少し耳にひっかかったが、そもそも日之出には、今夜の事態に思い当たるふしが、あるのかないのか。

そして、動機は何か。仮に犯行グループの最終的な目的が金だとすると、なぜ、誘拐というリスクの大きい手段を選んだのか。たんに金が目的なら、ほかの役員を狙っても結果は大差ないはずだが、なぜ社長なのか。

合田は一応、所轄《しょかつ》の指定捜査員ではあったが、本庁から横滑りで所轄に飛ばされた者にはこの一年、一度も捜査本部への呼集はかからなかった。今回、もし人手が足りずに声がかかるようなことがあっても、回ってくるのはせいぜい地どりか、ブツの捜査か。そう思いつつ、それでも有報の冊子を一ページずつめくり始め、日之出がどういう企業なのか、機械的にせよ頭に入れておこうとしたのは、もはや個人の性分だった。

まず主要な経営指標の数字。平成五年度の売上高一兆三五〇〇億。連結では一兆六〇〇〇億近い。経常利益が七七〇億。純利益がその約半分。総資産が一兆二〇〇〇億。自己資本比率、四七パーセント。一株当たりの配当が一〇円。従業員数、八千二百人。どの数字も、〈巨大〉〈超優良〉を物語っていたが、高率の酒税のかかった一缶二百円そこそこのビールを売って一兆三五〇〇億というのは、にわかにはぴんと来なかった。しかも、これは一昨年の数字だから、現在はさらに膨らんでいるはずだった。

次に、創業百五年になる企業の沿革。戦前にすでに四工場を持ち、戦後は堅実に工場と支店営業所を拡張しながら、医薬事業、バイオテクノロジーや先端医療、情報システム分野などの技術開発事業を積極的に推し進めて、多角化を目指している企業の輪郭が見えてくる。

次に、株式の状況をざっと見ると、大株主には東栄をはじめとする大手都銀数行と生保が順当に名を連ね、その合計が発行済み株式の二七パーセント。株価自体は、バブル崩壊後も安定しており、配当性向も二五パーセントの高率を維持している。

役員の状況。社長以下、三十五人いる役員の氏名と、ビール事業本部長や開発事業本部長などの兼職の肩書をざっと頭に入れた。筆頭の城山恭介は、東大法学部卒で昭和三十四年の入社以来、仙台支店長、大阪支社長を経てビール事業本部長になった経歴からみて、ずっと営業畑を歩いてきた人物のようだった。物を売るという仕事は刑事には一番遠い世界で、城山恭介の名前一つを眺めながら、どんな人なのだろうと合田はしばらく思いを巡らせた。自宅の様子や、妻と息子の印象から推量するに、かなり地味な人ではないか、という気はした。

一方、電話で話した倉田誠吾という副社長も、兼職はビール事業本部長とあるので、城山と倉田は、取締役会のなかで一番近い関係にあるのは間違いなかった。つつくなら倉田かなと思いながら、電話で聞いた一筋縄でいきそうにない男の声をちらりと思い浮かべた。

続いて、事業の内容の項目に移ると、最初に経営組織図があった。株主総会の下に取締役会と監査役会があり、その下に社長、経営会議。総務、人事、経理、広報、システム開発などの各部と企画室、秘書室、消費者相談室などが並ぶ組織は、しごく一般的なもので、事業本体はビール事業本部、医薬事業本部、事業開発本部、研究開発本部などを立てた事業本部制になっていた。しかし、主要事業部門別ウェイトの数字を見ると、多角化を進めているといっても、ビールの売上は依然、九六パーセントにもなるらしい。

数ページ飛ばして営業の内容を見ていると、「面白いか」と近くから声がかかった。顔を上げると、盗犯捜査の長内《おさない》という係長が、うっとうしげな目をこちらに向けていた。長内は今夜の当直で、山王からの一報があったとき、たまたま大森南で発生した強盗の現場へ出払っていたために、山王への一番乗りを逃した。この恨みは百年消えるものか、という顔だった。

合田は「毎日呑《の》んでいるビールの名前が出てくるし」と返事をした。「日之出ラガービール、日之出スープレム、スープレム・ドラフト、ライムライト・ダイナー――」

相手は、「あんた、ビールは呑まないだろ」と鼻先で一蹴《いっしゅう》し、合田もそれ以上は無視した。

実際、今期の営業状況の報告のページには、毎日見ている銘柄の名が並び、各々《おのおの》の販売成績が記されていた。酒類販売の現状は、去年の酒税増税を受けての各社横並びの値上げに加えて、量販店での値引き販売の激化、ライムライトの本格参入など格段に厳しいらしい。それでも日之出は、ラガーとスープレムの二本柱の堅調と、原材料の価格安定や流通の合理化努力によって、平成五年度の経常利益は前期比微増を維持した、とあった。ちなみに、一年間に売ったビールの総量は三百四十五万キロリットル。量的に見当がつかず、後ろの黒板に手を伸ばして、大瓶換算で何本になるのか、ちょっと割算をしてみると、五十四億五千万本と出て、余計にわけが分からなくなった。

黒板拭《ふ》きでその数字を消し、合田は辛抱強くページをめくり続けた。販売実績の項目には、特約店の一次卸、二次卸を経て小売店へ、そこから特飲店と消費者へ商品が流れる流通経路の図表があった。そこで〈特飲店〉という語句に目が留まり、そうそう、業務用が総販売量に占める比率はどのぐらいなのかと思い、前後のページを繰り始めたところで、刑事部屋のドアが開いた。

課長代理の土肥勝彦が、開いたドアの外から首だけなかに入れてきたかと思うと、そのぎょろ目は近くにいた合田に留まった。合田は午前零時五十分という時刻だけ確認し、全員の注視するなか、有報の冊子を置いて廊下に出た。

土肥は、合田をつかまえるやいなや「特殊班の何とやらが二人、下に来ている。君、本庁にいたんだから、奴《やつ》らの面を知っているだろう。幹部がいつ、こっちへ来るのか、聞いてこい」と言い出した。

土肥は、来年の定年を控えて今春警部に昇進し、盗犯捜査の係長から課長代理になった。真面目《まじめ》一徹ではあるが、総じてぱっとしなかった警察人生の苦楽を全部ぶちこんだような複雑、且《か》つ平板な顔をしており、何もないときは、どうせあと一年だから怖いものなしだと笑ってみせるが、いざとなると、長年の習性のように上司の顔色うかがいが始まる。いまもまた、情報不足に気をもんでいる署長と刑事課長のために、何か一つでもニュースを届けたいと気をきかせた結果がこれだった。

合田は「はい」と返事をして下へ降り、誰もいない裏口から外へ出て深呼吸をした後、そのまま三階へ戻って、土肥には「まだ分からないとのことです」と告げた。

課長代理の顔が一つ増えた部屋はさらに息苦しくなり、大半は腕組みをして目を閉じ、何人かは受令機のイヤホンを耳に入れたまま新聞や雑誌を開き、合田は元の椅子で有報の冊子をめくり続けた。今夜に限って警電は一つも鳴らず、ときおり第一京浜と産業道路を駆け抜けるパトカーや救急車のサイレンが、遠い世界の物音のように響いてきた。

合田は、損益計算書の売上原価とやらの項目に移り、当期の製造原価三五〇〇億、酒税七〇〇〇億といった数字を一つ一つ目で追った。ときどき時計を見、ふと外のコンクリートに落ちる雨の音を聞いては、いまごろ郊外や山間部は雪だなと思い、どこかで被害者や犯人が感じているだろう寒さを想像したりしたが、時間の経過とともに、初めにあった事件の皮膚感覚は、少しずつあいまいになりかけていた。

午前一時半になって、捜査メガを聞いていた者たちが「車を見たという目撃者がいたみたいだな――」と囁《ささや》き合い、顔を上げた。寝ていた者も、合田も、課長代理も、いっせいに耳をそばだてて「場所、どこ？」と尋ね、誰かが地図を開いた。

「二一番の袋小路。ササキカツイチ、七十六歳――」

「ここだ、ここ」地図を広げた者たちが声を上げ、「赤丸付けて、黒板に貼れ！」と土肥がひとりで怒鳴り、住宅地図が黒板にセロテープで貼り出された。

「目撃時刻、午後十時ごろ。自宅の二階の窓から見た。色は紺か黒。ワゴン車、もしくはRV。車種不明、ナンバー不明――」

無線からの情報はそこまでで、しばし色めき立った二十四人はまた、椅子に沈み込んだ。車が目撃されたときの詳細は不明だが、直接の手配につながるような内容ではなかった。しかし、二一番は一六番の北側に隣接しているし、事件発生時刻の直前に袋小路にひそんでいた車がいたというのが事実なら、それが事件と結びつく確率は、半分ぐらいはあるだろうか。合田はそう思い、膨らんだ期待は半分ほど萎《しぼ》んだまま宙づりになった。

そのとき同時に、懐に入っている交番の出動記録の明細を合田は再度思い浮かべてみたが、警らの単車が十時前後に通った道筋を、本人の記憶がたしかなうちに分刻みで正確に割り出す必要があると確信して、それもしばし宙づりになった。

時計の針は、午前二時の手前を指していた。合田は損益計算書の次の項目、〈販売費及び一般管理費〉の明細に戻った。そのなかの広告費の二五〇億という数字を見たとき、ふと思い出したのは、珍妙な怪獣が月夜にガムラン・ダンスを踊る日之出レモンサワーのCMだった。

＊

午前二時二分。本庁九階の記者会見場に現れた寺岡剛《つよし》刑事部長は、集まった報道十七社、六十数人の記者を前に軽く黙礼をし、手元のノートの上に頭を垂れた。

「残念ながら、午前二時現在、犯人からの連絡はありません。状況は変わりません」

その第一声とともに、記者たちの不信の沈黙がまず、ずしりと会見場に張り詰めた。

続いて「このたびは報道協定にご協力いただき、誠にありがとうございます」という型通りの挨拶《あいさつ》があった。

「現状では、逮捕監禁事件と認識しておりますが、被害者はきわめて危険な状況に置かれていると考えられます。警察の総力をあげて鋭意捜査に当たるのはもちろん、協定の精神に鑑《かんが》みて、以後誠意をもって報道対応をして参りますので、よろしくお願いいたします」

寺岡刑事部長の声は、聞いている限りでは普段と変わらない硬さ、単調さで、記者の目を見ることなく、手元のノートだけを粛々と読み上げていった。

「被害者宅の見取り図は、各社にお配りした資料の通りです。被害者はその×印の付近で連れ去られ、門扉《もんぴ》から外へ連れ出されたものと思われます。現在のところ、分かっているのはそこまでです。門扉Aは、セコム社製のオートロックになっており、外からは暗証番号で開錠し、内側からはスイッチ操作で開錠する形式のものです。被害者は毎晩、帰宅後に自分の手で夜間用警報システムの作動ボタンを《ON》にしていたとのことであり、従って、事件発生時刻と見られる二十四日午後十時五分ごろには、警報システムは解除されておりました。現在、植え込みの付近、及び塀の内側の数ヵ所で靴痕《こんせき》跡を数個採取し、分析中であります。○印の地点で回収したメモについても現在、指紋、インク等の鑑定を急いでおります。午前二時現在、目撃者等の発見には至っておりません。以上」

刑事部長の声が途切れたとたん、威勢のいい民放の記者から「塀から入って、門から出たってことですか！」「犯人像は！」と質問が飛び出した。すかさず、寺岡の脇《わき》に控えている広報課長が「質問は一人ずつお願いします」と睨《にら》みをきかせ、また一瞬声は絶えた。沈黙が戻るなか、暑くもないのに寺岡刑事部長の額から流れ落ちる汗の粒が、最前列に陣取っている久保晴久の目にくっきりと見えた。

時間を置かず、前列に陣取っている七社会の仕切りの面々から順次、質問は始まった。どの質問も短く、応《こた》えも短く、矢継ぎ早だった。メモを取りながら頭を整理し、要・不要をその場で判断しなければならない。ボールペンを握る手に、たちまち汗が滲《にじ》んだ。

「まず、事件発生当時に、被害者宅にいた家人を挙げて下さい」

「妻、城山怜子《れいこ》、五十八歳」

「奥さんは、昨夜午後十時前後に、家のどこで、何をしていたんですか」

「一階の居間で読書をしていた、とのことです」

「奥さんは普段、門扉の閉まる音は聞いているんですか、それとも聞こえないんですか」

「聞こえるときもあるし、聞こえないときもある、とのことです」

「昨夜、運転手が通った道順はいつも通りだったんですか」

「そうです」

「普段、帰宅時刻は決まっているんですか」

「日によって違うが、午後十時前後の帰宅が多い、とのことです」

「一一〇番が十時五十分とのことですが、家人がその時刻になって一一〇番が必要だと判断した経緯は」

「午後十時二十八分ごろ、会社から社長宅に電話が入り、まだ帰宅していないという家人の返事を受けた会社が、運転手に問い合わせた結果、これはおかしい、という話になったようです」

「会社から電話を入れた人の氏名は」

「申し上げられません」

「現場で採取された靴痕跡は何種類ですか」

「分析中なので、お応え出来ません」

「複数ってことでしょう」

「現時点ではお応え出来ません」

「大の男を取り押さえて、物音を立てずに外へ連れ出すのは、一人じゃ出来ませんよ。複数犯だと思うが、どうですか」

「そういうことは、現時点では分かりません」

「ホシは事前に塀から侵入して、庭の植え込みで待ち伏せをしていたということですか」

「現時点では、そうであるともないとも、どちらとも言えません」

「被害者の服装を」

「濃紺のスーツ。黒のウールのベスト。青と銀のネクタイ。靴は黒」

「コートは」

「着ていません」

「カバンは」

「バーバリー社製のアタッシェケース。色は茶色」

「人ひとりを連れ去るのに、車なしの犯行は考えられない。そっちのほうの情報はあるんですか、ないんですか」

「現在のところ、確かな目撃情報は得られておりません」

「情報は、あることはあるんですか」

「そういう報告は来ておりません」

「『社長ヲアズカッタ』というメモですが、その八文字以外に何か書いてあることは？」

「八文字のみ、です」

「そのメモの公開はありますか」

「まだ検討の段階ではありません」

「事件認定は逮捕監禁、ということですが、身代金《みのしろきん》目的の誘拐に発展する可能性は」

「現時点では何とも言えません」

「企業恐喝の線は」

「現時点では、犯人の目的はまったく分かりません」

「事前に、日之出に対するいやがらせや、脅迫などはあったのかなかったのか。警察で把握している事案はあるんですか」

「現時点では、把握しておりません」

「一連の企業テロの流れだという認識は」

「現時点では、何とも申し上げられません」

「被害者個人を狙《ねら》った犯行の可能性は」

「現時点では判断出来ません」

「犯人像について、どう認識しておられるんですか」

「現在のところ、何も言えません」

「素人《しろうと》には出来ない犯行だと思うが、暴力団などのプロの線は」

「現時点で、そうした判断には至っておりません」

「素人は、玄関と目と鼻の先の庭に入って待ち伏せなんかやらんでしょうが」

「犯人に聞いてみなければ分かりません」

「今後の捜査の見通しは」

「鋭意努力はしております。それ以上は申し上げられません」

そこまで応えたところで、寺岡刑事部長は青筋の浮いた額に汗を光らせて、ノートを閉じてしまった。「これで終わります。次回は四時」という広報課長の一声を待たずに、寺岡は会場に現れたときよりさらに頑迷になった顔を真正面に据えて、足早に出ていった。続いて記者たちも無言で引き揚げたが、目ぼしいネタは一つもなかったので、誰の動作ものろかった。重要事件が起こると、記者発表は例外なく「言えない」「分からない」「把握していない」の連発になるが、同じ「ない」でもそのつどニュアンスが微妙に違う。いましがたの寺岡は、終始じりじりして苦しげだった上に、「分かりません」を繰り返しながら、どこかうわのそらだったと久保は感じた。日之出ビールの現社長が連れ去られて、すでに四時間半。この段階で何の糸口もないとなると、菅野キャップの予想通り、解決は長引くかも知れない、と思った。

＊

午前三時になって一課長から、捜査本部に吸い上げる刑事課十名防犯課二名の指名と、それ以外は一旦《いったん》散会という指示があった。まとまった数の捜査員を動かすに足るネタが出ず、犯人の動きも夜明けまではないという判断の末に出た指示だと、合田たちは理解したが、発生直後から待機させられて用済みになった者には、たんにやり切れなさと寝不足の疲労感が残っただけだった。散会といっても自宅へ戻るための電車もなく、本部から外れた何人かは朝まで四階の道場で横になるために部屋を出てゆき、何人かはいずこともなく姿を消した。

刑事部屋に残ったのは強行係の合田、知能係の安西憲明、マル暴の斎藤隆文、盗犯係の長内卓也の警部補四人と、各係の巡査部長六名、それから自称連絡調整役の課長代理の土肥警部の十一人となり、土肥と安西を除く者は、いつ招集になるか分からない捜査会議を待ちながら、それぞれ仮眠の続きに戻った。

安西係長といえば、捜査本部に上げられそうだと分かったとたん目が覚めたらしく、机に突っ伏したばかりの合田の肩をつついて、「日之出の財務内容を見ることになるんだろうか――」と囁きかけてきた。合田は、すぐにはそんな話にはならないと思ったが、安西の婉曲《えんきょく》な物言いにはなにがしかの期待の臭《にお》いも感じられ、「さあ」とあいまいな返事をした。

安西は、勤続三十三年の大半を知能犯専門で過ごし、五、六年毎《ごと》の異動で所轄《しょかつ》を転々としてきたが、大がかりな贈収賄《ぞうしゅうわい》事件、商法違反事件などには一度も恵まれなかったと合田は聞いていた。公認会計士の資格を持ちながら一度も本庁勤務がなかった理由は知らないが、ともかく安西が営々と扱ってきたのが、不動産取引に絡《から》む登記や売買契約の不正、手形詐欺《さぎ》、取込み詐欺、民事との区別も定かでない雑多な告訴・告発事件の処理、ビラを貼ったの貼ってないだのといった小さな選挙違反ばかりだったというのは、合田にも想像はついた。この一年、合田の目に見えた範囲でも、事案の多くは訪問販売のトラブルや変造テレホンカード、カード不正使用に街金のトラブルに、相手に夜逃げされた債権者の駆け込みだった。しかも大半が立件に至らないか、微罪処分か、当事者の話し合いで解決させるような話だから、ほとんどよろず相談員と変わらない。

合田の傍らで、安西は先に放り出した日之出の有報を手にとっていた。「寝ておかれたほうがいいですよ」合田が声をかけると、安西は「君には分からんだろうな」と呟《つぶや》いて歪《ゆが》んだ小さな笑みを見せた。「困ったもんだ。銭の勘定といったって、これまでの俺のネタは十桁《けた》どまりだったからな。いきなり十三桁のエサを目の前にぶら下げられたら、猿にバナナみたいなもんだよ」

そんなことを囁《ささや》いて、安西は机に広げた有報の上に頭を垂れた。年齢と経験から言って、そろそろ警部昇進もありうる安西だったが、手柄を立てて本庁勤務を狙うとしたら、今回が最後のチャンスだと気がはやるのだろう。それは合田にも分からないことはなかった。

合田とて、捜査本部に引き上げられただけでもほっとしたというのが本心だった。ほんとうを言えば、痴話げんかで包丁を振り回しただの、酔っぱらいのケンカだの、浮浪者の行路死体だのはもうたくさんだ。何でもいいから大きな事件に当たりたかったのだと思いながら、合田は腕枕《うでまくら》の上で目を閉じた。事件が欲しかったのだと思う、その反動のように、被害者の妻や息子の顔が脳裏を走った。課長代理の席では、土肥が「幕の内弁当三十個。領収書の宛《あ》て名は大森署警務課で」などと、すぐ近くのセブン－イレブンに電話を入れていた。

捜査メガはうんともすんとも言わない。午前四時前には、庁舎や幹線道路のアスファルトを叩《たた》く雨の音も絶え、未明の静けさと手足がしびれるほどの冷え込みが刑事部屋を満たした。ダウンジャケットの襟をかき寄せながら合田はひとときの深い眠りに落ち込み、何かの夢の淵《ふち》に手が届いたとたん、短い警電の呼出し音で覚醒《かくせい》へ引き戻され、条件反射で腕時計を覗《のぞ》く。

午前四時半。電話に出た土肥が、受話器を置いて「捜査会議の招集は午前七時。本部の名称は、日之出ビール社長逮捕監禁事件特別捜査本部」と告げた。それだけ聞いて合田たちはまた眠り、土肥はひとり、黙々とB4のコピー用紙を縦に四枚セロテープで貼《は》りつけて、決まったばかりの戒名を墨汁で筆書きする作業に取りかかった。土肥は顔に似合わず達筆で、『整理整頓』『電話は丁寧に』『指さし点検』といった壁の貼り紙はみな、土肥の筆だった。

次に裏庭に入った車両の物音などで目が覚めたのは、午前六時前だった。警務の当直がやって来て、椅子《いす》を運ぶのを手伝ってくれと言う。二階の大会議室に降りると、捜査指揮本部の準備のために、本庁の通信部が通信機器の設置や警電の増設工事に来ていた。本庁からは百名前後になるという報告が入っているということで、署員総出で折り畳みのテーブルと椅子をかき集め、会議室に詰め込むと、債権者集会の会場みたいな出来上がりになった。入口の外には、土肥が書いた本部の貼り紙がすでに貼り出されていた。

それから、合田たちは三階へ戻って洗顔をし、髭《ひげ》を剃《そ》って、セブン－イレブンの幕の内弁当を食った。腹がくちくなると眠くなる性分の合田は、半分だけ食って折り箱を片付け、本部に出ない強行係の部下のために引継ぎ簿を書いた。残るのは、平井という腰《よう》痛持《つう》ちの巡査部長と、ろくに捜査書類も書けない紺野、井沢の二人組だ。弁当を全部平らげたマル暴の斎藤隆文が、楊枝《ようじ》をくわえて「頭が冷えやがる」と呟いていた。斎藤は、以前本庁の四課にいたころ、稲川会系の組員と格闘になって十針縫ったという丸刈りの頭を撫《な》でながら、自分でわざわざブラインドを上げにゆき、「うへぇ——」と声を上げた。外は薄灰色の春の雪だった。

午前七時、大会議室の正面黒板には、被害者の顔写真と、被害者宅の全紙大の見取り図が貼り出された。未明に呼び出されて早朝の電車で参集したのは、まず、本庁一課の第一特殊から一係、二係と、第二特殊四係。被害者宅と中継車両に詰めている者を除く、三十五名の特殊班が揃《そろ》うという大がかりな態勢だった。そのなかには、捕捉《ほそく》専門の秘匿《ひとく》捜査員も含まれていた。

日之出ビールという大企業を相手にした事案だから、何人かは出向してくるだろうと予想出来た本庁二課からは、贈収賄や汚職専門の第四知能の三係十名が丸ごと出てきており、これには合田も少し驚いた。さらに、捜査四課からは商法違反・総会屋専門の特殊暴力捜査一係が、これも丸ごと八名。ほかに、一課からは第三強行捜査九係が十名。顔見知りの何人かが目をよこしたので、合田は軽く会釈《えしゃく》だけ返した。それから、第一機動捜査隊の八つの分駐所から十七名と、隊本部班長。所轄の刑事課からは合田たち十名。防犯課から警部補と巡査部長。現場鑑識と所轄の刑事課鑑識が六名。その九十九名が本体だった。

幹部は、神崎秀嗣《かんざきひでつぐ》捜査一課長を筆頭に、鑑識課長、第一、第二特殊と第三強行、第四知能、特殊暴力の各管理官と、一機捜副隊長、大森署の飛田《とびた》署長が正面席に並び、その脇《わき》に各係の係長と隊本部班長が控え、一番端に署の袴田刑事課長が身をすくめるようにして座っていた。

「起立!」という号令がかかり、全員が直立不動の姿勢で立つなか、足早に大股《おおまた》で入室した神崎秀嗣は、その朝も、自分の存在が警視庁の全刑事にとって絶対的な権威と畏怖《いふ》の対象であることを、否定も肯定もしないといった無機的な顔つきだった。中肉中背の体軀《たいく》も目鼻だちも、それ自体は通勤電車に揺られている中年サラリーマンと大差ないが、その口から一言、「早朝からご苦労さまです」と短く発せられるやいなや、居並ぶ捜査員全員の背筋に定規が入ったかのようだった。スラックスの縫い目に当てて揃えた両手の指が伸び、会議室の空気が一斉に震える気配がした。

合田が本庁にいたころ、神崎は鑑識課長だったが、そのころから《効率》が歩いていると言われた人物だった。挨拶《あいさつ》や物言いから、人間関係、捜査指揮の手法まで、すべてが正確、迅速、鋭利に回転している感じがする。刑事向け部内報の『第一線』に載った今春の一課長就任時の挨拶の言葉は、《凶悪化する犯罪の脅威にさらされている市民の不安と被害者の無念と、刑事警察の果たすべき責務を思えば、犯罪捜査における組織の身内の論理、妥協、言い訳などは一切無用である》だった。

合田は、組織における強固な意思とは何なのだろうかと自問しながらそれを読んだものだったが、神崎の強固な意思は、結局、官僚組織で出世するために不可欠の、複雑怪奇な免震構造のバネも同時に備えているに違いない。ふとそんなことを思い出していたために、合田は普段着のままのチノクロスパンツの両脇に揃えた自分の指先を、ぴしりと伸ばすことはなかった。

神崎一課長は、黒板正面の席に着くなりノートを開き、微動もしない目線を捜査員に据えた。

「昨日二十四日午後十時五分ごろ、日之出ビール社長城山恭介五十八歳が、山王二丁目の自宅前庭から何者かに連れ去られた事案について、諸君はまず、犯人の動機の如何《いかん》にかかわらず、本件がわが国の市民生活と経済活動を決定的に脅《おびや》かす、きわめて重大な犯罪であるという認識をもっていただきたい」という前置きで、神崎の訓示は始まった。もともと声の小さい人物で、マイクを通してもまだ、ぼそぼそ、ぶつぶつと聞こえるが、言葉の一つ一つは硬く、鋭かった。

「犯人は略取現場に『社長ヲアズカッタ』というメモを残したのみで、現在時に至るまで一切の連絡を絶っている。よって、現時点では逮捕監禁と判断せざるを得ないが、事案はいずれ、犯人側からのなにがしかの具体的要求が届くか、何も届かないか、のどちらかになる。両方の場合に備えて、可能な限りの即応体制を整える一方、犯人と犯行目的の早急な絞り込みに全力を尽くす必要がある。また本件は、メモを一枚残して連絡を絶つという計画的かつ周到な手口を見ても、事件師集団に酷似した略取の手口を見ても、暴力事犯と知能事犯の両面を兼ね備えており、捜査に当たってはあらゆる予断を排さなければならない。当面の捜査の方針であるが、被害者の早期救出を目指し、何よりも犯人の割り出しを急ぐことを第一にする。地どり、聞き込みによる足取り捜査、犯行に使われた車両の割り出し、犯人との接点の確保のほか、敷鑑においては、日之出ビールに対して必要十分な資料の提供を求め、関係者から詳しく事情を聞き、精細な情報収集と分析を急ぐ。最後に、被害者の身の安全が懸念《けねん》される現状であるから、本事案については保秘を徹底するため、報告や連絡事項はすべて、報告連絡担当者を通して行うこととする。私からは以上」

神崎の事件認識は、相当慎重な印象だった。裏返せば、現時点で特定の道筋は見えていないということだったが、捜査二課や四課の特殊暴力が早々と出てきている以上、幹部の関心は、合田たち末端には分からないそれなりの事由があって、総会屋関連のトラブルに向いているのは明らかだった。

続いて、第一特殊の管理官が、黒板に貼り出された見取り図を使って、事件発生時からの状況を説明した。そこでは最初に臨場した合田が見た以上の話は出ず、ノートを読み上げる管理官の声は「現在は、被害者対策系と脅迫電話専用系の二系統の通信系統を確保し、被害者宅に、婦警を含む特殊班二名が三交代で張り込み、中継拠点には同じく二名が——」と続いた。それを聞きながら、合田は黒板近くのテーブルに設置された通信機器を眺め、またふと、懐《ふところ》に入っている警らの出動記録を思い出した。

犯人が、いつ現れるか分からない警らの目を避けて、拉致《らち》を実行出来たのはなぜか。現場で最初にひっかかり、輪郭も見えないまま、もやもやとし続けていたものの正体が、そのとき初めてひらりと脳裏をかすめていった。

〈無線〉か。

しかし、それは合田自身がはっきり捉《とら》えきれなかったほどの、一瞬の直感に過ぎず、テーブルに並んだ捜査一系、被害者対策系のＤＧ（発信機）、各系統相互間の三種類の無線系統を眺めるうちに、またすぐにかたちがなくなった。

発表は、鑑識課長に移っていた。被害者宅のアプローチ脇の植え込み付近、及び塀の内側で、合計十個の不完全なズック痕《こん》を採取。左足四個、右足六個で、二種類。サイズはどちらも二十六センチ。ゴム底の模様は不鮮明ながら、どちらも照合可能ということだった。おそらく今日中にもメーカーが割り出されて銘柄や品番が特定され、製造時期が分かり、全国の数千数万の販売店に卸された数万、数十万足のうちの二足、ということになる。塀の鉄平石から採取されたという繊維片は、白の木綿。門扉《もんぴ》の電子錠のスイッチから出たという手袋痕は、繊維の織り目の並び方から、軍手と判明。それもズックと同じで、生産量が数十万組という話になる。

現場で回収されたメモ用紙はコクヨの便箋《びんせん》で、商品番号が「ヒ─51」。日本中の家庭に一冊ぐらいはある、黄色い表紙のついた百枚綴《つづ》り二百五十円の、いわゆる「書翰箋《しょかんせん》」。指紋はなし。その他、微物の付着なし。ボールペンのインクは鑑定中。

次に、一機捜の隊本部班長から、現場臨場後に行った聞き込みの結果が報告された。被害者宅に近い三世帯で、犯行時刻の前後に被害者宅付近で車の発進音を聞いた者二名、スライド式の車のドアの開閉音を聞いた者一名、それぞれ氏名と住所地番が読み上げられた。車のドアの開閉音を聞いた一名は、ちょうどそのとき電話をかけようとして時計を見たために「十時七分」と正確に証言した。

次いで、被害者宅の北側にある二一番地の袋小路に住む住人が、「十時ごろ」に二階の窓から路地に止まっている車の屋根を見たという一件も、詳しく報告された。目撃者は七十六歳の男性で、二階のトイレの小窓が開いていたため、閉めようとしたときに、建物から一メートル離れた塀と植え込み越しに、路地に止まっている車の屋根を見下ろした。ライトは消えており、上から見下ろしたため、なかに人がいるかどうかは見えなかった。

車体の色は紺か黒。街灯のない路地なので、濃い緑の可能性もある。車種は、ワゴン車もしくはロングボディのRV車。袋小路にあるほかの四軒では、この車に気づいた者はいない。その目撃者の隣に住むOLが、午後十時十五分に帰宅しているが、そのときは路地に車はなかった。また、目撃者の男性は、路地から車が発進した音は聞いていない。

車を見たという男性は夫婦二人暮らしで、毎晩九時には家じゅうの電気を消して就寝する。並びの四軒のうち、三軒は同じく高齢者の世帯で夜間の出入りはない。隣の一軒は夫婦二人と二十八歳のOLの娘が住んでおり、OLはたいてい午後八時までには帰宅するが、前夜はたまたま残業で遅くなった、ということだった。その路地で見かけられたワゴン車が事件に関係しているのなら、犯人は相当な下見を重ねていたことになる。

最後に、第一特殊の管理官が、その場にいない特殊班も含めた総勢百五名の配置表を読み上げた。まず被害者対策班は、被害者宅詰めの第一班が特殊班六名で三交代。鑑の第二班は企業聴取で、特殊班と二課第四知能、四課特殊暴力から四組八名と班長一名。鑑の第三班は、日之出ビールの支社支店、子会社、関連会社、特約店担当で、同じく特殊班と二課第四知能と四課特殊暴力に、所轄《しょかつ》の安西憲明を加えて十二組二十四名と班長一名。鑑第四班は、被害者の家族親族、知人友人担当で、特殊班から四組八名。鑑第五班は総会屋関連で、四課特殊暴力と強行九係と特殊班から八名、所轄から刑事課の斎藤隆文と防犯課の警部補一人を加えて五組十名。斎藤も、もう一人の警部補も元四課だ。次に通信中継拠点班は、第一班が被害者宅詰め、第二班が一〇三詰めで、特殊班が三交代で各六名ずつ。地どり・聞き込み班は機捜三名、強行九係五名と所轄から二名が出て、五組十名と班長一名。遺留品・車両捜査班は機捜十四名と、所轄から長内、合田のほか七名が指名された。班長は強行九係の主任だった。いまのところ遺留品がないため、みんなで車捜しになる。

自分の名が呼ばれたとき、合田はちょっとぞっとしたが、物言わぬ車相手の作業は悪くないという気持ちもないことはなかった。まず盗難車、次にレンタカー、と機械的に頭に並べ、〈忍耐、忍耐、忍耐〉と三回口のなかで唱えてから、合田は雑念をばっさり切り捨てた。その間に、第一特殊犯捜査の管理官は連絡報告責任者を指名しており、遺留品・車両捜査の報告先は、第三強行犯捜査の三好管理官になった。五年ぐらい前、三好が品川署の刑事課長だったころ、徘徊《はいかい》老人がゴルフクラブで殴り殺された事件の捜査本部で会ったことがある。同じたたき上げでも、土肥のようなタイプとは違う矜持《きょうじ》の持ち方で、爪《つめ》の垢《あか》まで警察色に染まった人物という印象だった。

午前七時半、初回の捜査会議はそうして終わり、各班に分かれて短いミーティングに入った。特殊班の大半はあっという間に姿を消し、続いて地どり・聞き込み班が出てゆき、敷鑑のうち企業聴取班はすぐに姿を消したが、残りの三班はひと抱えもある資料の束を前に、二課第四知能の管理官と四課特殊暴力の管理官の指示が低い声で続いていた。

その集団から離れた一角に合田たちの班は集まり、強行九係の阿部という主任が三好管理官に「まず、盗難車とレンタカーの線でいきますから」と短く伝えると、三好は「それでいい」とうなずき、ミーティングは五秒で終わってしまった。

それから、C号（贓品《ぞうひん》手配）で照会したワゴン車とRV車の一覧のファックスが届くのを待ちながら、手分けして各レンタカー会社の営業所に電話をかけ、昨日の各営業所の貸出簿の提出を依頼し、大森署長名で各営業所宛《あ》てに捜査関係事項照会書を書き、署長印を押して営業所宛てにファックスを入れる流れ作業に取りかかった。事件に関係した車両の、車種もナンバーも分からない以上、七十六歳の男性一人が見たという色と形を頼りに、盗難届の出ている車両や都内で貸し出されたレンタカーを一つ一つ潰《つぶ》してゆくしかない。何も出てこなければ、近隣各県へ、関東へ、全国へ、網を広げてゆくだけだ。それでも出てこなければ、都内のすべての駐車場を足で回り、それでもだめなら、陸運局に登録されている数十万台か、数百万台のすべてのワゴン車を当たることになる。

午前七時四十分。被害者宅や中継拠点とつながっている相互間の無線は沈黙したままで、神崎一課長をはじめ管理官たちは雛壇《ひなだん》の置物になり、書類を書き続ける合田の頭上の窓辺に、雪が薄く積もり始めていた。

＊

午前八時、警視庁が行った五回目の記者発表は依然、『犯人からの連絡なし。状況に変化なし』だった。

東邦新聞社会部はその時刻、通常の夕刊番の席に着いた村井デスクが「そろそろ行くかあ」と一声発したところだった。三月二十五日土曜日の夕刊は、最終締切りの午後一時半までに日之出ビール社長の救出などの事態の急展開がない限り、通常通りの紙面作りとなる。村井は事件の一報を受けて、午前三時ごろにすでに社に入っていたが、配達前の朝刊各紙に目を通して抜かれたネタがないことを確認した後は、雑然渾然《こんぜん》にもめげずにソファで寝てしまい、八時前に起き出してみんなと一緒に警視庁からの記者発表の結果を聞き、「仕方ない」ということでデスクパソコンの前にどしんと腰を据えて引継ぎ簿を開いたのだった。そして、「仕方ない」とおうむ返しにして、番のサブデスクも隣の席に着いた。

その村井からは、遊軍席で寝惚《ねぼ》けていた根来のほうへも、「今日はこのままいくとスカスカだから、二信組関連と都知事候補関連を長めにして。全候補者の自薦の弁を入れてもいいな」とすぐに原稿の指示が飛んできた。根来は「はい」と応《こた》えはしたが、すぐにパソコンの電源を入れることはせず、洗面所へ立って、洗顔や髭剃《ひげそ》りに十分ほど費やした。

編集局の窓の外は、雲のなかにつっこんでいるかのような薄灰色一色で、眼下の千鳥《ちどり》ケ淵《ふち》に止めどなくぼたん雪が落ちていた。その窓辺に並んだソファでは、事件の一報を受けて未明に呼び出された記者たちの何人かが横になっていた。残りは、大森と山王の前線本部詰め、もしくは協定違反を気にしながらの朝駆けだった。

一方、午前七時半過ぎから、編集局長、局次長、社会・政治・経済・整理の各部長はミーティングに入っていた。日之出ビール社長逮捕監禁の状況は当分動かない、犯人像は警察も絞りきれていない、という警視庁の菅野キャップの判断を受けて、このまま長期化した場合の社会面の紙面立てをどうするかといった話し合いだった。

政治、経済のほうは、統一地方選挙が二週間後に迫っており、協定解除が選挙直前にずれ込んだ場合、報道が日之出ビール社長誘拐一色になると、投票率に大きく響くことから、事態の見通しがどうなるのかを真剣に気にしていた。場合によっては、選挙の当落地図をかなり塗り替えることになるだろうし、選挙の結果待ちの為替相場や株価も、影響は小さくない。

片や社会部のほうは、続報記事の欠かせない重大事件がたまっているために、こんな状況が長引くと、取材班のやりくりをどうするかという問題があった。しかも、実兄が日之出ビール本社の人事部の課長だという八王子支局長から、日之出は去年暮れから、危機管理システムの具体的なマニュアルをマル秘扱いで各支社支店の幹部に配付しているという情報も入ってきており、今後の取材はかなり難しそうだった。

日之出では、去年秋にオンラインのシステム変更があり、アクセス管理やフィードバックシステムが導入され、システム監査の強化もやっているということだ。また、部長以上の幹部の自宅の住所電話番号が、秋以降、社内名簿やコンピューターのファイルから削除されたらしい。これは日之出が、日本ではまだ一般的ではないリスクマネジメントのシステムを、おそらく外資系保険会社の系列の専門会社と契約して導入していることを示しているが、その手の契約の有無や内容は、完全な企業秘密であって、決して外に漏れることはない。その話を根来が警視庁クラブの菅野に伝えると、『ライムライトとの合弁交渉がCIAに筒抜けだったという話もあったし、日之出は相当懲《こ》りたんだろう』というふうな感想だった。

幹部のミーティングに入る前、社会部長の前田徹は、恰幅《かっぷく》のいい腹を撫《な》でて「難物だなあ――」という一言を残していったが、遊軍席の根来の目に見えた前田の顔には、難物だが筋は悪くない、といった高揚感が溢《あふ》れていた。

前田は、午前二時過ぎに本社へ入ったとき、開口一番「総会屋の線だな」と言ったのだった。その直後に、裁判所クラブの地検担当の夜回りの記者から、地検特捜部の一部に今朝の午前七時の呼集がかかっているという情報が入り、さらに午前六時前には、警視庁クラブの朝駆けに出た担当記者から、大森署に立つ特捜本部に総会屋担当の四課が招集されるようだという話も入ってきた。前田の読み通り、社会部は明け方に配置表を一部手直しして、総会屋や企業舎弟を当たれる記者をかき集めて、送り出したばかりだった。

総会屋とくれば暴力団。場合によっては右翼、政治家の流れにもなる。酒税の関係で、日之出ビールと政界のつながりは戦前からの歴史があり、戦後は、控えめにしろ、五五年体制とともに出来上がった政官財の三角形に組み込まれた企業の一端であったのは間違いない。現政界とのパイプは、パーティ券の購入実績から、自民党幹事長の酒田泰一代議士とその派閥であることも間違いない。その酒田と日之出の関係自体には、いまのところ問題は見当たらないが、かの小倉運輸・中日相銀疑惑で浮かんだ「Sメモ」は酒田メモだし、中日相銀潰しで暗躍した右翼の田丸善三の下には岡田経友会という総会屋・仕手筋・街金を抱えるグループがあり、岡田の後ろには広域暴力団誠和会が控えている。企業のトップが誘拐された以上、どこでどうつながっているか分からない因縁の糸に、捜査当局が重大な関心を寄せていないはずはなかった。

そんな想像をしながら、根来は自分の席に戻り、遊軍の机で欠伸《あくび》を連発している記者に「コーヒー飲んでこいよ」と声をかけた。「その前にほら、都知事候補の選挙事務所探訪記。昨日ボツになったやつ。あれのコメントだけ使うから、ちょっと見せて」「よかったら、オフレコの大放言集ってのもありますけど」などと言って、前夜まで選挙取材班だった記者はレポート数枚を根来のほうへ滑らせ、席を立っていった。

根来はパソコンの電源を入れ、レポートの一行目に目をやった。しかし、目はすぐにそこから逸《そ》れてしまい、仕事開始の前にさらに数分の道草を食うことになった。おしなべて事件との距離の置き方が年々大きくなり、被害者の痛みの響き方も年々鈍くなってはいるが、根来なりに目先の事件の臭《にお》いからはどうしても離れられないのだった。根来はパソコンをそのままにして、外線電話の受話器に手を伸ばし、八桁《けた》の番号を押して呼出し音を聞きながら、窓の外の虚空《こくう》へ目をやった。

電話は、東邦本社からあまり遠くない法務検察合同庁舎の八階にある、特捜部の検事席の一つにかかるはずだった。そのデスクの主は、根来の想像が間違っていなければ、最近は二信組の不正融資事件の担当で、連れの事務官と一緒に押収《おうしゅう》資料の山に埋まって、午前八時から深夜まで伝票めくりに追われている。三年前、根来が裁判所クラブのキャップだった時期に親しくなった人物だが、知り合ったのは神田の古本屋街だった。実に清廉《せいれん》な感じのする読書家で、特捜部内では珍しく縦横の閥にも関係がなく、自分をエリートだと思っていないのも珍しい、まだ若い検事だった。

三回呼出し音が続いて、電話はつながった。いまごろデスクワークについているということは、相手は日之出ビールの件で臨時招集がかかったという特捜検事のなかには入っていないということだったが、元からほとんど仕事抜きの付き合いなので、根来には失望する理由もなかった。

「神田の三省堂ですが」と、根来はいつもの符牒《ふちょう》で名乗った。《先月、振り込みましたけど》という返事があり、続けて検事は《そちら、大変でしょう？　泊まりですか》と軽く尋ねてきた。

「ええ、まあ。そちらは？」

《私は、どうやら関係なさそうですが》

「そろそろ季節だし、花見酒に誘ってもいいってことですか、それは」

《ぜひ雪が止《や》んでから誘って下さい》と相手はきさくに応じた。

「ところで、下心もないことはないんですが、義理の弟さん、いまは大森署でしょう――」

根来がそう切り出すと、電話の向こうで苦笑いする気配があった。

《あれはまあ、私より堅物《かたぶつ》ですから、お役には立てないと思いますよ。ここのところ、彼も少し人間が変わりましたが、年齢的にもなかなか難しいところに差しかかっているようで》

検事は、元義弟の話をするとき、職務上の鎧《よろい》の下になにがしかの感情生活の片々を覗《のぞ》かせ、その口調もいくらかあいまいになる。元義弟の合田雄一郎という人物は、根来が知る限り、この独身の検事のささやかな私生活を窺《うかが》わせる唯一《ゆいいつ》の人間であり、検事がそうして誰かのことを語る唯一の人間でもあった。

　去年、その合田という刑事が本庁の捜査一課から所轄へ異動になったとき、何かの事件の捜査で不始末をして飛ばされたという話が流れたが、そのころ根来は、この検事が「男の三十代半ばは難しいですね」と漏らすのを聞いた。そう言った検事本人も、合田とは同い年のはずだから、検事はあるいは自分自身のことを言ったのかも知れない。

　ともあれ、根来は三年前、ちょっとした経緯で合田に会ったことがあり、そのときちょうど、ある事件の捜査の真《ま》っ只中《ただなか》にいた捜査一課の切れ者の、人のことなど眼中にない鬼気迫る目つきを鮮明に覚えていた。それがいま、どんなふうに人間が変わったのか知らないが、そういえば当時も、傲岸《ごうがん》な目つきの片隅に覗いていた生身の脆《もろ》さや若々しさのほうが印象的だったと思い出すと、下心はともかく、一度会いたいという思いが膨らんだ。

「仕事の話は抜きでいいです、一度一緒に呑《の》みましょう。ぼくは久しぶりに合田さんに会いたい。何というか、引力のある目をしていましたよ、彼は」

　根来がそう言うと、電話の向こうで検事はまた私人の軽い笑い声を洩《も》らし、気さくに応じた。

《時期をみて、電話を下さい。本人がうんと言うかどうかは分かりませんが、あれも、ちょっと外の空気を吸いたい気分かもしれませんし。ぜひ、市井《しせい》のあれこれを教えてや

って下さい》

「こちらこそ。必ず電話をします」

《ではまた。失礼します》

受話器を置いて、根来は折り目正しさが付け足しではない特捜検事の端正な顔一つを瞼《まぶた》から振り払った。次いで、三年前に見た合田刑事の、傲岸で繊細そうな細面の顔も脇《わき》へ押しやり、レポートの二行目に戻って都知事候補のコメントを拾い始めた。

2

城山恭介は、突然無明《むみょう》の虚空《こくう》に放り出された後、密につまった泥のような重力におののきながら、失神した。次に再び息苦しい重さが甦《よみがえ》ったときには、泥が上下に揺れており、何かの唸《うな》りを聞き、またほんの短い覚醒《かくせい》があって、再度どこかに沈み込んだ。

どのぐらいの時間が経《た》ったのか、三たび泥の底からわずかに浮き上がったとき、城山は今度はいきなりどす黒い赤色のしみを見た。その赤は泥を染めて燃え出し、異臭と熱をともなう火の姿になったかと思うと、耳がちぎれるような喧騒《けんそう》が湧《わ》き出してきた。空を切って唸る焼夷弾《しょういだん》の落下音と、サイレンと号鐘と警防団の怒号に混じったいくつもの声が聞こえた。

おい、君らはどこの子だ、親はどこだ、何してる、早く退避しないか！

ぼくと妹は、品川の城山医院の子どもです。両親は医院に行っています。

品川は燃えとる！　早く退避しろ、誰か、この子らを連れていってくれ！

あんたたち、親御さん、いないの？　おばさんたちと一緒においで、急いで、ほら！

おじさん、品川駅の西口の城山医院を知りませんか。赤いレンガの内科医院なんですけれど。おばさん、城山医院を知りませんか。ぼくと妹は、城山医院の子どもなんです。誰か、品川の城山医院を知りませんか。

この子たちの親御さんはいるかあ！　親はいないのかあ！

あんたたち、おいくつ？　八つと四つ？　お医者さんのお家《うち》の子なら、お腹空《なかす》いてないでしょ？　うちも、お嬢ちゃんにあげるお白湯《さゆ》、ないのよ、ごめんね。

妹は大丈夫です。どうもありがとう。

城山は夢のなかで、がらがらした喉《のど》の渇きを覚えた。八歳の子どもは、知らない小母《おば》さんに抱かれた幼児の哺乳瓶《ほにゅうびん》を恨めしげに睨《にら》みながら背中をちぢこめ、泣き止《や》まない妹の口をふさいでうずくまる。八歳の城山恭介はしかし、あまり怯《おび》えた顔はしておらず、上等の羅紗《らしゃ》地のジャケットをしっかり着込んでいるので寒いはずもなく、飢えてもいないのだ。妹の晴子はまだ幼くて泣いてばかりだが、恭介は、医者の父母が患者の手当に昼も夜もなく立ち働いている事情を理解している。ときどき山王の家に戻ってくる母が「ご近所には絶対に言ってはだめ」と言いふくめて台所の戸棚の奥に置いてゆく特需の缶詰や乾パンを、腹が減ったら取り出して妹と二人で食べ、空き缶はきちんと潰《つぶ》して庭のすみに埋めることも出来る。近所の遊び友だちにも分けてやりたいと思うが、一度それをしてしまうとお終《しま》いだから、それは出来ないのだと自分なりに知恵を巡らす頭もある。そして、父母の医院のある品川駅周辺には操車場を狙《ねら》う敵機が押し寄せること、早晩焼けてしまうだろうこと、父母が死ぬかもしれないことも、おそらく理解しているはずで、城山がいま、夢うつつに見ている子どもの顔は、その通りの道理の分かり過ぎた大人びた表情をしていた。

防空壕《ぼうくうごう》のすみで焼夷弾の地響きを聞きながら、八歳の頭は思案し続ける。父母が死んだら、自分と妹は孤児の施設に収容されるだろう。恐ろしげな監守の目にさらされ、一挙手一投足を監視され、汚い寝床に寝かされ、泣いたらぶたれ、返事の仕方が悪いとぶたれるだろう。本やオモチャがないのは我慢出来るが、ぶたれるのは我慢出来ないから、逃げ出して浮浪児になったほうがましだろうか。そのときは、家にある父母の本や着物を持ち出して売ればいい。

城山は八歳の子どもの周到な述懐に耳をそばだて、その奇妙に醒《さ》めたかたくなな顔を覗き込み、苦い当惑の塊に押しやられながら、四度目の深い泥に落ち込んだ。

意識が戻ったとき、城山はまず、身体《からだ》じゅうにのしかかる鈍痛に身悶《みもだ》えし、手足の自由が利《き》かないと分かったとたん心臓が跳ね、頭の血管という血管で血が波立った。前後の判断も感覚も何もないパニックのなかで、数秒か、数十秒か、激しい動悸《どうき》や頭痛に悲鳴を上げた。実際には声は出せなかったのだが、筋肉や細胞の絶叫が振動になり、身体じゅうがぶるぶる震えた。

その後、一転して急激な静けさが訪れたかと思うと、一瞬の驚愕《きょうがく》が走り抜け、城山は〈死ぬのだな〉と思った。この世のものでない冷気に全身を包まれながら、この冷気は昔、空襲のさなかに自分をいつも覆《おお》っていたものだと思い出した。混乱し、戸惑いながら再度〈死ぬのだな〉と思い、不思議に冷え冷えとした恐怖と悲しさに、あらためてじわじわと全身を締めつけられた。死というのは、いきなり驚愕とともに訪れ、ほんの少し余分な待ち時間があると恐怖がそれに伴い、さらに余分な時間があると、深々とした悲しさがついてくるもののようだった。なるほど、これが死ぬということか。

城山は、一つ一つのかたちも見分けられない巨大な悲嘆の塊のなかから、大急ぎで何か一つでも拾いだそうとして途方にくれ、さめざめ泣いた。光明と祥子は、幼いころの顔と成人した顔が混乱してまとまらず、古女房は朝の出掛けに見たはずの顔を思い出せず、いつの時代のものか分からない、怜子なのかどうかも定かでないぼやけた顔一つをやっとたぐり寄せただけだった。申し訳ないと古女房に詫《わ》び、生命保険と貯金と山王の不動産で何とか暮らしてくれたら、などと思う。その狭間《はざま》に、四月一日発売の新商品《日之出マイスター》の瑠璃色《るりいろ》のラベルが翻《ひるがえ》り、約三年かけて作り上げた第二の日之出ラガーの、琥珀色《こはくいろ》の気泡がふつふつ飛び跳ねた。

かと思うと、一瞬、新商品発表会の晴れやかな喧騒が横切って城山は放心し、本社の会議室に並んだ役員たちが株主総会で発表する半期の配当を六円にするか七円にするかと話している声が聞こえ、ぼくはここだ、おい、ぼくはここにいる、と虚《むな》しく呼びかけてはまた涙が出た。

そうした錯乱の後、新たな疼痛《とうつう》が身体じゅうに広がって、城山は苦痛のおかげでさらにしっかり覚醒したのだった。徐々に判断力が動きだしたと同時に、ようやく、自分がいったいどうなっているのか知ろうと試みた。ぴくりとも動かない口にはガムテープのようなものが貼《は》られており、目は何かで目隠しをされ、さらに頭全部を覆っているらしいざらざらした粗布が、耳や頬の地肌に触れている。その布ごと、下を向いた顔はがさがさするビニールシートのようなものの上に押しつけられており、そのシートの下は硬く、ガソリンの臭いがし、ガタガタ、ブルブル唸りを上げて上下していた。走っている車のなかだと、城山はやっと結論を一つ出す。

両手は後ろへ回って縛られており、足首も縛られ、膝《ひざ》は少し折れているが、背中や膝や頭の先が常にどこかに押しつけられており、ひどく狭い場所、おそらく後部座席の下だということが分かる。伏している上半身の上には、かなり重量のある何かが載っており、城山はしばらく考え続けて、ダンボール箱か布団《ふとん》袋のようだと感じた。

一方、足首と膝の辺りにも何か載っているが、それは箱や石といった無機物ではなく、人間が履いている靴だった。城山が動かそうとすると、強く押さえつけてくる。誰か座席に座っており、その者が、座席の下に横たわっている自分の脚の上に、靴底を載せているようだった。しかし、聞こえる物音はエンジンの騒音ばかりで、人声はまったくなかった。

節々の痛みを和らげることが出来ないかと、城山は数センチずつ身体を動かし続け、疲労困憊《こんぱい》した。靄《もや》が垂れるように鈍ってくる頭に、〈誘拐〉の一語が浮かんでは消え、その周りに〈死〉が頼りなげに浮いていた。現に自分の身に起こっている事態について、ここまで何も考えられないものかと驚き、人間というのはせいぜいこの程度のものかと納得しながら、再三もうどうでもいいという諦《あきら》めに駆られた。

　まだ生きている身体が痛み続け、頭だけがもうろうとなった状態が途切れたのは、いきなり車が大きく跳ね出したときだった。車体と一緒に跳ねる身体を持て余しながら、いったいどこを走っているのか、いまは何時ごろなのかと城山は虚しく考えた。しかし、それは長くは続かず、突然振動が止まると、響き続けていたエンジン音が絶えて、旅は終わったのだった。

　すぐに前後の座席で人の動く気配がし、前後のドアが開く音がした。身体の上に載っていた重量物が取り除かれた直後、急に軽くなった脇腹《わきばら》を抱えられて引きずられると、いったん宙に浮いた城山の身体は二つ折りになって、人の肩に担《かつ》ぎ上げられた。

　襟足や袖口《そでぐち》から滑り込んだ冷気が、肌に痛かった。外気にはまったく物音がなく、いくつかの足が踏みつける地面も音がなく、かすかにキュッキュッと軋《きし》んでいた。次いで、ザザッ、サラサラと木の枝か葉がこすれる音がし、担がれたまま運ばれる城山の襟首に冷たいものが降りかかった。雪か。雪か。雪が降り積もった山のなかか、と城山は逆さになった頭で思った。

　運ばれた距離は短く、靴底の下で雪が鳴る音はすぐに石か何かを踏む足音に変わって、蝶番《ちょうつがい》のかすかな音が立った。城山は担がれたままの姿勢で、靴を引き剝《は》がされ、さらに数歩移動した後、下ろされた。畳の匂《にお》いはしなかったが、身体の受けた感触は畳のものだった。

周りで二人、あるいは三人の人間が動き回る気配があり、畳に下ろされていくらも経たないうちに城山は脇腹と足を抱えられ、次に下ろされたのは布団か何かの上だった。横たわるように押さえつけられ、すぐに上から毛布や布団がばっさり覆いかぶさってきた。

その直後、城山は初めて、頭の上から降ってくる男の声を聞いた。

「危害は加えない。用を足したいときだけ、身体を起こせ。それ以外は、この姿勢でじっとしていろ」

それは、特別に高くも低くもない、無機質な声だった。回転数をわざと下げたような不自然にゆっくりとしたテンポで、訛《なま》りも抑揚もなかった。危害を加えないというのはほんとうか。命は助けてくれるのか。城山は息を殺して次の言葉が聞こえるのを待ったが、声はそれだけで途切れ、今か今かと待つ己の身のほうが、硬直して痺《しび》れてしまっただけだった。そして、やがて遠くで車のエンジンのかかるかすかな物音が響き、それが遠ざかった後は、一切の物音が絶えた。そばに見張りがいるのは気配で分かるのだが、誰ひとり音を立てず、タバコなどの臭《にお》いもなかった。

布団や毛布は少し湿りけがあり、カビ臭さと樟脳《しょうのう》の臭いがした。気持ち悪さなど感じる余裕はなく、後ろ手に縛られている手首の痛みと、初めに殴りつけられたに違いないみぞおちの鈍痛などに神経の大半を奪われたまま、城山はしばらくの間、考えるのを拒否し続けている頭や、鈍麻しそうになる感覚と戦った。

城山の頭が拒否していたのは、誘拐という事態について考えることの一切だった。いまこの瞬間も、心労でまんじりともしていないだろう家族。社長の誘拐という事態に右往左往しているだろう会社。身代金《みのしろきん》の要求や、それに伴う脅迫。どれほどのものになるのか想像もつかない被害。事態収拾のために会社が払うことになる犠牲。どれもこれも、ただ渾然《こんぜん》としていた。

いまは考えられない、今夜はもう疲れたと城山は独《ひと》りごち、温まってくる布団のなかで目を閉じた。

夜が明けているのは、鋭い鳥の一声のさえざえとした響きで分かった。外は凍っているようで、布団から出ている耳がきりりと痛んだ。相変わらず話し声も物音もなく、起き抜けの無防備さでふと〈見張りはいるのか〉と思い、身体を起こそうともがいたとたん、どこからか伸びてきた手に身体をつかまれ、抱き起こされた。

「トイレの間、紐《ひも》をとくから、手は上へ上げるな」

それが、二度目に聞いた声だった。昨夜聞いた最初の声とは別人のもので、今度は間違いなく若い声だった。しかし、どちらも不用意に発したものではない抑揚がきき、ほとんど白々しいほどの落ちつき方は同じだった。

城山は腕を取られて数歩歩かされた。ドアが開く気配がし、手首を引っ張られるままに、自分の手で便器の縁に触れ、どこにあるのかを確かめさせられた。見張りの男は、一言もなくすぐ後ろに立っていた。寒さと屈辱感にちぢみ上がった自分の手で、城山は用を足した。便器の辺りから吹き上がってくる冷気と汚物の臭気の下へ、しょぼしょぼと自分の小水の落ちる音がした。

元の畳の場所へ連れ戻されると、同じ男の声が「何か飲むか」と言った。城山がうなずくと、続けて「騒いだら、殺す」と、少し離れたところから昨夜の声が聞こえ、すぐに軍手の手が頬に触れたかと思うと一気にガムテープが引き剝がされて、口まわりが急に楽になった。しかし、押さえつけられたまま痺れていた顔の筋肉を冷気に撫《な》でられるのがやっと分かったぐらいで、ほとんど感覚などなく、とりあえずは声を出すどころではなかった。喉は涸《か》れ、一晩じゅう閉じていた口のなかは粘ついていた。

すぐに紙パックを手に握らされた。ストローが差し込んであり、城山は自分の手でパックを口許《くちもと》にもっていき、ストローを啜《すす》った。ウーロン茶だった。一口冷たい水分が喉を伝わると、一晩異常事態だった身体じゅうの神経がわなないて緩み、目隠しの布で押さえられた瞼《まぶた》の内側に涙が溜《た》まった。二口目からは一気で、城山はたちまち二百ミリリットルの一パックを飲み干した。その直後、やっと声が出ると感じたとたん、抑える間もなく城山は「目的は金か――」と呟《つぶや》いていた。嗄《か》れて掠《かす》れた、小さい声になった。「そのうち分かる」という返事が、少し離れたところから返ってきたが、それ以上の言葉はなかった。代わりに、そばにいるらしい男の手元で薄いフィルムかセロハンを破る軽い物音が聞こえたかと思うと、城山の手には新たに何かが載った。

「朝飯」と、男は言った。

口許に近づけると海苔《のり》の匂いがし、城山は市販の握り飯だと思った。空腹感はなかったし、頑として動かない頭が何をどう判断したのかも分からなかったが、命じられるままに城山は手の感触だけでそうと分かるひと塊の握り飯を口にした。飯粒は喉にひっかかり、ひっかかり、それでも一応通過して、しかるべきところに収まった。食ってしまってから、よく食えたものだと自分で驚いたが、すぐにまた両手は後ろ手に縛り直され、口に新たなガムテープが貼られ、横になるよう押さえられて、布団が被《かぶ》さってきた。寝ては目覚め、寝ては目覚めの時間が始まった。悶々《もんもん》としてはうたた寝に陥り、目覚めてはまた悶々とする。初めのころ、軽いモーターの唸《うな》りにチリチリする雑音が混じった音が聞こえた。そして、あれは何の音かと考え、男の一人がシェーバーを使っているのだと納得するまでその音を聞き続けた。シェーバーの音が絶えてしばらくすると、布団から少し離れたところで、微《かす》かにシャンシャン鳴る音が聞こえ始めたが、どうやらウォークマンのようだった。しかし、男たちはそれ以外の物音をまったく立てず、私語もない。

朝に一度だけ聞こえた鳥の声は絶え、戸外もまたまったくの無音だった。車が行き交う道路の低周波や建物の立てる空調設備の騒音に慣れた耳には、鼓膜を圧する静けさだった。木の枝であれ、風であれ、何かが動く気配すらなかった。何度か、寝ては覚めをくり返すうちに、最初に鳥の声を聞いて目覚めたときに朝だと思ったのもあやふやになり、時間の感覚はたちまち失われていった。

そうして数時間毎《ごと》に、城山は生理的な欲求に促されるままに用を足し、そのつど手の束縛を解かれてはまた括《くく》られ、紙パックのフルーツ牛乳やオレンジジュースやウーロン茶を与えられた。食い物は握り飯のほか、あんパン、クリームパン、缶詰のポークビーンズ、マッチ箱ほどの大きさのプロセスチーズ、バナナ、ミカンなどだった。

飲み食いのためにガムテープを外されるとき、城山には少しずつ口をきく機会があった。「目的は金か」と二度尋ね、「いくら欲しいのか」とも尋ねたが、いずれも返事はなかった。「ここはどこか」「いつ終わるのか」という問いにも、応答はなかった。しかし、「今日は何日で、いまは何時なのだ」と尋ねたときだけ、「三月二十五日。午後十時二十四分」という機械のような返事が返ってきた。その男の声を聞いたとき、城山は久々に通じた無機質な言葉一つの喜びに身震いし、同時に、もう丸一日経《た》ったのかと思い、昨日の朝、山王の自宅の玄関に立っていた女房の小さい肩一つを、そのとき女房が着ていたカーディガンの色を、突然鮮明に思い出して絶句した。

自分を誘拐して監禁しているのは、いったいどういう人種なのか。何度となく考えようとしたが、どうしても見当がつかなかった。企業に恨みがあるのか、自分に恨みがあるのか。あるいはもっとほかの深謀遠慮か。考えの枝を伸ばして探り当てようとすると、自分のなかに自動的に遮断される回路があるのか、どこへも抜け出すことが出来ないま、考えるのに疲れ果てた。

一応は食い物を与えられているために飢餓感はなく、身体を脅《おびや》かす暴行もない状態が続くうちに、城山の心身は屈辱に慣れ、当初の圧倒的な恐怖の塊は、より具体的な煩悶《はんもん》や疑念や当惑などに分化した。それは果てしない内省や妄想の時間になって、耐えがたい静けさとともに襲いかかってきた。

城山は、逃げ場のない窒息感を味わいながら、寝ても覚めても、布団のなかで自分の胸中を抉《えぐ》り続けることになった。なかでも、数十年ぶりに呼び戻された戦中の記憶には手こずった。さまざまに絡《から》み合った条件が、鮮やかであるはずの恐怖の記憶を濁らせ、もう何が核心であったのか、捉《とら》えることが出来ない。誰もが飢えていたはずだが城山は飢えてはいなかったし、疎開《そかい》の年齢に達しない子どもたちが味わったはずの悲惨は城山にはなく、幼い妹を抱えて防空壕《ぼうくうごう》にひそみながら、きわめて淡々と父母の死を考え続けたあげくに、家族揃《そろ》って無事に終戦を迎えた日に子どもの胸に残ったのは、言いようのない当惑と痛恨の塊だった。そのことはついに誰にも言わずじまいだった、と城山は思う。

なぜ医学部へ進まないのかと父に執拗《しつよう》に尋ねられたとき、十八歳になった城山は、自分には興味がないとしか応《こた》えず、本心は語らなかった。法学部在籍中、ゼミの仲間はみな司法試験を受けたが、城山は法律の道にも進まないと早くから決めていた。卒業して企業に入ったとき、二十二歳の若造は何を考えていたか。人間に対する深い慈愛がなければ務まらない医師や弁護士は、自分にはその資格がないが、物を売って対価を得る資本主義経済の一端なら担《にな》えるだろうし、誰にはばかることもない。そんなふうな傲慢《ごうまん》な考えで、社会人の一歩を踏み出したのだということは、自分以外の誰も知らない真実だった。

売上至上、営利追求の企業社会は城山の肌に合い、放っておいても販売量が伸び続けた高度成長期の幸運と、ビールといえば日之出ラガーだった時代の圧倒的シェアと商品力に恵まれた営業人生は、おしなべて順風満帆だった。熱心に得意先へ足を運び、特約店の社員と一緒に小売店や料飲店を回り、雑用から相談まで小まめに応対し、慢心を排するべく毎日の数字に細心の注意を傾けておれば、人より確実に営業成績は上がった時代だった。真の営業力や、創意、発想などが問われることはなく、辣腕《らつわん》や才覚や強烈な個性すらなく、商売の何たるかも分かっていない営業マシンがエスカレーター式に昇進して、人事や管理の現実に戸惑い、振り回されながら、気がつけば営業部長、支社長、ビール事業本部長、取締役だった。

物を作り、売る、企業行為とは何なのか。商品力、営業力とは何なのかを真剣に考え始めたのは、やっと四十を過ぎたころだったろうか。二度の石油ショックとプラザ合意がさすがに効いて、日本経済の行く末と社会のありうべき変化、そのなかでのビール事業の未来図を描きかね、密《ひそ》かに自信を失い始めたのもそのころだった。しかしそれも、昭和五十年代を通して、ビールの販売量が好景気と市民生活の膨張に支えられて伸び続けていたからこそ、そんな悠長な迷いに甘んじていられたのだった。

企業にとっては一銭の価値もない個人的な反省を、いまだからこそ城山はしていた。消費動向に即応出来ず、新商品開発競争に出遅れ、組織の改編に出遅れた結果、シェアが落ち始めたときに、ビール事業本部のトップだった自分はいったい何をしていたか。手をつけるべき課題はすべて分かっていながら、目先の数字に追われ、組織を動かす行動力を欠き、危機意識を欠いていたのではなかったか。そんな男が、ビール事業のてこ入れのための人事刷新で今度は社長になったとき、肝に銘じたのは、現在と将来の株主の利益と社員の生活を保障するという、単純明快な経営者としての義務と責任だった。自分に欠如している独創性や行動力を、たとえば義務という発想で補わなければ、社長なんかになれたものではなかった。

そして、ともかく現在と将来の利益を確保する義務を果たすために、何をしなければならないかと考えると、おのずと答えは出た。すなわち一つは、大企業の硬直した組織と生産と流通の抜本改革であり、一つは屋台骨を強化するための基幹商品の開発だった。ビール事業本体の将来は横ばい安定、しかも国内製造業の淘汰《とうた》が進むに違いない来世紀に日之出の資産を残す道は、多角化しかない。その多角化を実現するための資本を、味《み》噌《そ》・醤油《しょうゆ》のように安定して稼ぎ出す基幹商品をあと一つ作ること、第二の日之出ラガーを世に送り出すこと、それが、社長就任と同時に城山が懐《いだ》いた夢だった。

『ビールの味に限界があると思う者は、試作品作りに加わるな』

城山がそんな大仰な檄《げき》を飛ばしたのは、三年前の新年、ビール事業本部の全技術者、研究者と、商品企画部の幹部を集めた新商品開発部会での挨拶《あいさつ》のなかだった。第二の日之出ラガーを目指して、早速、それまで積み上げてきた膨大なマーケティング・リサーチの結果分析からコンセプトの絞り込みが始まった。当時は、他社が揃ってホップの苦みを抑え、麦の殻の渋みを取り除いた透明感と、炭酸ガス濃度を高めた切れ味の鋭さを売り物にしたビールを売り出していたときだ。淡泊で鋭い《ドライ》なビールが当面の流行になると、マーケティングの結果も端的に示していたが、第二の日之出ラガーを作る趣旨から言って、流行に左右されずに長く飲みつがれるものでなければならない。

結局、『ビールの中のビール』という百年来の日之出の本物志向に、時代の嗜好《しこう》の変化を加味して絞り込まれた新商品のコンセプトは、飲むことが楽しい至福感という意味での《悦《よろこ》び》、気分がぱっと明るくなるような《華やぎ》、重くなく鋭すぎず透明すぎない喉《のど》ごしの《晴朗さ》の三つに決まった。

次に、《悦び》《華やぎ》《晴朗さ》を、軽い・苦いといった具体的な味と芳香のチャートにする作業が始まり、チャートをさらに具体化するための官能検査や味覚検査を繰り返して、作り出すべき風味のイメージを技術化するのに半年が費やされた。そこから試作が始まったのだが、ビール麦の選択や、仕込み方法、麦汁の処理、酵母の選択、発酵条件など、すべてゼロからの検討を城山は命じた。酵母にしても数百種類もあり、そこから最適な酵母一つを選び、次々に条件を変えて発酵させて出来上がりを見るという試作の作業は、広大なアフリカ大陸から誰も見たことのない一角獣を一頭探してくるというのに近い雲をつかむような話だ。一年半の間、城山は週に一度は試作用プラントに足を運び、開発チームの一人一人の話に耳を傾け、試作品が上がってくるたびに商品企画部や営業部の幹部たちと一緒に試飲をし、意見を聞いた。

城山の務めは、そうして専従技術者三十人、商品企画部の専従部員十五人の営々とした挑戦を見守り、信じ、全面的に任せ、ひたすら待つことだった。あえて現在の主流を外した上で、長期的な展望の開けないビール事業の先行きと、日本社会の将来の構造転換を睨んだ長期戦略のための商品であったから、市場にどう受け入れられるかについては、胸のうちに不安はあった。しかも新製品の路線は、必ずしも役員会の総意であったわけでもない。それでも、半世紀にわたって飲みつがれるビールを来世紀の日之出のために残したいという、強い意思だけが城山の支えだった。

去年の二月、ようやく一角獣に近いビールが出来たのではないかと開発チームが試作品を上げてきたとき、城山は、役員はもとより企画部と営業部の全員を集めて試飲をさせた。そのときは、「重くなく、軽くなく、柔らかいコクがあり、清々《すがすが》しい喉ごし」という声で一致したものの、《華やぎ》というコンセプトに沿う芳香の面で、まだ改良の余地があるということになった。その時点で、城山は「完成の期限は九月」と明確な期限をもうけて開発チームにハッパをかけ、事業本部長の倉田誠吾には、初年度五千万ケースの販売戦略に取りかかるよう指示をし、ネーミングの開発、販促計画、販売計画の立案作業に取りかかった。

九月に入ってすぐ、約束通り完成品のビールが、ラベルのない茶色の瓶詰めで役員会議室に届けられた。全員で試飲した後、城山は役員たちに「どうですか」と尋ねた。初めに数人がうなずき、白井誠一が「美味《うま》い」と口火を切ると、続けて「穏やかなふくいくとした味だ」「芳香が素晴らしい」といった声が次々に上がった。全員の表情や口調を慎重に見極めた城山は、その場で試作用プラントのある神奈川工場へ電話を入れ、開発チームの技術者たちに「ありがとう」を連発した。

それから、ビール事業本部挙げての販売準備に追われてきたこの半年だった。ネーミングは十一月には決定していたのだが、何しろ新商品の発表は最大の企業秘密だから、名前も伏せたまま、年末に全国六百の特約店に試飲用の大瓶を抱えた営業マンが走った。反応は悪くなかった。年明けに、全国各地で開かれる恒例の特約店新年会でも、試飲と根回しが行われ、四月一日の全国一斉発売に向けた販促態勢の規模を宣伝した。通常なら、特約店会で新商品の発表をやって、一気に販売に入るのだが、今回はそうした秘密めかした段階を踏んで逆に内外の注視を煽《あお》る戦略を取ったのだ。そうして四月一日に向けて雰囲気を盛り上げていく間、城山は間もなく出てくる数字を黙々と待ち続けた。

事業本部は日毎に受注計画を立て直していき、一月末に一斉に受注を開始すると、数字は予想をさらに超えて、四月までの目標六百万ケースの二〇パーセント増に積み上がった。そのときには、城山は自分の執務室でひとり万歳をしたものだ。

夏場の需要期に備えて、二月半ばには各工場の新商品生産ラインを増やすことも決めた。ラインの組み替えと同時に、地ビールと対抗する地域限定商品の廃止や、その代替えとしての委託生産を進めて、合理化と多品種化の両立を図る中期計画の先鞭《せんべん》もつけた。それはいわば、社長就任前に決定していた多品種戦略の放棄の下準備だった。将来的に日之出本体は、ラガー・スープレム・新商品を三本柱に、枝葉を削《そ》ぎ落とした幹にならなければならない。その未来図の、ほんの一歩を踏み出した実感を、やっとわずかに嚙《か》みしめたここ数日だった。

そうして、社長就任以来の夢だった第二のラガー、《日之出マイスター》のことを思うと、城山の煩悶はしばし薄れ、温かいものが胸を満たした。

『二十一世紀の日本のビールです。日之出マイスター誕生』

明日、二十六日日曜日の全国紙の紙面を、いっせいに飾るはずの全面広告のキャッチはこうだった。これまで金色一色だった商標の鳳凰《ほうおう》は今回、仄《ほの》かな華やぎを表す瑠璃色《るりいろ》に彩《いろど》られ、『日之出マイスター』の文字は、堂々としているが優しい丸みのある手書きの毛筆書体で、色は藍色《あいいろ》。地の紙は、少し凹凸のある手漉《てす》きふうの生成色だ。缶ビールのデザインも同じ。

もう自分は見ることがないかも知れないが、自分がいなくても総額五〇億円をかけた宣伝キャンペーンは動き出す。社長の不在は不測の社内事情であって、動き出した商品を止めるものは何もない。やることはやった、企業の明日のために自分に出来ることはやった、と再三自分に言い聞かせてみた後、城山はまたぞろ〈しかし――〉と思い始めた。

社長誘拐という不測の事態が、業務にどんな影響を与えるのか、城山には想像がつかなかった。この事態が世間の知るところとなったとき、会社が受ける有形無形の損害は、どのぐらいのものになるか。発売を開始したばかりの《日之出マイスター》の売れ行きに、どんな影響が出るか。

ああ、もうすぐ株主総会が来る――。そう思い出したとたん、城山は短いパニックに陥った。いや、さしあたり自分の代わりに二人の副社長のどちらを代表に立てるのか、役員たちはいまごろそういう話もしているだろう。事業開発本部長の白井誠一が立つか、ビール事業本部長の倉田誠吾が立つかは、社内的には重大な問題だが、企業の将来という大局から眺めると、城山にはどちらでもいい、という気はした。日之出の長期的な道筋はすでについており、それは誰がトップに就こうが、劇的に変わることはないという思いが半分。一方で、自分と違って独創的個性のある人間がトップに就けば、日之出の巨体を左右出来るのかも知れない、という期待や懐疑が半分。

結局のところ、自分は義務を果たしたのか、果たさなかったのか、と城山は自問した。年度毎《ごと》の義務については、実績が示している通り達成してきたのは事実だが、さて、長期的な経営基盤の安定強化という義務は、どうだったろうか。

城山には自信はなかった。《日之出マイスター》が当面の目標をクリアする自信はあるが、それがほんとうに来世紀の企業の屋台骨になるのかどうか、誰が知っているだろう。失敗は半年後にははっきりするが、成功は半世紀後の人間が知ることだった。

そんなふうに考えてみると、今の今、自分という個人には大したものは残っていないと城山は思い、ことさら悔いることもないが、満足するにはほど遠い企業人生だったと結論を出した。さらに人間としての成長云々《うんぬん》を言われたら、二十二のころの小生意気な世界観からいくらも抜け出しておらず、八歳で身につけてしまった自己不信の原罪は未《いま》だに悔い改めてもいないのだった。

さて、そう思い開くのはいいが、いい歳《とし》をぶらさげてまんまと誘拐されたお前は、これからどうするのだ。この様子だと命はありそうだが、身代金《みのしろきん》を支払って解放されたあかつきに、いったいどんな顔をして世間に戻るのだ。無事に解放されても、この社会にもうお前の居場所はないのだと思い至ると、せっかく積み上げた内省を押しつぶして、城山はまた混乱に陥った。

城山は突然起こされた。布団《ふとん》が剝《は》がされ、畳の上に直《じか》に座らせられると、身の周りで男たちの動き回る物音が立ち始めた。布団や毛布の類をばさばさ叩《たた》く音。掃除機らしいモーターの唸《うな》り。畳を行ったり来たりする足音。ゴミ袋に紙屑《かみくず》などを詰める音。片付けが始まったのだと思った。

しばらくして、まだ掃除機の音が続くなか、男の一人が城山の前に座り直した。

「いまは、三月二十七日月曜日の午前二時十六分だ。もうすぐ解放する」と、男の声は何かをゆっくり読み上げるように喋《しゃべ》り始めた。

「いまから順に要点を並べる。よく聞いて、しっかり頭に入れろ。まず、こちらの要求は二〇億だ。聞こえたか？　古い一万円札紙幣で二〇億。現金だ」

二〇億という額は、いろいろな意味でとっさにはぴんと来なかった。二〇億と脳裏で繰り返しながら、城山はやっと、これは身代金なのだと自分に言い聞かせた。

「一カ月以内に裏金を作って、こちらからの連絡を待て」と男の声は続いた。「貴方《あなた》は解放するから、率先して裏金作りをしろ。取締役会の同意を取り付けるための猶予《ゆうよ》は一カ月」

解放の一語は、重い疑念を引きずって城山の心身をわずかに跳ねさせたのみだった。人質を解放してから金を要求するという相手の腹も、とっさには読めなかった。

「よく聞け。こちらの要求は二〇億だが、警察には違った説明をするのだ。犯人は六億要求し、受渡し方法は追って連絡すると言った、とな。いいか、なぜ二〇億でなくて六億なのかは、そのうち分かる。警察には、とにかく六億要求されたと言え。次に、解放の経緯については、警察には、犯人は初め六億要求していたが、突然、自分を置き去りにして姿を消した、ということで通せ。それが身のためだ」

男は、城山に反芻《はんすう》する時間を与えるように間を置いた。二〇億と言ったり、六億と言ったり、警察に嘘《うそ》を言えと言ったりでは、城山は混乱するほかなかったが、いまここにあるのが、安易な思いつきの犯行でないことだけは疑う余地がなかった。それだけに、余計に不気味な感じがした。

男は少しうつむいているのか、何かを読み上げる声はゆっくり続いた。

「貴方は社長なんだから、警察の捜査に協力して企業を潰《つぶ》すか、裏金を支払って企業を守るか、じっくり考えることだ。こちらは、二〇億を手に入れたら、それ以外の要求は一切しないことを約束する。人質は、三百五十万キロリットルのビールだ。金が支払われない場合、人質は死ぬ。頭に入れたか？　ゴールデンウィークに入る前までに、連絡をする。話は以上だ」

城山は、この自分がなぜ誘拐されたのかを、ようやくぼんやりと理解した。これは、個人では払えない額の金を企業に出させる誘拐であり、誘拐されたのは社長である城山個人というよりは、日之出ビール本体なのだ、と。城山は要求を確実に伝えるために拘束されただけで、だから解放されるのだ、と。この犯人たちは、いつでもどこでも誰でも買えるビールを人質に取って、要求が聞き入れられない場合は、商品攻撃をする気だ。そう思ったとたん、発売を控えた《日之出マイスター》の瑠璃色の鳳凰にどす黒い膜がかかった。目も口も塞《ふさ》がれたまま、知らぬ間に震え出した歯を鳴らして、城山はほとんど悶絶しかけた。

城山は、足首の緊縛が解かれたのもしばらくは気づかなかった。続いて、手首の紐《ひも》が解かれ、ガムテープで縛り直された。さらに、男の手がベストの胸や背中に触れたが、何をされたのかは城山には分からなかった。引きずり上げられてもすぐには歩けず、ほとんど抱えられて運ばれ、足に靴が履かされた。その直後、一斉に軋《きし》むような音を立てて戸外の冷気が広がった。

運び込まれたときと同じように、木々の枝葉から雪が落ち、ザクザクした氷か土を踏む足音が立った。運び込まれたときと違って、今度はしばらくの間、歩行は続いた。足元は平坦《へいたん》ではなく、凹凸に足を取られてつまずくたびに、両脇《わき》から引きずり上げられた。四方で雪の落ちる重たげな音が響き続け、そこに凍った土や雪や草を踏む物音が重なる。どのぐらい歩いたのかも分からなかったが、やがて未明の行軍が終わったとき、城山の靴底は平らな路面の上にあった。そこで腕を取られてどこかの方向を向かされた後、年長の男の声が聞こえた。

「ここで解放する。アタッシェケースは踵《かかと》の後ろにある。手首のガムテープと目隠しの布は、自分で取れ。布を取ったら、目が慣れるまで見えないだろうが、慌《あわ》てるな。時間がたてば見えるようになる。それまで、絶対にこの足の位置を動かすな。貴方が立っているのは道路の上だ。爪先《つまさき》の向いている方向へ歩いていったら、右側に消防署がある。もし反対方向へ歩いたら、人家はない。この爪先の向いている方向へ歩くんだぞ。いいな？」

最後に、城山はこんな言葉も聞いた。

「上着の内ポケットに写真が一枚入っている。歩き出す前に、忘れずにそれを見ろ。消防署に駆け込む前に、考えることがいろいろあるはずだ」

一瞬の間を置いて、男二人の足音が駆け出した。それは城山の爪先とは反対の方向へ遠ざかっていき、車のドアの開閉音とエンジンの音が小さく響いて城山の耳に届いた。

そうした物音はすぐに絶え、無音に近い静寂の圧力が襲ってきたとたん、城山は砕けた膝《ひざ》とともにその場にへたり込んだ。後ろ手に回された手首を激しく動かしてガムテープを引き剝がすと、自由になった手で目隠しの布を輪になったまま頭から抜き去り、ガムテープとともに無意識にポケットに突っ込んだ。初めて手を触れたその布がどんな代《しろ》物《もの》なのか、たしかめる余裕もなかった。

二日以上締めつけられていた目の周りの筋肉は激しく痛み、目は開いたが、異常な圧力をかけられ続けていた眼球は、しばらく空気の刺激に耐えられなかった。開けたり閉じたりを繰り返す瞼《まぶた》から、苦痛を和らげる涙と鼻水が垂れ続ける間に、城山は口を塞《ふさ》いでいたガムテープも剝がした。凍った手が触れた顎《あご》や頰は伸びた髭《ひげ》でざらざらし、その指先はさらに、自分の顔だとも思えない深い頰の窪《くぼ》みに触れ、逆立って指も通らない髪に触れておののいた。

間もなく網膜にかかっていたどろどろした膜が薄れてきたとき、城山が最初に見たのは黒一色だった。やがてその黒は斑《まだら》になり、それらが次第に分かれ始めると地面と樹影と空になった。残雪の積もった路肩の線が藍色に光っており、雪のない路面は濡《ぬ》れた黒い艶《つや》を放ち、道路の両脇に覆《おお》いかぶさる木々は漆黒で、その上に広がる空はわずかに明るい藍色だった。道路にはガードレールも標識もなく、木々の重なりはひたすら深かった。

踵の後ろには、アタッシェケースが置いてあった。ともかくそれを拾い、がくがくする脚で立ち上がったときには、城山はいくらか理性を取り戻していた。そうだったと思い出して上着の内ポケットを探り、写真一枚を取り出して雪明かりにかざした。サービスサイズのそれは、初めはよく分からなかったが、しばらく見つめていると、闇《やみ》に慣れた目に小さい人間の顔二つが見分けられた。城山は目を近づけ、その二つの顔に見入り、目を疑ってさらに目を近づけた。

姪《めい》の佳子。二歳になったばかりのおちびさんの哲史。

それだけ確認して、城山は直ちに写真を内ポケットに戻し、歩きだした。再び茫々《ぼうぼう》としてきた頭に、〈ああ、あのことか〉と思い当たる四年半前の出来事が一陣の突風のように押し寄せ、退《ひ》いていった。

身の周りに起こっている事態とは裏腹に、少しずつ身体《からだ》には血が通ってきていたし、寒さも感じた。心臓は破裂する代わりに黙々と打ち続け、足も前へ前へと動き続けた。しばらく歩いたところで、城山は足を止めて内ポケットの写真を再び取り出すと、それを手で細かく裂いた。紙片を落とさないように気をつけながら、何度も何度も引き裂いて細かくした後、それを掌《てのひら》に握りしめて路肩から木立のなかに分け入り、少しずつ、靴先で掘り返した草深い地面に埋めて回った。

その間に、自分が誘拐された理由について、先般考えたことを慎重に訂正もした。犯人たちは、要求を効果的に伝えるためだけに社長である自分を選んだのではない。要求を確実に実行せざるを得ない負い目を持っている人間を、周到に選んだのだ、と。そうしてあらためて我に返った後、城山は自分の置かれている立場をいまさらのように考えてみたことだった。身内の醜聞を犯行グループに握られ、企業の命である三百五十万キロリットルのビールを人質に取られて、二〇億円を要求された男は、これからどこへ、どんな顔をして戻るというのだろうか。この身一つが間もなく無事に帰還したとき、自分は企業に謂《い》われのない金を支出させて損害を与えるか、姪の親子を生命の危険にさらすかのどちらかになるだけではないか。

いや。もしも、この自分さえ戻らなければ——。

城山は頭上に張り出している裸の木の枝を見上げ、突然耐えがたいほどに心臓が波うち始めるなかで、お前は死ぬのか、と自問した。この先、背負い込む苦しみの大きさや多方面に及ぼす災厄を考えるなら、それしかないと自答する端から、己が首を吊《つ》るという生々しい恐怖に心臓は荒れ狂った。そして数分の間、城山は激しい緊張と戦ったあげくに、自分には到底そんな勇気はないという結論を出したが、同時にその言い訳のように、〈お前は会社のために死ぬのか〉という新たな自問もした。

これで会社が潰れて八千人の社員が路頭に迷うならともかく、現実問題として二〇億ぐらいの裏金は何ということもない会社のために、お前は死ぬのか。それほどに、お前は会社と一心同体だったか。いや、そもそもお前が死ぬことで二〇億の損失を出さずに済んだからといって、会社はその恩を感じるか。

答えはすべて《ノー》だった。城山は、そうして速やかに自殺の必然を退けた後、会社に二〇億を出させるしかないという、漠然とした結論を出していたのだった。何ものも佳子と哲史の命に換えられないのはもちろん、いくら三十六年間勤めてきたとはいえ、企業は企業。そのためにこの人生を終えるほどのものかと自分に呟《つぶや》き続けた。

それから城山は道路に戻り、再び歩き出した。こうして解放されたとはいえ、これはほんの始まりなのだと自分に言い聞かせていたのは、誘拐される前の城山恭介ではなく、何がなんでも会社から二〇億の裏金を支出させようとしている何者かだった。しかしまた、一方では、社員の不安や動揺を一日も早く解消して会社の業務を平常に戻し、当面は《日之出マイスター》を成功させて、諸々《もろもろ》の改革の地盤を固めるのが自分の義務だと、いまなお考えている何者かでもあった。その裏で、会社のためになど死ねるものかとうそぶいている何者かでもあった。どれが自分なのか、もはや自分でも判然としないまま、やがて城山の頭は、『ゴールデンウィークに入る前までに』と区切られた期限の間にしなければならないことが山ほどある、という現実問題に切り替わった。まずは警察をどうあしらうのか。取締役会にどう説明するのか。二〇億を不正に支出する合意をどう作るのか。

そうしていろいろ考え始めたために、城山は腕時計を見るのを失念し、結局、自分がどのぐらいの距離を歩いたのか、まったく覚えていなかった。気がついたときには、道路の左右に覆いかぶさる樹影の厚みが薄くなっており、行く手にわびしげな灯火が一つ見えた。近づくと、自分の歩いてきた一本道とT字型に交わる別の道路が走っているのだと分かり、その右側の角に小さいコンクリート造りの家屋が建っていた。ガレージに入っている小型のポンプ車が一台、わずかに白み始めた薄明に照らされて、はにかむように赤かった。

＊

警視庁九階の廊下を、「皆さん、集まって下さぁい！」という広報課員の声が走っていた。靴音と一緒に、その声は七社会のボックスに近づいてきて、各社のボックスの前の通路を行き来した。「刑事部長会見です！　会見やりますから！」

ボックスの長椅子《ながいす》から飛び起きた久保晴久の頭の上に、続けて壁のスピーカーからとがなりたてる声が降ってきた。

《全社、至急記者会見場へ集まって下さい！　七時五分から刑事部長会見を始めます！》

二段ベッドで寝ていた者、机に突っ伏していた者たちも飛び起きた。ボックスの片隅から、「刑事部長が出てくるとなると、社長発見か——」という菅野キャップの呟きが上がり、壁の向こうや通路でも、「社長発見か」「犯人捕まったか」という短い声が飛び交っていた。

「久保、栗山、行け！　残りは本社へ連絡！　近藤は方面の張り番のポケ鳴らせ！」と、菅野の指示が飛んだ。久保がノートをつかんで飛び出すと、いままでどこで寝ていたのか、後輩の栗山裕一が先に立っていて「協定解除かな」と目をぎらつかせていた。

情報なし、進展なしのクラブ詰めで疲労困憊《こんぱい》している重い身体を運びながら、久保も条件反射で胃がきりきりした。事件発生以来、二時間毎《ごと》に行われてきた記者発表の、これが二十九回目。取材競争の始まりだった。ついに身代金《みのしろきん》要求が届かないまま、社長発見か。五体無事か。発見場所はどこだ。犯人はどうなった。

記者会見場に、我先に在庁の新聞、放送記者やカメラマンがなだれ込んでゆく。テレビの撮影OKなら、間違いなく社長救出か最悪の事態の一報だった。報道全社の記者とカメラの放列で満席になった会見場に、広報課長が足早に入室してきた。一時間前には目の下にくまを作って声も嗄《か》れていたその人物が、「皆さん、よろしいですか」と生まれ変わったような声を張り上げ、続いて二回目からずっと記者会見に臨んできた刑事総務課長に代わって、久々に寺岡刑事部長の登場になった。相変わらず表情は窺《うかが》えないが、肩の辺りに力が入っているのは見れば分かった。

「では、始めます！」と広報課長が告げた。

重大発表のときには初めに必ず出る「ええー」で、寺岡部長の発表は始まった。一斉に響き始めたカメラのシャッター音がそれに重なった。筆記用具を握りしめる記者たちのじりじりした熱気が、見えない波になって部長のほうへ押し寄せていた。

「ええー先程、午前六時二十八分、山梨県警察本部より警視庁に、本件の被害者城山恭介氏五十八歳を保護したとの連絡が入り、現在、詳細を確認中であります。連絡の内容は次の通りです。本日、三月二十七日午前五時五十分、山梨県南都留郡鳴沢村《なるさわ》の消防署、正しくは河口湖消防署西部出張所に一人で保護を求めてきた男性について——」

そこまで聞いた時点で、まず放送記者が各社一人ずつ、メモしたばかりの地名を手に駆け足で会見場を飛び出していった。現在時刻、午前七時七分。放送中のニュースに早速臨時ニュースを入れるためだった。

久保のほうはボールペンを握る手が、早くも汗でべたついた。南都留郡鳴沢村と聞いて、最初に瞼に浮かんだのは雪深い富士山麓《さんろく》の姿だったが、続いて「一人で保護を求めてきた」という意外な一言に驚き、続きの言葉に耳がそばだった。

「消防署から通報を受けた県警富士吉田署署員が、現場に出向いて男性の住所氏名等を確認したところ、城山恭介氏五十八歳、日之出ビール社長本人であることが判明したため、午前六時二十分、これを保護した、とのことです。城山氏は疲労が激しいようだが、比較的落ちついており、言葉もはっきりしており、目立った外傷はない、との連絡を受けております。なお、先程六時五十五分、城山氏は富士吉田署に入ったということです。また、すでに捜査本部から数名が現地に向かっており、八時ごろには到着する予定です。発表は以上です」

前出しはそこまでだった。寺岡部長が発表文の最後の一行を読み終わる前に、今度は新聞各社から一人ずつ、会見場を飛び出してゆく。東邦は、栗山がその役目だった。何はともあれ現場が分かったら、他社より一分でも早く自社の記者をそこへ遣《や》るのも競争だった。

あわただしく席を外す記者たちを尻目《しりめ》に、残った各紙の仕切りは直ちに質問に移った。まだ残っているカメラに向かって、「撮影はここまででお願いします！」と広報課長の制止が飛び、それをかき消して記者の声が上がった。

「城山氏が一人で保護を求めてきたというのは、犯人から解放されたのか、犯人から逃げてきたのか、どっちです」

「それはまだ分かりません」

「しかしそれぐらいのことは、最初に駆け込んだときに消防署員に言っていると思いますが！」

「細かい経緯については、現時点では分かりません」

「細かくないですよ、一番肝心な点じゃないですか！」という記者の抗議は無視され、別の記者が「城山氏はこの五十六時間、どこにいたと言っているんですか」と質問を振り替えた。

「現時点では、まだ把握しておりません」

「保護を求めてきたときの城山氏の服装は」

「濃紺のスーツ。革靴。ネクタイはなし。茶色のバーバリー社製アタッシェケースを持っている、とのことです」

「アタッシェケースの中身とか財布とか、何か奪われたものはあるんですか」

「確認出来ておりません」

「消防署に駆け込んだときの、城山氏の第一声は」

「正確な点は分かりません。現在入っている県警の一報では、城山氏は自分の氏名を名乗り、警察へ連絡をしてほしいと消防署の当直員に頼んだ、ということです」

「その様子が落ちついていた、ということですか」

「県警の判断の詳細については、現時点でこちらでは把握しておりません」

「城山氏は、犯人から何か要求されたとか、そういう話はしているんですか」

「現時点では、そういう細かい話は分かりません」

「河口湖周辺というのは、捜査の範囲に入っていたんですか」

「捜査内容に関わる点なので、お答え出来ません」

「犯人の人相とか年齢とか、城山氏の口から何か出ていないんですか」

「現時点では、把握しておりません」

そうしたやり取りの間、寺岡部長はずっと下を向いたままだった。事件発生以来、捜査がほとんど進展していなかったところへ、いきなり他県から被害者保護の通報が入ったとあっては無理もないと久保は同情したが、それにしても、肝心の点は何ひとつはっきりしなかった。これでは記事が書けない。

「結局身代金要求がなかった、ということは、今後の捜査の方向に影響が出るのか、出ないのか、どっちです！」久保は質問を投げた。

「現時点ではそういう判断には至っておりません」という素っ気ない返事があっただけだった。

「金目当てでない逮捕監禁なんて変でしょう！　何かあるんじゃないですか」

「ないものはない、としか申し上げられません」

「城山氏から事情を聴くのは、どこで、何時にやるんですか！」と、民放の誰かが怒鳴った。

「決まっていません。城山氏には、富士吉田署でまず医師の診察を受けてもらい、東京までの移動に耐えられる健康状態かどうかを判断してから、場所等は決めることになると思います」

「その発表は何時ですか！」

＊

特捜本部の警電が鳴り出して、交換台経由で山梨県警から被害者発見保護の一報が入ってきたのは、半時間前の午前六時二十八分だった。署内のあちこちで仮眠していた七十人余りの捜査員が会議室に集まり、県警からの報告内容が口頭で伝えられた。それから、その場で特殊班の四名がすぐに現場急行を指示されたほか、鑑識と地どり班から六名が急遽《きゅうきょ》、現場検証に振り替えられて同じく現場派遣になった。一方、被害者対策班も日之出本社や現場待機班などとの連絡に忙しくなったが、遺留品捜査の班には新たな指示はなかった。保護された被害者から本格的な供述が取れるまで、まだ数時間はあり、何かブツが出るとしても、それからの話になる。

合田雄一郎は一度にざわめき始めた会議室を出て、三階の洗面所に入った。被害者発見と聞いたとき、考える前に足が駆け出しそうになったが、とっさにそれを抑え込んだもう一人の自分のほうが、いまはたしかに優勢だった。合田は使い捨て剃刀《かみそり》でていねいに髭《ひげ》を剃《そ》りながら雑念を払いのけ、石鹸《せっけん》で二回顔を洗い直して、捲《まく》りあげていたシャツの袖《そで》を下ろした。金曜の夜から着たきり雀《すずめ》の袖口が、少し汚れかけていた。

洗面所を出るとき、三日ぶりに同僚の安西係長と入れ違いになり、ちょっと遠慮しつつ、合田のほうから「何か出ています？」と声をかけた。捜査会議では、企業関係や総会屋の話は一切聞こえてこず、日之出関連の周辺がどうなっているのか、末端にはとんと分からない。そちらのほうの捜査に回っている人間は誰であれ、合田にとっては、逆さ吊りにしてネタを吐かせたいほどだというのが、正直なところだった。

安西は苦笑いをして「国税庁の監査の資料、見ているんだが」と囁《ささや》いた。「とにかく本庁は、ものすごい量の情報を持っているよ。いまのところ、どれもヒットはないけどな」

「問題のある支出は見つからないんですか」

「連結になっていない子会社か関連会社、いや、海外法人を使って処理しているんだろうな。そうなると、もう分かりっこない」

「小倉運輸と中日相銀の事件のときも、毎日ビールが摘発されたときも、日之出と岡田経友会のつながりはずいぶん噂《うわさ》になりましたが」

「ネタが出ないんだ、日之出は。あそこは総務部を通さないかたちで、幹部の誰かが個人的に岡田との接点を持っているらしい。もちろん会社ぐるみだが、財務のほうの処理も徹底しているし、内部告発でもない限り、これからも何も出んだろう」

「日之出と岡田の間に、トラブルがあったというふうな話はないんですか」

「あっても会社は言わんよ。それに、どうも今度の逮捕監禁はその筋ではないという話もあるし」

「総会屋絡《がら》みの線ではないんですか」

「少なくとも、関東の二十五団体、関西の七団体はシロだという話だ。四課から聞いたが、誠和会の会長が昨日、関東二十日会の理事会宛《あ》てに、事件に関与している筋がないかどうか、質問状を回したらしい。それはそれで、何か狙《ねら》いもあるんだろうが」

「へえ――」

「要は、いまのところ手がかりなし。誰にも言うなよ」そう言って、安西はいそいそと洗面所に消えてしまった。声をかけたのは自分のほうだったが、それにしてもと、ふと合田は思った。安西は長年、巷《ちまた》の知能犯ばかり相手にしてきて、事件に対する感覚が鈍っているのか。保秘が第一の特捜本部で、この口の軽さは危ない。この男に探りを入れるのはまずいと、合田はその場で一つ、沈着な結論を出した。とはいえ、事件にその筋が絡んでいないというのは、ともかく〈へえ〉というところだった。

会議室に戻ると、NHKの七時のニュースが始まっており、テレビの前に人の輪が出来ていた。合田も人垣の一番後ろから首を伸ばした。早口で原稿を読み上げるアナウンサーの後ろに、被害者の顔写真が出ていた。いかにも品のいい初老の目鼻だちだが、一度や二度見たぐらいでは人となりが思い浮かばない固い殻も感じさせられた。

《――繰り返します。三月二十四日金曜日午後十時五分ごろ、日之出ビール社長城山恭介氏五十八歳が、大田区山王の自宅前から何者かに連れ去られる事件があり、先ほど午前六時二十八分、山梨県南都留郡鳴沢村の河口湖バイパス沿いの消防署に城山氏本人が一人で助けを求めてきたところを無事、山梨県警富士吉田署の署員に保護されました。

――この時間はニュースの内容を一部変更して、日之出ビール社長逮捕監禁事件についてお伝えしています》

テレビの前で私語を吐く者もなかった。捜査陣容が大規模になればなるほど、捜査員一人一人に行き渡らない事件の全姿を知りたいと思えば、テレビや新聞の報道に頼るしかなくなってくる。合田も、生きている被害者の顔や表情を一目見たいという思いから、まだ時間的に無理かなと気づくまで、ぽかんと画面に見入った。

《――繰り返します。三月二十四日金曜日午後十時五分ごろ、日之出ビール社長城山恭介氏五十八歳が、大田区山王の自宅前から何者かに連れ去られ、先ほど五十六時間ぶりに、山梨県南都留郡鳴沢村で無事発見、保護されました。なおＮＨＫでは、城山氏の安全のためにこれまで事件の報道を控えておりました。それでは、品川区北品川の日之出ビール本社前と、大田区山王の城山氏の自宅前から中継でお伝えいたします》

切り替わった画面には、四十階建ての日之出ビル前の路上が映し出された。普段何げなく見てきたビルだが、ああこんなふうだったなとあらためて合田は目を引かれた。早くも鈴なりの報道陣の姿を背に、勢いこんだ顔の取材記者が《まだ時刻が早いせいか、出社する社員の姿はありません。五十六時間前の金曜日、午後九時四十八分に、あそこに見えます地下駐車場の出入口を出た城山社長の社用車は、十七分後の十時五分に大田区山王の自宅前に到着し、何者かに拉致《らち》されました――》と喋《しゃべ》り始めた。風は冷たそうだが、空は快晴だった。

続いて、画面は山王の自宅前の路地に移ったが、そこもすでに取材陣の人だかりだった。記者発表から一分と置かずに、近くに潜んでいた報道各社の記者たちが取り囲んでしまった門扉《もんぴ》の前で、制服警官が通せんぼをしていた。早朝の日差しを浴びた木々は、合田が金曜の深夜に見たのとは別もののような輝きだった。

《ごらんの通りの閑静な住宅街の中です。金曜の夜十時五分に、城山社長の乗った車は、あの門の前に着き――》というテレビの声を聞きながら、合田はまた少し、当夜に付近を巡回していた警らの動きを頭に描いた。

一昨日の土曜日の深夜、合田は捜査会議が終わった後に適当な理由をつけて署を抜け出し、城山宅からはだいぶん離れた山王一丁目の路地を二時間ほど自転車で走りながら、通りかかる警らの単車がどのぐらいのスピードで走っているのかを確認したのだった。そして昨日の夜は、勤務明けの大森駅前交番の沢口巡査長をこっそり誘い出して寿司《すし》を奢《おご》り、金曜夜の午後十時前後に、指令センターからの出動要請に沿って沢口が現場へ走るために行き来した道順と通過時刻を、細かく聞き出した。

そうして分刻みで割り出した警らのバイクの位置を自分の地図に書き入れると、犯人が警らの目に触れずに被害者の拉致を実行したことが裏付けられ、それは同時に、まったく不規則な警らの道順を犯人はなぜ計算出来たのか、という当初の疑問をさらに固めることになった。

やはり、無線だ。警らが常時聞いている署活系の無線を、犯人は聞いていたのだと、合田はいまはほぼ確信していた。しかも、通常のデジタル信号にさらにスクランブルをかけている警察無線の傍受は、一般人には不可能なことを考えると、当夜犯行のために無線を聞いていた者は、一人しかいなかった。どこかの現職警察官しか。

警察官。

その一語は、事件発生直後に臨場した際、頭に満ちた靄《もや》に含まれていた何ものかが、論理のフィルターを通ってかたちになっただけではあった。しかし、かたちになったとたん、合田の頭をそこで停止させてしまうことにもなり、気分的には知らないほうがよかったというところだった。実際、合田はいまもまた考えるのを止《や》め、自分に割り当てられている仕事のほうに、慎重に頭を切り換えただけだった。不本意な現場で不本意なミスをしでかして、これ以上組織のなかで自分を貶《おとし》めるのは、自尊心が許さなかった。だいいち、四月には三十六になる男一人、刑事をやめて、ほかに何が出来るというのか。

合田はテレビの前から離れて、会議室の一角に出来上がっている遺留品捜査班の陣地に移動した。テーブルには、都内と近隣他県の各レンタカー会社営業所から提出を受けた貸出簿のコピーと、C号照会で上がってきた盗難車のリストが積んであった。レンタカーは昨日までに全部潰《つぶ》したが、盗難車のほうは、一台一台盗難届の書類を当たる作業で、盗まれたときの状況などが不備なものについては、持主に当たって再度聴き取りをやっているところだった。三月二十四日現在で届出の出ている盗難車の数は、一月からの三カ月分だけで約三百五十台。

合田が自分の組に割り当てられた分のリストを手に取ると、班長の強行九係の主任が「車種や色が特定されるかも知れないから、社長の聴取を待ってからにしよう」と声をかけてきた。

たしかにその通りだと思い、合田はいったん取り上げたコンピューター用紙をテーブルに戻した。被害者が無事に戻ってきたいま、車の割り出しが一刻を争うようなものでなくなったのも事実だった。

「金曜の夜にかっさらって、月曜の朝には身代金《みのしろきん》の要求もよこさないで解放か。いい加減にしてほしいな——」という、誰かのけだるい声がしていた。

「実行犯の奴《やつ》ら、週休二日の勤め人だろう」とまた別の誰かが言い、「土日に誘拐をやる余力があるんなら、よっぽどひまな職場だ」と笑う声があった。

合田は、仲間うちの無駄話から逃げて椅子《いす》に腰を下ろしながら、〈違う。犯行グループの中には週休二日でない奴もいたはずだ〉と自分に呟《つぶや》き、また少し無線の件を考えた。

事件当夜、署活系の無線を聞きながら、山王二丁目の警ら の動きを略取の実行犯たちに教えた何者かは、そのとき夜勤に就いていた可能性が高い。三月二十四日夜の、大森署を含む二方面九署の夜勤者の数は、せいぜい四百。そのうち、署活系のエスタボ（SW—101型無線機）を携帯している警ら、通信室の当直、PCに乗っていた者、無線機を携帯して張り番や行確に出ていた刑事のなかに共犯がいるのだとしたら、絞り込みは容易だ。否《いな》、これぐらいのことなら、鑑がすでにその線を洗い始めているだろう。

そう思うと、合田は出番のないまま終わりそうな自分のネタを、失意が来る前に再び胸のうちから追い出して、所在なく朝刊を開いた。

そういえば、昨日の日曜の全国紙には日之出ビールの全面広告が出ていた。『二十一世紀の日本のビールです。日之出『マイスター誕生』とあった。社長は無事に戻ってきたが、事件そのものが何らかのかたちで長引くなら、すでに始まっている夏商戦に影響が出るだろう。合田は、土曜日の未明に刑事部屋で呼集がかかるのを待ちながら目を通した有報のなかから、ひまに任せて、ビールの年間販売量三百五十万キロリットルという数字一つを手繰り寄せてみた。そうか、社長を解放してもビールという人質が残っているのだと、ふと考えた。

それから、合田の頭はそのまま数時間ほど遡《さかのぼ》り、当直に呼び出されて山王の現場に出かける前、自分が何をしていたのか思い出そうとしたが、それは無駄な努力に終わった。代わりに、金曜日の夜から空けたままの自宅に加納が立ち寄ったかも知れないと思うと、合田はその場でちょっと自分の携帯電話を取り出して、自宅の留守番電話の録音テープを確認した。案の定、加納は電話を入れてきていた。《いまは、二十六日の午後十時だ。当分君は帰れないだろうと思って、今日は家を覗《のぞ》いておいた。月末の支払いは立て替えておく。落ちついたら、電話をくれ》

何のことはない、今日には帰れそうだと思いながら携帯電話をしまい、窓の外へ目をやると、外は七時過ぎから溢《あふ》れ出した報道陣の靴音や話し声の渦だった。

＊

城山は、いまは富士吉田署の一室に座っていた。

消防署で保護されたときから、入れかわり立ちかわり、違う人間が現れて、「どこから歩いて来ましたか。一緒にいた人間はいますか。二人、いたんですか。男ですか。人相、体型は分かりますか。二人の男と一緒にいた場所はどこですか。いつ、一人になったんですか」と似たような質問を繰り返し、城山が分からないと応《こた》えると、今度は地図を広げて「歩いてきたのはこの道路ですか。この道路のどの辺ですか。どのぐらい歩きましたか」と始まった。

その間、「何か食べたいものはありますか」と尋ねられたので、城山は熱いお茶を一杯だけもらった。空腹感はなく、肩や肘《ひじ》の痛みも自分の身体《からだ》だという感覚はなかった。署に移されてすぐに簡単な身体検査を受けたとき、ベストの腹や背中、スラックスの腰に五枚も六枚も簡易カイロが貼《は》りついているのを見てびっくりしたが、それについては事実を隠す必要もなく、解放される直前に犯人の男たちが貼りつけていったと話しておいた。また上着のポケットからは、ネクタイ、ガムテープの切れ端、目隠しに使われてクシャクシャになった自分のハンカチも出てきた。それらは、その場で署員たちの白手袋の手に回収されていった。

城山はまず洗顔をさせてほしいと頼み、洗面所で何十時間ぶりかに顔を洗ったが、鏡に映した自分の姿の変わりようには、しばし声を失った。歳《とし》のわりに豊かだった髪の灰色の筋はもういくらも残っておらず、ほとんど白一色と化していた。眼窩《がんか》も頬も水が溜《た》まりそうなほど落ち込み、目尻《めじり》や口周りの皺《しわ》の数も倍ほどに増えて、これはどこの年寄りかと思わず鏡に見入った。しかし、何より強く胸を打ったのは、自分の目の陰鬱《いんうつ》さだった。誘拐犯から解放された安堵《あんど》や喜びがちらりとも窺《うかが》えないその目を見ると、心底、自分自身へのうっすらとした恐怖を覚えた。

城山は毛布一枚を被《かぶ》り、足元に電気ストーブを置いてもらった。部屋にはパイプ椅子が三つと机が二つあり、窓には鉄格子《ごうし》がはまっていて、スリ硝子《ガラス》の外は見えなかった。

城山は犯罪者ではなかったが、いまの心情はそれに近かった。消防署の前に立ったときから、警察に何をどう話せばいいのかと迷ったあげくに、とりあえず「大丈夫です。どこも悪くない。一人で歩けます。けがはありません」とかたくなに言い張り、五十六時間の経緯についても、「分かりません」「覚えていません」と言葉を濁して逃げてきたのだった。会社のほうへ、犯人側から何らかの要求が届いているのかいないのか。もし届いているのなら会社はどういう対応をしているのか。会社は警察に何をどう話しているのか。そうしたことも分からない時点では、へたなことを話せなかったのはもちろん、解放されたときに犯人から渡された写真一枚は、犯行グループが岡田経友会につながっている可能性も暗示していた。城山としては、出来ることなら貝になりたい心境だったが、こうしていられるのもあと数時間。本格的な事情聴取が始まれば、何かは言わなければならない。

城山が再三考えたのは、自分がどのみち警察にも会社にも嘘《うそ》をつくことになるという一点だった。その上で、双方に対して身内の醜聞を隠し通し、犯人の要求を呑《の》む方向で何とか事態の収拾を図ることを、城山は繰り返し自分に再確認した。というのも、こうして解放されて温かいストーブの前に座っていると、ふと、警察にすべてを話したほうが楽だという思いがやって来るからで、そのつど城山は、岡田経友会が絡んでいるのなら、警察にはなおさら何も期待出来ないと自分に言い聞かせ、落ちつけ、気を強く持てと自分を叱咤《しった》することになった。もうすぐ到着するという警視庁の捜査員を待ちながら、城山はいっときの猶予《ゆうよ》の時間を、そうして過ごしたのだ。

午前八時半、「警視庁の者です」と名乗って、男が四人現れた。城山は「このたびはご迷惑をおかけしました」と会釈《えしゃく》を返したが、そのとき捜査員たちが早速自分の表情や物言いを窺っているのに気づき、思わずぞっとして目を逸《そ》らさなければならなかった。

それからまた身元の確認になり、城山は本籍、住所氏名、年齢、職業を繰り返した。城山のほうからは、家族の安否を尋ねるだけで精一杯だった。家族には被害はないということだった。

続けて、東京へ移動する前に医師の診察を受けてほしいと言われ、「大丈夫ですから」と城山が断ると、「念のために」と押し切られた。そのときも、捜査員たちの射るような目線を感じた。職業柄身についている目線なのかとも思う一方、城山は、自分が警察から何らかの疑いをかけられているのだろうかと疑心暗鬼になり、しばらくの間、その理由の詮索《せんさく》や必要以上の用心に落ち込むことになった。

医師には目と口腔《こうくう》を調べられ、聴診器を当てられ、血圧を測られた。とくに問題はないということで医師が去ると、捜査員の一人はようやく「このたびは、大変な目に遇《あ》われましたね」という一言で、事件に触れた。あまりに判で押したような事務的な声だったので、ねぎらいの一言だという感じもなかった。

「早速ですが、犯人たちに心当たりは」と捜査員は尋ねてきた。

「ありません」と城山は応えた。

「ずっと目隠しをされていたということですが、犯人たちの姿はまったくご覧にならなかったのですか」

「見ませんでした」

「捜査本部であらためて詳細にお伺いしますが、現時点で、ご家族のほうにも犯人側からの連絡は一切ないという状況です。しかし計画的な犯行であることは間違いないので、金目当てにしろ、何らかの怨恨《えんこん》にしろ、御社と何らかの接点をもつ者の犯行の線で、現在、鋭意捜査を進めております」

会社との接点という一言を聞きながら、城山は自分の不在の間に、警察はそれこそ根掘り葉掘り会社に探りを入れてきたのだろうと想像した。去年秋に導入したリスクマネジメントのシステムによって、日之出は他社に比べても保秘の壁は強固になっており、そんな点でも、警察はおそらく苛立《いらだ》ちをつのらせているに違いなかった。

「ところで、山中を歩いて道路まで犯人たちに連れてこられたということですが、犯人たちは貴方《あなた》を置き去りにして逃げる際、『解放してやる』とはっきり言ったんですか」

「そうです」

「解放する理由は言いましたか」

「いいえ」

「貴方は目隠しをされていて見えなかったが、男二人が駆け出した直後、道路で車が発進する音が聞こえたんですね？　だとすれば、今日の未明に貴方を解放するのは、計画のうちだったとも考えられますな」

計画のうちであればどうだというのか、城山には憶測するすべもなかったが、解放の経緯に警察が不審を持っているらしい様子は、ひしひしと感じられた。否、大々的に誘拐された人間が二日後には無傷で戻ってきたのだから、この程度の警察の反応は常識の範囲だろうと、その場で思い直した。だいいち、犯人の要求を呑むと決めた以上、自分には犯人の指示通りに応える以外の選択肢はないのだ。ともかく《犯人は理由も言わずに人質を解放して逃げたのだ》と自分に言い聞かせた。被害者である自分がそう供述し続ける限り、警察は当面、それを否定する理由はないはずだ、と。

捜査員は長い間を置いて、「ところで、犯人は貴方を逮捕監禁した理由を言いましたか」と尋ねてきた。

「いいえ」城山が応えると、「具体的に、金の要求はありませんでしたか」と、鋭く畳みかけられた。

答えはイエスかノーしかなかった。城山は、返事に時間をかけては不自然だというとっさの判断を優先して、「ありました」と応えた。

「いくら、要求されましたか」

「六億です」

「受渡し方法等の指示はありましたか」

「追って連絡する、と──。申し訳ないが、会社がどうなっているか、気になってしかたがない。まず会社の人間に会って、業務に支障の出ていないことを確認させて下さい。話はそれからにしていただきたい」

城山はそうして、それ以上の質問を何とか防ぎながら、いま自分が喋《しゃべ》った内容を脳裏に火がつく思いで検証した。犯人の指示通り、《要求金額は六億》《受渡し方法は追って連絡する》と警察に言ったことは、ほんとうに正しい判断だったのか否か。犯人が六億要求したという話はいずれ報道され、日之出が要求通りに事を進めていると犯人が判断する材料になるだろう。しかしそれで事態が確実に収拾するという保証はあるのか。保証などなかった。

否、自分にはこれ以外の選択肢はないのだ。解放されたばかりのいま、警察や報道に必要以上の悪印象を与えないためにも、犯人の今後の出方を見極めるためにも、会社としての対策を固める時間を確保するためにも、とりあえず犯人の要求通りに言うしかないのだという再三の結論に達して、城山はやっと少し自分を慰めてみた。

午前九時前、捜査員に招き入れられて姿を現したのは、赤い目をして眼窩を落ちくぼませた倉田誠吾だった。スーツもネクタイも、金曜の夜に見たのと同じで、手に風呂敷《ふろしき》包みを二つと、スーツ用のキャリングケースを携えていた。

「このたびは大変お世話になりました。取り急ぎ、城山社長の奥様に揃《そろ》えていただいた着替えを持参いたしました」

倉田はそうしてまず捜査員に慇懃《いんぎん》な一礼をし、それから城山に向かって「お疲れ様でした。ご無事で何よりです」と深々と頭を下げた。

城山も機械的に椅子を立ち、「この通り無事です。ご心配をおかけして申し訳ない」と頭を下げた。

捜査員たちの注視するなか、顔を上げた倉田は、安堵と苦渋が激しく入り交じる目を一瞬、密《ひそ》かに城山の顔に据えた。城山もそれに応えて、〈分かります〉と目だけで精一杯の思いを伝えた。

城山が拉致《らち》されたとき、倉田がどんな思いで事態を受け止め、何を考え、何を案じたかは、想像するまでもなかった。一昨年、和解のかたちで関係を絶ったはずの岡田経友会顧問田丸善三が、今年になって突然、群馬県の山林の別荘地を購入するよう、しつこく持ちかけてきている件で、その交渉の矢面に立って断固、拒否し続けてきたのが倉田だった。城山は、監禁されていた間にその件に何度か思い当たり、ひょっとしたらと思った反面、いまや政財界にしっかり根を下ろしている岡田経友会が、いくらなんでもここまで荒っぽい脅しに出ることはないだろうと否定したのだった。しかし、犯人たちに姪《めい》の写真を見せられ、こうして倉田の顔を目の当《ま》たりにしたいま、やはり群馬県の別荘地の件かとあらためて考えながら、平静を取り繕うことに腐心した。そして倉田も、捜査員の前でそつなくふるまうだけの理性は保っており、感極まった声までつくって、城山の両手を握ってみせたのだった。

「さぞご心配でしたでしょう！　ご家族は皆さんご無事です。業務はまったく平常ですし、今朝の受注も順調に入ってきていますから、ご安心ください」

「そうですか。ほんとうにありがとう」城山もそつなく応えながら、自然に涙が滲《にじ》みそうになった。

「では、着替えをどうぞ」と捜査員に促されて、倉田は風呂敷包みを開き始めた。捜査員たちは席を外そうとはせず、風呂敷包みの中身をじっと見ていた。倉田はまず、歯ブラシやシェーバー、石鹼《せっけん》、タオル、櫛《くし》などの洗面具を城山に手渡し、「先に洗面をすませられたほうがよろしいでしょう」と言った。すると捜査員の一人がすかさず「洗面所はこちらです」と先に立ち、城山は結局、捜査員の見張り付きで洗面所に入ることになった。そこまで来て、城山はようやく、警察は自分と社の人間を二人きりにさせないようにしているのだと気づいたものだった。

実際、洗面所に入ってすぐ、城山はそれも無理はないと納得するはめになった。旅行用の携帯歯ブラシの容器には、そのサイズに合わせて折り畳んだ紙が入っていた。それをそっと左手の掌《てのひら》に握りしめて、城山は歯磨きを済ませ、さらにシェーバーで髭《ひげ》を当てった。それから、大用のトイレに入って掌の紙を開くと、B5判の薄い和紙にボールペンの細かい走り書きの文字が並んでいた。

冒頭に『城山社長殿』。末尾に『小谷』。小谷は、リスクマネジメント会社の代表者の氏名だった。

『警察の聴取では、以下の点にご留意下さい。

一、全面的に捜査に協力する意志を表明すること。

一、代わりに、報道への情報漏れの防止を強く依頼すること。

一、犯人の金品の要求に応じる必要が生じた場合に備えて、犯人の真意にかかわらず、脅迫対象はあくまで企業であることを印象づけること。個人に対する脅迫に企業が金を支出することは、背任に当たる恐れがあります。

一、今後の展開が予想出来ない現時点では、初回の事情聴取での踏み込んだ供述は避けたほうが賢明です。

一、なお、読み終えられましたら、この紙は処分して下さい』

その文面の余白には、倉田の筆跡で『Oの関与の確証は得られず。しかし、彼らが事件に乗じてくる可能性は大。ご留意を』と書かれていた。仮に実行犯が岡田絡《がら》みではなくとも、結果は同じ。城山はそう判断した。

城山は、その一枚の紙をトイレットペーパーと一緒に流し去って、トイレを出た。その後、洗顔をし、逆立った白髪に櫛を入れると、二日半前とは別人のようでも、ともかく何とか見られる姿にはなった。

それから城山は元の部屋に戻り、捜査員たちの目の前で身づくろいをした。屈辱も我慢の限界だったが、しかしそうした緊張のせいで、真新しいワイシャツに袖《そで》を通すころには、城山の頭には事務的な懸案をいくつか、規則正しく思い浮かべる余裕も生まれてはいた。ボタンをかけながら、城山は倉田に向かってたて続けに伝言を並べた。

「まず全支社支店、工場、関連会社の責任者宛《あ》てに、ご心配をおかけしたが社長は無事戻ったので云々《うんぬん》の文書をファックスで送って下さい。それから、今日じゅうに、株主と取引先宛ての挨拶《あいさつ》状を社長名で送付すること。大手の本社支店には、役員と支社支店長が手分けして挨拶に行って下さい。ところで、社としての記者会見はどうなっていますか」

「社長のご様子を私が伺ってからということで、午前十時に予定しています」

「私自身は明日じゅうに記者会見をやると伝えて下さい。それから、月曜の定例事項は各部とも滞りなく行って、報告を上げるように。取締役会は、ちょっと遅くなるかも知れませんが、今日じゅうに本社詰めの専務、常務だけで開きたいので、手配をお願いします。秘書室の野崎さんには、遅くなるようだったら待たなくていいからと言ってあげて下さい」

「承知しました」

「それから、うちの者に、帰りは少し遅くなるかも知れないと——」

「お伝えします。ご安心下さい」

城山は新しいネクタイを結び、上着に袖を通した。そうして身だしなみを整えると、生き返ったような心地とまではいかなかったが、この三時間ほどの間に紆《う》余曲折したさまざまな思いをやっと、整理することが出来たような気がした。城山が脱いだものは、付着物の検査をするという理由で押収《おうしゅう》され、捜査員が『白ワイシャツ一点、ウールベスト一点』などと書類に記した。アタッシェケースも、指紋採取のためにと取り上げられ、最後に住所氏名を自署して拇印《ぼいん》を押すように言われた。見ると、《提出者処分意見》とやらの欄に、いつの間にか『返却して下さい』と書いてあった。

「では、よろしいですか」という捜査員の一言で、城山は捜査員たちに付き添われて部屋を出た。後ろで、倉田が「カメラがいますから！」と叫んだ意味は、玄関前のガラス戸の前に出たときに分かった。車寄せの周囲はテレビカメラや新聞記者で取り囲まれ、城山の一歩が報道関係者の十歩になる勢いで迫ってきた。多少は署員の制止もあったが、そんなものは城山の目にはないに等しかった。押し寄せてくる人垣を眺めて城山は数秒呆然《ぼうぜん》と立ちすくみ、一つ一つの無機質な顔を見た。男もいれば女もいる。それらの顔が何を求めているのか、しばし理解出来ず、そのとき後ろから「テレビです、頭下げて——」と囁《ささや》く倉田の声が聞こえてやっと、我に返った。

城山はとりあえず報道陣に向かって一礼し、捜査員に促されるままに車に乗り込んだが、ドアが閉まる直前になってやっと、いくつかの叫び声を聞き分けた。「いまのお気持ちは！」「監禁中に何を考えておられましたか！」「日之出ビールが狙《ねら》われたことについてのご感想を！」

いまの気持ち。監禁中に考えたこと。日之出が標的になったことについての感想——？

いままた、何も分からなくなったと思いながら、城山は乗用車の後部座席に身を埋めて頭を垂れた。分かっていたのは、この自分の状況はたしかに犯罪者のようなものだということと、目の前の報道陣も含めて、拉致される間には想像もしていなかった実社会というやつに自分は投げ込まれたのだという、漠とした実感だけだった。

＊

夕刊の早版各紙の一面はどれも、端から端までぶち抜いた大凸版の大見出しだった。東邦は、『日之出ビール社長五十六時間ぶり解放』の大見出しに、『深夜のら致監禁』と縦見出しを付け、四段扱いの自宅全景の写真を載せた。各紙とも、早版の段階では記事の中身は記者発表の内容そのままで、勝負はこれからだったが、いずれにしろ、二版と三版は一面と社会面の大半、最終四版は紙面の大半が日之出事件関連の記事と写真で埋まることになる。

時刻は、午前十時前だった。編集局のフロアじゅうのテレビで、中継を続ける民放の画面が躍っていた。ヘリコプターの爆音に混じって、《城山社長を乗せた車はいま、相模湖《さがみこ》インターを通過しました。捜査本部の置かれている大森署まで、あと四十分ぐらいでしょうか！》とわめく女性レポーターのきんきん声が降ってくる。

警視庁クラブとの直通電話の受話器を置いた事件担当デスクの田部が、「次の記者会見は正午！」と大声で告げていた。「整理さぁん！　一面、二段あけといて。ドキュメントが入るから。岡村君、識者談話、まとまったか。根来君！　社会面にあと一つ、関連の原稿が欲しい。いま、そこに何がある？」

「企業テロの年表、社長プロフィール、各界の社長人物評、逮捕監禁事件の検挙例、日之出ビール関連の訴訟一覧、ビール業界の商環境、事件当日の新商品発表会、就職人気度に見る日之出の企業イメージ――」根来は、机に積み上がった原稿を左手でめくりながら無作為に並べ立てた。右手は、八王子支局の記者から入っている電話を保留にし、目の半分はメモを取りかけているパソコン画面の上だった。

「その、社長プロフィールと人物評の原稿、見せて」と田部は言い、根来は左手で摑《つか》み出した原稿を「これ、デスクに」と近くの記者へ手渡し、電話に戻った。「すみません、どうぞ続けて」

電話の記者は《――で、その用地買収の話があったのは昭和十五年の初めごろで、地主と覚書が交わされたらしいんですが、それが昭和十八年に白紙撤回になって、その件で地主のほうが訴訟を起こしたということです。そのあと、和解が成立したそうですから、日之出側がいくらか払ったんでしょう。まあ、そういう話です》と言った。

社会部の柱時計は午前九時五十五分を指していた。二版の締切りまで、あと半時間。根来は電話を聞き取りながらキーボードを叩《たた》き、『訴訟関連⑩――埼玉県。昭和十五年工場用地買収で覚書。十八年白紙撤回。地主が訴訟、和解。（＊）被差別部落。しこり、残る？』と短いメモを作成した。八王子の記者は以前浦和支局にいた男で、今朝のテレビニュースで日之出ビール社長逮捕監禁の事件を知った知り合いの埼玉出身の解同関係者から、たまたま半世紀以上前の地元の出来事を聞き及んだからと電話を入れてきたのだった。《いまごろ取り上げるネタでもないでしょうが、一応続報は入れますから》と言って、八王子からの短い電話は切れた。

工場用地取得に絡んで地主と訴訟沙汰《ざた》。小作地を失う被差別部落の住民の抵抗。糾弾。根来はほんの数秒、入ったばかりのネタの要点を反芻《はんすう》した。実際のところ、一つの企業について、平生の企業活動から派生する問題を一つ一つ拾い始めたら、いろいろ出てきて当たり前だが、最近の話ならともかく、戦前のその一件と現在の日之出を結びつける必然性は小さい。そうは思ったが、意味があってもなくても情報は情報。根来の手は機械的に動き、取ったばかりのメモを訴訟関連のファイルに落とした。その手元に、今しがたデスクに回したばかりの原稿が戻ってきたかと思うと、「社長プロフィールで行くから」と田部の声が飛んできた。「それ、五十行に絞って！」

「はい」と根来は片手を挙げて応《こた》え、当の原稿を書いた遊軍の記者を目で探したが、いなかった。仕方なく戻ってきた原稿をひったくって自分で朱を入れ始めると、頭の上のテレビが《日之出ビールの記者会見が始まる模様です、中継を日之出本社に切り換えます!》とがなり立てた。
根来は手を止めて顔を上げた。何本ものマイクを前に、机に額がつくほど深々と頭を下げている日之出ビールの役員が二人、画面に映し出された。頭頂の白髪がキツツキのように立っている痩身《そうしん》の男が、《副社長の白井でございます。報道の皆様にはわざわざお集まりいただき、恐縮に存じます》と目線を下げて原稿を読み上げ始めた。《去る二十四日夜、弊社代表取締役社長城山恭介が、自宅前から何者かに連れ去られ、監禁されるという不測の事態が発生いたしましたが、本日早朝警察より、城山を山梨県内で無事保護したとの連絡を頂戴いたしました。このたびは、何より株主の皆様、お得意様の皆様、そして市民の皆様に多大なご心配をおかけいたしまして、まことにお詫《わ》びの言葉もございません。このような事件に巻き込まれまして、弊社といたしましてはまったく心当たりもなく、当惑するのみでございますが、一日も早く捜査が進展し、犯人が逮捕されることを願っております》
挨拶先の筆頭が株主というのは、ちょっと耳に止まったが、この手の会見としてはとくに新味はなかった。根来は原稿に戻り、各界のコメントを足したり引いたりして、日之出ビール社長城山恭介の人となりを五十行にまとめる作業を急いだ。その間も、周りで飛び交う声は止《や》まず、談話取りの電話の話し声はざわざわ波うち続け、クラブの直通電話はリン、ガシャン、リン、ガシャンだった。報道協定解除の直後から、クラブはもちろん、事件の周辺取材に飛び出した記者たちからは引きも切らず電話が入ってくる。さらに、それに手を加えて掲載を待つ関連雑観、訂正のために回されてくる原稿、出番があるのかないのか分からないままに積み上がってゆく原稿の処理に追われて、根来の手は休みなく動き続けていた。それでも頭のほうは、長年の習性で一つ一つのネタに出来るだけの注意を払い、整理し、要点を掴もうとするのだが、なかなか追いつかない。どこかにあるのかも知れない事の核心を、確実に拾うすべはあるのか、ないのか。根来には自信はなかった。

「総会屋の線、当たりがないらしいですね」と漏らして、遊軍の若手が近くの席に着いた。片手にタバコ、片手に紙コップのコーヒーだ。目と鼻の先でぽとりと机に落ちた灰を、根来は片手でぱっぱっとはたいた。「誰に聞いたの？」

「デスクがクラブと電話で話していました」

鳴り続ける電話の狭間《はざま》で、「場所、分かった！　樹海だ、県道鳴沢富士宮線！」と誰かが叫んでいた。即座に「地図！　バイパスからの距離は。現場検証の入っている位置、分かるか」と田部の大声が上がる。それに重なるように、「クラブからです！　検証は別荘地。樹海内に二カ所ある別荘地の一つ――」という報告。「通信部から訂正。消防署員の名前、字が間違っている。コウノのコウは甲乙のコウです」という声。「整理さん！　社会面、ちょっと待って！」と田部が怒鳴る。「田部さぁん、社会面の見出し、横凸版、『牙《きば》をむく企業テロ』でいくから。一面の見出しはそのまま！」と整理部から返事が返ってくる。

そのバタバタの最中、突然「あ！」と一声発したサブデスクがテレビのほうへすっ飛んでいったかと思うと、画面にはいつの間にか、山王二丁目の社長宅の玄関前に立つ家族が映っていた。「メモ、メモ」と何人かが紙とボールペンをひったくった。カメラとマイクに取り囲まれてのけぞっている若い男は、緊張や当惑にちょっと怒りの色を混ぜた感じの顔つきだった。《城山の長男です。このたびは大変なご心配をおかけいたしまして――父は無事との連絡をいただき、家族全員ほっとして――》

「岡村！　談話二つ削って、この息子の談話、入れて。整理さん！　社会面、あと五分待って。根来君、プロフィール！」

頭上のテレビでは、かしましい声が折り重なっていた。《五十六時間のご家族のお気持ちを一言で言うと、どうでしたか》《企業幹部を狙うテロが多発していますが、社長はご家族にそういう話をなさったことは》《無事保護の一報が入ったとき、何しておら

れました？》《奥様のご様子を一言！》

根来の赤えんぴつはプロフィールの原稿の上を機械的に往復し、削除と差換えと訂正で真っ赤になった原稿の行数をざっと数え直す。「これ、デスクに」と後ろの記者に手渡してから、根来はテレビへ目を戻し、城山の息子の顔に見入った。《いえ——あの——》と重い口を開いている息子が一瞬、こめかみを震わせ、報道陣を睨《にら》みつけるのを根来は見つめた。

《ご近所にご迷惑がかかりますので、どうかこの辺でご勘弁を——》そう言って、息子は口許《くちもと》を歪《ゆが》めるやいなや、その自分の顔を隠すかのように、上体を四十五度に折るお辞儀をした。

＊

電車の車窓から差し込む朝の日差しが背に当たっていた。いったん捜査本部を出ると、事件の臭《にお》いは急速に遠のき、不快な眠気ばかりつきまとう。

「社長が大森に着くのは十時半過ぎだったな。テレビに映るな、きっと」

合田がそう言うと、連れの防犯課の係長は「え？」と聞き返してきた。

「日之出ビール社長の顔」と合田は言い添えた。

「顔がどうした」

「一度ぐらい、素の顔を見ておかないと」

「なんで」

なんでと尋ねられて、合田はちょっと返答に窮した。時間が経《た》てば経つほど、被害者は対外的な防備を固め、知恵をつけ、顔を作るようになる。これからも、記者会見などで城山恭介の顔を見る機会はあるだろうが、そのときはすでに別人の顔になっている可能性がある。事件に巻き込まれた被害者の、山のような思いが変形しないうちにその素顔を見ることが出来る機会といえば、富士吉田から東京へ戻ってきた辺りが限度だった。大森署に入るときの顔を逃したら、もうチャンスはない。ブツの捜査には関係ないし、ちょっとは励みになる、といった次元の話でもないが、ただ見たいだけだった。

「一兆円企業の社長の顔なんか、そうそう拝む機会はないし」と適当に応えて、合田は話を打ち切った。

午前十時三十二分だった。合田は相方の係長と一緒に西武新宿線の田無駅に降り立つと、向かうべきバス停とは反対方向の南口へ先に立って走り出した。駅でも喫茶店でもテレビは事件一色だが、盗難車両の聞き込みのために始終移動している身では、なかなか目当ての中継にうまく遭遇することもない。合田は、駅からほんの五十メートルほどのところにある個人病院に駆け込み、待合室のテレビの前に立った。

民放の画面は期待した通り、大森署の玄関前に鈴なりの報道陣を映していた。社長はまだ到着していない。玄関から入るのなら、確実に顔は見えると思うとほっとして、合田は空いているベンチに腰を下ろし、画面のほうへ首を突き出した。遅れて隣に座った相方が、口の端を歪めて嗤《わら》った。「あんたなあ、惨《みじ》めだと思わんか。こんなところでテレビにかじりついて」

「テレビがなかったら、もっと惨めだ」

「あんた、変わってるな」

相方は黙り込み、合田は画面に見入った。

見慣れた高架とその谷間の第一京浜やオフィスビルの連なりが作る風景は、合田には端的に《窒息》という記号だった。脚立《きゃたつ》を並べて路上を埋めている報道陣も、カメラというカメラが注視している第一京浜の車の流れも、そのときとくに目に入っていたわけではなく、窒息感の傍らで神妙に動き続ける自分の心臓を訝《いぶか》りながら、自分という個体は何のために生まれてきたのかなと、実りのない自問に陥っていただけだった。

しかし一方では、《窒息》の底には一部に熱をもった鬱屈《うっくつ》の溶岩が溜《た》まっていて、間を置いてはどこからともなく噴き出してくる。考えるなと自分に言い聞かせては考え、期待していないつもりなのに期待し、勝手に足は動き、勝手に苛立《いらだ》ち、突然どうしても被害者の顔を拝まずにいられなくなったりする。その衝動は、本庁にいたころには想像もつかなかった激烈さで、自分でも怖くなることがあった。

数分待っていると、庁舎の玄関前を取り囲んだ報道陣の山が一斉にうごめき出して、中継のカメラは警察署前交差点に現れた先導のＰＣと、それに続く黒塗りのクラウンを捉《とら》えた。一斉にフラッシュが飛ぶ。画像が揺れる。画面の半分は整理の警官の制服で遮られ、玄関前に止まった車はほとんど屋根しか見えない。

車のドアが開く。私服の頭が三つ、四つ右へ左へ動き、それに囲まれるようにして白髪の頭が現れる。意外に上背があり、頭は小さい。その頭が軽い会釈《えしゃく》をするように左右に振れながら、ほんの数メートルの歩道を移動し始めると、その横顔と上半身が何度か人垣の隙間《すきま》を横切って現れた。城山恭介は見るからに仕立ての良さそうな濃いグレーの上着に金茶色系のネクタイを締め、真新しいワイシャツの襟の白さも眩《まぶ》しかった。短めの七三に分けられた髪も櫛《くし》が入っていた。早々と事件の臭いをぬぐい去ったその身だしなみと同じく、何度か見えた顔のほうも、五十六時間の監禁から解放された被害者の表情をかなりの部分、洗い落としてしまっているようだった。写真よりはかなり頰が落ち、顎《あご》は尖《とが》っているが、それは犯罪の被害者が通常余儀なくされる怯《おび》えや憔悴《しょうすい》といった心身の傷とは少し様子が違う、とも思った。何らかの具体的な思念に頭を占領されているゆえの放心や堅さか。少なくとも監禁中の身体的な恐怖は小さかったのか。

全部合わせてもほんの十秒足らずの間だったが、合田は城山恭介の顔一つに見入り、凶悪事犯の被害者には見えない整然とした外見や、誠実にもしたたかにも見えるその表情を目に焼き付けた。なかでも、取り囲む報道陣や警察に城山が投げかける表情の堅固さは目を引き、合田はふと、ときどき金融事件などで捕まる企業人たちの顔はこれだな、と思った。企業人たちは、とりあえずは企業論理と市民感覚と個人の三つの鎧《よろい》で身を固めて、司法組織と対峙《たいじ》してくる。城山は、いまは被害者の立場だが、この先、いずれは捜査と企業の双方の利害が対立することを予想しているのか、警察の捜査に全面的に依存するような顔はしていなかった。

報道陣のカメラが追うなか、城山は刑事たちに脇《わき》を固められてあっという間に玄関に消えてしまい、合田はベンチを立った。早速、「社長の顔を拝んだ感想は」と相方は尋ねてきた。

「ガードが固そうだ」と合田は返事をした。

「裏取引をしているぜ、あの顔は」相方は言ったが、合田の頭はそんな判断をする以前のところで止まっており、イエスともノーとも応えられなかった。日本人の大多数が生きている企業社会についてほとんど何も知らない自分の目に、日之出ビールという大企業の社長その人の表情が、どの程度、的確に捉えられたというのか、あらためて考えると、合田には自信はなかった。そうして、わざわざ行きずりの病院に立ち寄って、逮捕監禁事件の被害者の顔一つを見た結果、自分自身の人生の狭さに新たな窒息感を覚えた、というのがほんとうの感想だった。

合田は連れと一緒に駅の北口のバス停に戻り、バスを待った。午前中の聞き込み先は、連絡の取れないひばりが丘団地の住人一名。一カ月前にその住人から車両盗難届があったワゴン車のナンバープレートが、二週間前に北区内で放置車両として記録されていた別メーカーのワゴン車についていたという一件だった。所轄《しょかつ》が、プレートを付け替えられたその放置車両一台の持主を割り出せずにいる間に、そのワゴン車はまた消え失《う》せてしまい、いまはどこに行ったのか分からない。しかし、それら二台の車体の色は、山王の事件現場近くの路地で目撃されたという濃い色ではなく、どちらも白だった。

「ところで合田さん。三階のトイレの前で安西のおっさんと密会か」

突然、連れはそんなことを呟《つぶや》き、合田はだめ押しの苛立ちを感じながら、「羨《うらや》ましいか」と吐き捨てた。

連れは続けて、「本庁の二課の奴《やつ》らが階段口から見ていたぜ。福島で弁護士をやっている安西の実兄は、日共だっていう話だしな」などと囁《ささや》いた。

そうと聞けば、警察という反共組織のなかでの、安西係長の下積み人生もいくらか説明はついたが、合田がいまさらながらに用心を働かせたのは、当の安西ではなく、日本共産党どうこうという話をどこで摑《つか》んだのか分からない、連れ合いに対してだった。合田は連れの顔を見、「何をやっているんだろうな、俺たちの組織は——」と苦笑いを作った。「まあ、たしかに」と連れは首をすくめ、同じく作り笑いを返して欠伸《あくび》をした。

合田は目を逸《そ》らせ、残り少ない忍耐をふり絞って、いったい誰が悪いのだろうかとさらに考えてみた。いまごろ捜査の中心にいる特殊班や二課の何人かは、事件の全容を突きとめようと全神経を尖らせており、その動きが見えない末端の自分たちは欠伸をしており、また別のところでは、誰かが事件に関係のない内通ごっこにかまけているというのは。

＊

ピピピと鳴り出した腰のポケットベルを左手で止めて、久保晴久はまず、午前十一時五十一分という時刻を腕時計で確認し、次いでポケットベルの液晶標示の相手先番号を見た。相手は私用の携帯電話からかけていた。両隣の顔が、ちらりとこちらを窺《うかが》った。久保は書きかけの三版用の原稿を置き、長くても一分で済ませたいと思いながら、外線電話の受話器を取った。つながった電話に「竹内さん？　久保です」と言うと、《そっちも大変だね》と丸の内署勤務の相手はいくらか悠長な声で応《こた》えた。警察記者とネタ元が立っている地平の違いは、いつでも多少の波長の違いになり、その差が埋まったことはないのだが、それでも、ネタ元から入る電話には無条件に反応するのが、警察記者の性《さが》だった。

時計を睨みながら久保は苛立ち、ちょっと浮足立って「ええ、まあ」と応え、「連絡すみません。いま、どちらです？」と努めて平静な声を出した。

《外回り》と相手は言った。《朝、テレビ見ていてさ。久保さん、土曜の夜の電話で、企業関連で何かないかって言っていたでしょう。俺の後輩で、二年前まで品川署の刑事課で記録をやっていた奴がいるんだが――》

「あ、それは是非お願いします。先方のご都合に合わせさせていただきますんで、是非」

《名前は北川。いまは深川署にいる警部補だ。何年か前、日之出絡《がら》みで何かあったという話だ》

日之出絡みと聞いただけで「それはもう是非！」と応える声がうわずった。

《まあ、役に立つかどうか分からんが、そっち、早い方がいいんでしょ？　こっちから北川に連絡取って、午後にもう一度電話入れるから。電話は二時以降がいいんだっけ？》

「重ね重ねすみません。お電話お待ちしています」

《じゃあ、また後で》

記者には、この段階ではとりあえず、ネタ元の情報の中身を云々《うんぬん》する余裕も権利もない。地平の違いは往々にして焦点の差にもなるが、中身は手にしてから判断すればいいことで、それ以前の段階では電話一本、目配せ一つ、呼吸一つ、何でも食らいついてとにかく手にすることが先決だった。

「あ、山田だ、ほら、うちの山田——」と、後ろの机から香川サブキャップの声が上がった。民放のテレビ中継は、いつの間にか、被害者の監禁場所の捜索が続く樹海道路の途中に集まった報道陣の映像に切り替わっていた。久保もちらりとテレビへ目をやった。山田という遊軍記者が、通行止めのロープ前で背中を丸めて足踏みをしているのが映っていた。足元は、解けた雪がぐしゃぐしゃのみぞれ状態だ。

「間に合うかな——」横目でテレビを見やった菅野キャップの声がした。

地元の富士吉田署と警視庁の捜査員が四十数名、監禁場所とおぼしき別荘地の捜索に入って二時間。樹海道路から入ることの出来る別荘地は二つあり、どちらも百万坪以上の原野に細い道路を切り開いて、そこに大小の別荘が点在しているらしい。この季節、ほとんど人影もないが、現地に入っている記者の話では、三日前の雪はいったん解けて車両の轍《わだち》は消えてしまい、昨夜の雪が新たに凍っているというから、靴痕跡《こんせき》やタイヤ痕の捜索に手間取っているのかも知れなかった。見つかるのは時間の問題だが、夕刊の最終版の締切りに間に合うかどうか。久保の書いた予定稿では、『監禁場所を〇〇別荘地〇番の一軒と特定、現場検証に入った』と書き、『現場は──』と続く状況説明に四行空けてあった。

午前十一時五十三分。久保は中断した原稿に戻り、最後の段の行数を数え直した。『──犯人の目的や動機が分からないまま被害者が無事保護されるという展開を受けて、捜査本部は捜査員を三百名に増員し、徹底した聞き込み捜査と目撃情報収集に当たっている。また、日之出ビールは午前十時に本社ビルで記者会見を行い、白井誠一副社長がほっとした表情で事件の経緯を報告、思いがけない凶悪事件の被害者となった困惑と、犯人に対する強い憤《いきどお》りを訴えた』

これで、二版に十三行追加。久保は、『犯人の目的や動機が分からないまま──』の表現に迷った。書き過ぎか。解放の経緯が納得出来ないという私情が出てしまっているか。エイッと削って、その段を『城山社長、無事保護の一報を受けて――』と書き直す。『犯人に対する強い憤り』。はて、記者会見に臨んだ副社長の口調は、それほど強い憤りだったかなと思い返し、どっちでもいいと思いながら『強い』の一語も削り取った。

一時間半前に出稿した二版は、何とか事実関係だけを流し込んで記事の体裁を整えたが、このままでは三版も大した追加は出来そうになく、久保は、自分で書きながらも苛々した。この二日半、十人ほどいるネタ元に電話をかけ続けてきたが、今回は普段にもまして、特捜本部にいるネタ元の口は堅いのだった。一方、保秘が徹底しているために、本部に関係のないネタ元には捜査情報はまったく入らず、その結果久保にもネタが入らない、という状況が続いていた。

あと三分で始まる正午の記者会見で、何が出てくるか。拉致《らち》から解放までの経過。監禁の間の様子。犯人グループの言動。現金要求の有無。犯人像に結びつくような一言。それだけあれば、三版と最終版は何とか埋まるが、問題は次の朝刊以降だった。何でもいいからネタを仕入れなければ、いったい明日はどうするんだと焦《あせ》りながら、久保は時計を見、空白を残したままの原稿をいったん置いて、席を立った。隣では、栗山がさっさとドキュメントの時刻だけ割りつけて、本文のあちこちを白紙にしたまま、外線電話で誰かと話し込んでおり、さらにその隣では、考える前に走り出したが勝ちの取材競争が性格的に合わない後輩の近藤が、泣き出しそうな顔で、やはり黙々と電話の番号ボタンを押し続けていた。その二人と菅野キャップに、「会見に行ってきます」と声をかけて、久保はボックスを出た。

後輩のフォローをしてやればいいのだろうが、気持ちとは裏腹に、久保にはいつも余裕がなかった。仙台支局から警視庁詰めになって二年、久保自身が三百六十五日、他紙に一歩も二歩も後れを取っているのではないかという強迫観念に追い立てられていた。いや、要は始末に負えない万年興奮状態だった。徒歩で十数秒の記者会見場へ向かう間も、久保は、いまさらながらに自分がふわふわと興奮しているのを感じ、少し居心地の悪さに浸った。ネタがないならないで、焦りながら興奮し、あっちへ走りこっちへ走りしている自分に興奮して、最後には自分が何をやっているのか分からなくなってくる。そんな頭で、昼も夜もネタのことを考えているのが実情だった。

実際、本来なら被害者の無事保護の一報は、これまで公表されなかったいろいろな捜査情報の放出につながるはずだが、今回はそうはなりそうになかった。五十六時間の監禁の後に、突然人質が解放されたのは、密《ひそ》かに身代金《みのしろきん》が支払われたか、裏取引があったかのどちらかだと見るべきだったが、その手の話になると、まず裏が取れることはない。

しかも、捜査が長引くのは必至で、企業の口も警察の口も、ますます堅くなることが予想されるだけだった。

こうなったら、どんな小さなネタでも拾わなければ他紙に抜かれると思うと、久保はさらに焦りながら、最終版出稿後の今日の取材の予定を頭に並べていた。まずは、いまからある記者会見の内容次第で取材先を決め、いくつかのネタ元に電話を入れること。さらに、午後二時過ぎに入る丸の内署のネタ元の電話。時間があれば、警視庁から歩いて五分の距離にある東邦本社の社会部に寄って、雑談がてら何か仕入れ、夜はネタ元の接待兼取材。夜回り。

そこまで考えたところで、久保は通路のすみに寄ってそっと財布を取り出し、十万ほど入っているのを確かめた。ネタ元によっては、クレジットカードの使えない店で呑《の》むこともあるからだった。その財布をもう一度懐《ふところ》にしまって、久保は記者会見場へ飛び込んだ。


（中巻につづく）

伊集院 静著
海峡
―海峡 幼年篇―

かけがえのない人との別れ。切なさを噛みしめて少年は海を見つめた――。瀬戸内の小さな港町で過ごした少年時代を描く自伝的長編。

伊集院 静著
白い声（上・下）

奇跡の出逢いから運命の恋が始まる…。無償の愛を抱いた女と悲哀を抱いた男。二つの魂が交錯し、やがて至福の時を迎える恋愛長篇。

伊坂幸太郎著
ラッシュライフ

未来を決めるのは、神の恩寵か、偶然の連鎖か。リンクして並走する4つの人生にバラバラ死体が乱入。巧緻な騙し絵のごとき物語。

伊坂幸太郎著
重力ピエロ

ルールは越えられるか、世界は変えられるか。未知の感動をたたえて、発表時より読書界を圧倒した記念碑的名作、待望の文庫化！

石田衣良著
4TEEN【フォーティーン】
直木賞受賞

ぼくらはきっと空だって飛べる！ 月島の街で成長する14歳の中学生4人組の、爽快でちょっと切ない青春ストーリー。直木賞受賞作。

石田衣良著
眠れぬ真珠
島清恋愛文学賞受賞

人生の後半に訪れた恋が、孤高の魂を持つ咲世子を少女に変える。恋人は17歳年下。情熱と抒情に彩られた、著者最高の恋愛小説。

内田幹樹著
操縦不能
高度も速度も分からない！　万策尽きて墜落を待つばかりのジャンボ機を、地上でシミュレーターを操る、元訓練生・岡本望美が救う。

内田幹樹著
査察機長
成田―NY。ミスひとつで機長資格を剝奪される査察飛行が始まった。あなたの知らない操縦席の真実を描いた、内田幹樹の最高傑作。

逢坂　剛著
相棒に気をつけろ
七つの顔を持つ男と、自称経営コンサルタントの女……。世渡り上手の世間師コンビが大活躍する、ウイットたっぷりの痛快短編集。

小野不由美著
屍鬼（一～五）
「村は死によって包囲されている」。一人、また一人、相次ぐ葬送。殺人か、疫病か、それとも……。超弩級の恐怖が音もなく忍び寄る。

小野不由美著
黒祠の島
私は失踪した女性作家を探すため、禁断の島を訪れた。奇怪な神をあがめる人々。凄惨な殺人事件……。絶賛を浴びた長篇ミステリ。

大沢在昌著
らんぼう
検挙率トップも被疑者受傷率120％。こんな刑事にはゼッタイ捕まりたくない！　キレやすく凶暴な史上最悪コンビが暴走する10篇。

北森鴻著

凶笑面
―蓮丈那智フィールドファイルI―

封じられた怨念は、新たな血を求め甦る――。異端の民俗学者・蓮丈那智の赴く所、怪奇な事件が起こる。本邦初、民俗学ミステリー。

北森鴻著

触身仏
―蓮丈那智フィールドファイルII―

美貌の民俗学者が、即身仏の調査に赴いた村で、いにしえの悲劇の封印をほどき、現代の失踪事件を解決する。本格民俗学ミステリ。

北森鴻著

写楽・考
―蓮丈那智フィールドファイルIII―

謎のヴェールに覆われた天才絵師、東洲斎写楽。異端の女性学者が、その浮世絵に隠された秘密をついに解き明かす。本格ミステリ集。

黒川博行著

大博打

なんと身代金として金塊二トンを要求する誘拐事件が発生。驚愕する大阪府警だが、犯行計画は緻密を極めた。驚天動地のサスペンス。

黒川博行著

疫病神

建設コンサルタントと現役ヤクザが、産廃処理場の巨大な利権をめぐる闇の構図に挑んだ。欲望と暴力の世界を描き切る圧倒的長編！

黒川博行著

左手首

一攫千金か奈落の底か、人生を賭した最後のキツイ一発！　裏社会で燻る面々が立てた完全無欠の犯行計画とは？　浪速ノワール七篇。

小池真理子著
無伴奏

愛した人には思いがけない秘密があった――。一途すぎる想いが引き寄せた悲劇を描き、『恋』『欲望』への原点ともなった本格恋愛小説。

小池真理子著
恋

直木賞受賞

誰もが落ちる恋には違いない。でもあれは、ほんとうの恋だった――。痛いほどの恋情を綴り小池文学の頂点を極めた直木賞受賞作。

近藤史恵著
サクリファイス

大藪春彦賞受賞

自転車ロードレースチームに所属する、白石誓。欧州遠征中、彼の目の前で悲劇は起きた！　青春小説×サスペンス、奇跡の二重奏。

今野敏著
隠蔽捜査

吉川英治文学新人賞受賞

東大卒、警視長、竜崎伸也。ただのキャリアではない。彼は信じる正義のため、警察組織という迷宮に挑む。ミステリ史に輝く長篇。

今野敏著
果断

―隠蔽捜査2―
山本周五郎賞・日本推理作家協会賞受賞

本庁から大森署署長へと左遷されたキャリア、竜崎伸也。着任早々、彼は拳銃犯立てこもり事件に直面する。これが本物の警察小説だ！

佐藤賢一著
双頭の鷲
（上・下）

英国との百年戦争で劣勢に陥ったフランスを救うは、ベルトラン・デュ・ゲクラン。傭兵隊長から大元帥となった男の、痛快な一代記。

佐々木譲著

ストックホルムの密使（上・下）

一九四五年七月、日本を救う極秘情報を携えて、二人の密使がストックホルムから放たれた……。〈第二次大戦秘話三部作〉完結編。

佐々木譲著

制服捜査

十三年前、夏祭の夜に起きてしまった少女失踪事件。新任の駐在警官は封印された禁忌に迫ってゆく――。絶賛を浴びた警察小説集。

佐々木譲著

警官の血（上・下）

初代・清二の断ち切られた志。二代・民雄を蝕み続けた任務。そして、三代・和也が拓く新たな道。ミステリ史に輝く、大河警察小説。

新潮社編

鼓動
―警察小説競作―

悪徳警官と妻。現代っ子巡査の奮闘。伝説の警視の直感。そして、新宿で知らぬ者なき刑事〈鮫〉の凄み。これぞミステリの醍醐味！

新潮社編

決断
―警察小説競作―

老練刑事の矜持。強面刑事の荒業。新任駐在の苦悩。人気作家六人が描く「現代の警察官」。激しく生々しい人間ドラマがここに！

真保裕一著

奇跡の人

交通事故から奇跡的生還を果した克己は、すべての記憶を失っていた。みずからの過去を探す旅に出た彼を待ち受けていたものは――。

津原泰水著　ブラバン

一九八〇。吹奏楽部に入った僕は、音楽の喜び、忘れえぬ男女と出会った。二十五年後、再結成話が持ち上がって。胸を熱くする青春組曲。

手嶋龍一著　ウルトラ・ダラー

拉致問題の謎、ハイテク企業の陥穽、外交官の暗闘。真実は超精巧なニセ百ドル札に刻み込まれた。本邦初のインテリジェンス小説。

天童荒太著　孤独の歌声　日本推理サスペンス大賞優秀作

さぁ、さぁ、よく見て。ぼくは、次に、どこを刺すと思う？　孤独を抱える男と女のせつない愛と暴力が渦巻く戦慄のサイコホラー。

天童荒太著　幻世《まぼろよ》の祈《いの》り　家族狩り　第一部

高校教師・巣藤浚介、馬見原光毅警部補、児童心理に携わる氷崎游子。三つの生が交錯したとき、哀しき惨劇に続く階段が姿を現わす。

中原みすず著　初恋

叛乱の季節、日本を揺るがした三億円事件。そこには、少女の命がけの想いが刻まれていた。あなたの胸をつらぬく不朽の恋愛小説。

貫井徳郎著　迷宮遡行

妻が、置き手紙を残し失踪した。かすかな手がかりをつなぎ合わせ、迫水は行方を追う。サスペンスに満ちた本格ミステリーの興奮。

花村萬月著
百万遍 青の時代（上・下）
今日、三島が死んだ。俺は、あてどなき漂流を始めた。美しき女たちを渡り歩き、身を凍りつかせる暴力を知る。入魂の自伝的長篇！

花村萬月著
百万遍 古都恋情（上・下）
小百合、鏡子、毬江、綾乃。京都に辿りついた少年は幾つもの恋に出会い、性に溺れてゆく。男と女の狂熱を封じこめた、傑作長編。

久間十義著
刑事たちの夏（上・下）
大蔵官僚の不審死の捜査が突如中止となった。圧力の源は総監か長官か。官僚組織の腐敗とその背後の巨大な陰謀を描く傑作警察小説。

藤田宜永著
恋しい女（上・下）
恋に手馴れた男、恋を知らない女。絡まりあっても溶け合わない二人。恋愛が求心力を失くした時代の不毛を描く、ロマネスク長篇。

船戸与一著
砂のクロニクル（上・下）
山本周五郎賞・日本冒険小説協会大賞受賞
クルド民族の悲願、独立国家の樹立。その命運は謎の日本人が握っていた。銃は無事マハバードに届くのか。著者渾身の壮大なる叙事詩。

本多孝好著
真夜中の五分前
five minutes to tomorrow
side-A side-B
双子の姉かすみが現れた日から、五分遅れの僕の世界は動き出した。クールで切なく怖ろしい、side-A から始まる新感覚の恋愛小説。

レディ・ジョーカー（上）

新潮文庫　た－53－6

平成二十二年四月一日発行

著者　髙《たか》村《むら》薫《かおる》

発行者　佐藤隆信

発行所　株式会社　新潮社

郵便番号　一六二―八七一一
東京都新宿区矢来町七一
電話　編集部(〇三)三二六六―五四四〇
　　　読者係(〇三)三二六六―五一一一
http://www.shinchosha.co.jp

価格はカバーに表示してあります。

乱丁・落丁本は、ご面倒ですが小社読者係宛ご送付ください。送料小社負担にてお取替えいたします。

印刷・株式会社精興社　製本・憲専堂製本株式会社

ISBN978-4-10-134716-5 C0193